Das Buch

»Hände gleiten über das bräunliche Innenfutter der Tasche, über die Seitenwände, den Boden. Plötzlich hält der Zöllner inne und sagt etwas zu seinem
Kollegen. Der reicht ihm ein Messer. Mein Herz schlägt mit einem Mal so
wild, dass es die anderen eigentlich hören müssten. Ritsch, ratsch fährt das
Messer in den Stoff an der schmalen Seite des Taschenbodens. Dann, ganz
langsam, zieht der Mann das Messer raus. Und ich sehe etwas Weißes leuch-
ten. Etwas Weißes, pulvrig wie frisch gefallener Schnee.« Am 21. Januar 2001
wird Andrea Rohloff am Flughafen von Izmir in der Türkei verhaftet: In ihrer
Tasche waren sechs Kilogramm Heroin versteckt.
Gerade 18 Jahre alt geworden, träumt Andrea von einem eigenständigen
Leben. Sie möchte erwachsen sein, ihr eigenes Geld verdienen und auf
Reisen, die Welt entdecken. In Wirklichkeit muss sie sich aber mit einer
Ausbildung quälen, die ihr keinen Spaß macht und in der sie nicht ihre Zukunft sieht. Doch plötzlich lädt ihre beste Freundin sie zu einem Urlaub in
die Türkei ein: Sie soll eine Tasche transportieren und dafür Geld bekom-
men – weitere Fragen werden ihr nicht beantwortet. In blindem Vertrauen
lässt Andrea sich auf eine Reise mit fatalen Folgen ein ...

Die Autoren

Andrea Rohloff wurde 1983 in Berlin geboren. Nach der Schule begann sie
eine Ausbildung zur kaufmännischen Assistentin. Im Mai 2001 verurteilte
sie das türkische Staatssicherheitsgericht zu einer Haftstrafe von 6 Jahren
und 3 Monaten. Im Juni 2002 wurde sie nach Berlin in die Justizvollzugsanstalt für Frauen überstellt. Seit September 2002 darf sie mit ihrer Ausbildung fortfahren und im März 2003 wurde Andrea Rohloff auf Bewährung
aus der Haft entlassen.
Anne Nürnberger, 1967 in Hamburg geboren, ist Chefreporterin der *Bild am
Sonntag*.

Andrea Rohloff

Die Schneejungfrau

Mein Jahr im türkischen Gefängnis

Aufgezeichnet von
Anne Nürnberger

Ullstein

Die Schneejungfrau schildert Ereignisse, die sich wirklich zugetragen haben. Alle im Buch vorkommenden Personen sind Personen des wirklichen Lebens. Um ihre Privatsphäre zu schützen, werden manche von ihnen unter einem veränderten Namen vorgestellt.

Bildnachweis:
S. 1 oben: © BILD ZTG/HIKO; S. 1 unten: © BILD ZTG/HIKO;
S. 2 oben: © Peter Müller/BILD ZTG; S. 2 unten: © tuergerpress;
S. 3 oben: privat; S. 3 unten: © Peter Müller/BILD ZTG;
S. 4: © Peter Müller/BILD ZTG; S. 5 oben: © Peter Müller/BILD ZTG;
S. 5 unten: © IZMIR DHA; S. 6: © Andreas Thelen/BILD ZTG;
S. 7 oben: © BILD ZTG/Timme; S. 7 unten: © BILD ZTG;
S. 8 unten: © Falko Siewert; S. 8 unten: © Falko Siewert.

Besuchen Sie uns im Internet:
www.ullstein-taschenbuch.de

Umwelthinweis:
Dieses Buch wurde auf chlor- und säurefreiem Papier gedruckt.

Originalausgabe im Ullstein Taschenbuch
1. Auflage Mai 2003
3. Auflage 2005
© Ullstein Buchverlage GmbH, Berlin 2005
© 2003 by Ullstein Heyne List GmbH & Co. KG
Aufgezeichnet von Anne Nürnberger
Lektorat: Angela Troni, München
Umschlaggestaltung: Büro Hamburg
Titelabbildung: Falko Siewert
Gesetzt aus der Officina Sans
Satz: KompetenzCenter, Mönchengladbach
Druck und Bindearbeiten: Ebner & Spiegel, Ulm
Printed in Germany
ISBN-13: 978-3-548-36430-8
ISBN-10: 3-548-36430-6

VORBEMERKUNG

Als mir mein türkischer Anwalt vorschlug, aus meinen Tagebuchnotizen ein Buch zu machen, war ich zunächst sehr skeptisch. Ich habe es noch nie gemocht, im Mittelpunkt zu stehen. Deshalb war mir die Vorstellung, ausgerechnet wegen einer Straftat besondere öffentliche Beachtung zu erfahren, recht unangenehm. Der Medienauflauf bei meinen Prozessterminen und die Artikel, die während meines Gefängnisaufenthaltes regelmäßig in der Zeitung standen, hatten mir schon genug zugesetzt, obwohl die Berichterstattung überwiegend wohlwollend war.

Ich habe mich bei der Arbeit an diesem Buch stets bemüht, meine Erinnerungen so authentisch wie möglich wiederzugeben. Zum besseren Verständnis sind manche Erlebnisse etwas gestrafft, also nicht auf den Tag genau geschildert, an dem sie passiert sind. Das bedeutet auch, dass die Dialoge sich nicht wortwörtlich so zugetragen haben, wie in diesem Buch beschrieben, sondern, dass ich sie so genau wie möglich aus meinen Erinnerungen und Tagebuchnotizen rekonstruiert habe.

In den langen Gesprächen mit meinem Anwalt, die weit über pure Prozessvorbereitung hinausgingen, hat er mir schließlich verständlich gemacht, dass das, was mir passiert ist, jedem Menschen passieren kann, der noch nicht so viel Lebenserfahrung hat. Das war nicht nur tröstlich für mich, sondern auch ausschlaggebend für meinen Entschluss, meine persönlichen und sehr schmerzlichen Erfahrungen mit so vielen Menschen wie möglich teilen zu wollen, in der Hoffnung, dadurch andere davor zu bewahren, dass sie den gleichen Fehler machen wie ich.

Selbst nach meiner Verhaftung habe ich lange gebraucht, um zu begreifen, warum ich ins Gefängnis musste, obwohl ich von dem Heroin in der Tasche, die ich für meine damalige beste Freundin mitnehmen sollte, nichts wusste. Auch hier hat mein Anwalt geduldige Aufklärungsarbeit geleistet, für die ich ihm sehr dankbar bin. Er hat mir erklärt, dass niemand ohne Grund ins Gefängnis kommt und dass Heroinschmuggel immer eine Straftat ist. Ja, ich fühle mich schuldig und deshalb bin ich mir inzwischen im Klaren darüber, dass ich meine Strafe zu Recht bekommen habe, auch wenn die Zustände in einem türkischen Gefängnis sicher eine besondere Härte bedeuten.

Dennoch: Dieses Buch soll gewiss nicht dazu dienen, mich über die Haftbedingungen in der Türkei zu beklagen, weil ich dort stets fair behandelt worden bin. Natürlich war das Urteil ein Schock für mich, aber nur so lange, bis mein Anwalt mir erklärte, dass es für türkische Verhältnisse außergewöhnlich milde gewesen sei, also ein Glücksfall, und dass ich damit rechnen könne, bei guter Führung nach etwas über einem Drittel der Haftzeit freizukommen.

Das, was mich während meiner Haftzeit am meisten belastet hat, waren nicht schmutzige, überfüllte Zellen, sondern die Schuldgefühle, die ich meiner Familie gegenüber hatte und immer noch habe. Mama und Papa haben in dieser Zeit sicher genauso gelitten wie ich. Wie schlimm es für sie gewesen sein muss, ist mir erst nach meiner Überstellung nach Deutschland richtig bewusst geworden. Sie wollten mich nämlich bei ihren Besuchen nicht mit den Problemen, die sich durch meine Verhaftung zu Hause ergaben, zusätzlich belasten. So erfuhr ich erst viel später, dass meine Eltern sich von Verwandten Geld leihen mussten, um meinen Anwalt und ihre

Reisen in die Türkei bezahlen zu können, dass meine Großeltern sich so sehr schämten für meine Tat, dass sie Angst hatten, auf der Straße erkannt zu werden, dass meine Eltern für meine kleine Schwester Ariane, die gerade in die erste Klasse gekommen war, nur wenig Zeit hatten, sie in der Schule zu unterstützen, weil sie in jeder freien Minute damit beschäftigt waren, für meine Überstellung aus der Türkei und die vorzeitige Freilassung zu kämpfen. Dafür möchte ich ihnen an dieser Stelle danken!

Doch mein Dank gilt noch weiteren Menschen, und zwar all jenen, die von meinem Fall in der Zeitung gelesen haben und mir mit ihren Briefen Trost und Hoffnung gaben, diese schwere Zeit durchzustehen. Es waren so viele, dass ich leider nicht jedem einzelnen persönlich antworten konnte. Stellvertretend für alle, die Anteil an meinem Schicksal genommen haben, möchte ich Onkel Hans nennen, einen pensionierten Lehrer aus Linkenheim-Hochstetten (Baden-Württemberg), der auf Grund seiner langjährigen Erfahrung als Pädagoge besonderes Verständnis für meinen aus jugendlicher Naivität begangenen Fehltritt hatte. Briefe wie seine haben mir ein wenig von der Angst genommen, mich auch nach der Rückkehr in die Normalität lebenslang für meinen Fehler rechtfertigen zu müssen.

Ich hoffe, dass dieses Buch die widrigen Umstände nachvollziehbar macht, die zu meiner fatalen Reise geführt haben, und dass es eine Warnung an alle ist, an die ein ähnliches Angebot herangetragen wird.

Andrea Rohloff
Berlin im März 2003

PROLOG

Wenn man aus einem Alptraum aufwacht, braucht es meist ein paar Minuten, bis man wieder ankommt in der Realität. Langsam erfassen die müden Augen das vertraute Bett, der Blick wandert über den Stuhl, auf dem die Klamotten vom Vortag das gewohnt unordentliche Knäuel bilden. Die ersten Sonnenstrahlen schicken freundliches Tageslicht zwischen den benachbarten Elfgeschossern durchs Fenster. Meine Hände fühlen die kuschelige Bettdecke, die beruhigend nach frischem Zuhause-Waschmittel duftet. Aus der Küche kann ich die Kaffeemaschine blubbern hören, die Papa längst angestellt hat. Und spätestens wenn mich meine Schäferhündin Cora liebevoll stupst, weil sie dringend raus will, wird mir klar, dass dieses nervige Piepen mein Wecker sein muss. Sofort verziehen sich die Schrecken der Nacht, werden blass, werden schwächer. Die Angst schrumpft wie ein Ballon, aus dem die Luft entweicht, und verschwindet schließlich so schnell, dass ich mich beim Frühstück kaum noch daran erinnern kann.

So war das bisher. So wird es nie mehr sein. Denn dieser Alptraum ist anders. Er ist furchtbarer als alle vorangegangenen. Denn er ist wahr, er ist Realität. Und das Schlimmste ist: Ich habe ihn mir selbst eingebrockt.

Unerträglicher Lärm reißt mich aus dem Schlaf. Stimmengewirr in einer Sprache, die ich nicht verstehe. Mein Körper schmerzt, ist steif und eisig kalt. Meine Hände fahren über die

Bettdecke und fühlen kratzige Wolle. Sie tasten sich weiter zum Laken. Aber da ist keins. Nur noch eine kratzige Wolldecke. Darunter kann ich die harten Knubbel der durchgelegenen Matratze spüren. Meine Finger gleiten über den Rand der Matratze, fühlen kalten Stein.

Ich reiße die Augen auf, dass es wehtut. Eine todsichere Methode, Alpträume zu beenden.

Mein Blick findet keinen vertrauten Halt. Ich liege auf einer völlig verdreckten Matratze direkt auf dem Betonboden. Links neben mir sehe ich die Stahlfüße eines dreistöckigen Etagenbettes, hinter mir steht noch eines. Farbe blättert von der Decke, die wohl vor sehr langer Zeit mal hellgelb gestrichen wurde. Meine Augen wandern nach rechts. Mattes Tageslicht fällt durch beinahe bodenhohe Fenster, vergitterte Fenster. Ein beißender Geruch steigt mir in die Nase. Es riecht nach Staub, nach Schmutz, nach ungewaschenen Körpern. Ich sehe mich um. Erst jetzt nehme ich die Menschen wahr: Frauen, junge, alte, es sind viele, vielleicht fünfzig, in zerlumpten Kleidern. Sie sitzen auf den Betten, sie laufen herum, sie sind so laut, dass mir die Ohren schmerzen.

Dann kommt die Erinnerung zurück: Seit gestern bin ich in türkischer Untersuchungshaft, in einer Zelle im Buca-Cezaevi-Gefängnis von Izmir. Zwischen Mördern, zwischen Dieben, zwischen Betrügern.

Eines steht fest: Ich gehöre hier nicht hin. Das alles ist ein furchtbarer Irrtum. Ja, sie haben am Flughafen Heroin in meiner Tasche gefunden. Aber damit hatte ich nichts zu tun. Ich bin vor kurzem achtzehn geworden, ich habe Träume, ich bin gerade dabei, mein Leben zu beginnen. Sie werden es sicher herausfinden und mich bald heimschicken nach Berlin.

Tränen steigen in mir hoch und machen die Augen blind, so dass ich das Schreckliche wenigstens nicht mehr sehen kann. Es ist der Moment, als meine Seele herausschlüpft aus dem Körper. So ähnlich muss Sterben sein: Ich kann von außen draufgucken auf meinen Körper da im Gefängnis. Wie er daliegt; frierend, heulend, stumpf vor Angst und Horror. Meine Seele fliegt durch die Gitterstäbe nach Hause, nach Berlin. Die lässt sich nicht einsperren. Das ist meine einzige Chance, hier heil wieder rauszukommen.

Ich fühle die Wärme der Tränen, die einzige Wärme in der Kälte hier. Sie fließen schneller, als ich wieder an Mama und Papa denke und daran, dass ich sie angelogen habe, an Cora und meine Schwestern Dani und Ari. Dani wäre so was nie passiert. Sie ist so vernünftig, so erwachsen, obwohl sie nur ein knappes Jahr älter ist als ich. Und Ari ist doch erst sieben. Wie haben Mama und Papa ihr wohl erklärt, was passiert ist? Lügen ist nicht okay. Klar habe ich manchmal geschummelt, aber lügen – das gab es bei uns nicht. Warum auch? Meine Eltern sind in Ordnung, großzügiger als die meisten Eltern meiner Freunde.

Diesmal habe ich ihnen nicht die ganze Wahrheit sagen dürfen. Richtig wohl gefühlt habe ich mich nicht dabei. Aber ich wollte endlich mal was ganz alleine bestimmen. Frei sein, erwachsen, eigenes Geld verdienen. Ich hatte mich so gefreut auf diese Reise und auf die Geschenke, die ich gekauft hätte, um mich für die schöne Familienidylle zu bedanken. Ich hätte bewiesen, dass ich auf eigenen Füßen stehen kann, dass es kein Fehler war, die Ausbildung abzubrechen, dass es doch geht, arbeiten und Spaß dabei haben, reisen und dafür auch noch viel Geld kriegen. Ich wollte, dass sie stolz sind auf ihre große, unabhängige Tochter, dass sie sich keine Sorgen mehr machen müssen über meine Zukunft. Jetzt haben sie noch mehr Sorgen.

1

Die Wärterin trägt eine dunkelblaue Uniform, langer Rock mit streng geschnittenem Blazer, darunter eine perfekt gebügelte hellblaue Bluse, die langen Haare zu einem Knoten im Nacken geschlungen. Sie hetzt mich durch ein Wirrwarr aus Gängen und Treppen. Unsere Schritte hallen auf dem grauen Betonboden wider. Manchmal dreht sich die Wärterin um und guckt, ob ich noch mitkomme. Da ist kein Lächeln auf ihrem Gesicht, nichts Weiches, nur eine starre Miene. Sie ist höchstens Ende dreißig, aber sie hat schon Falten, die sich von der Nase traurig bis zu den Mundwinkeln ziehen vom vielen ernst Gucken. Dabei bin doch ich diejenige, die sich Sorgen machen sollte.

Es ist Dienstag, der 23. Januar 2001, kurz nach 16 Uhr. Gerade hat der Haftrichter entschieden, dass ich ins Gefängnis muss, bis die genauen Umstände meiner Tat geklärt sind. Höchstens vierzig Tage seien das, hat er mir erklärt. Vierzig Tage, für mich klingt das wie lebenslang, eine halbe Ewigkeit für eine Tat, derer ich mir gar nicht bewusst war.

»I have a question! – Ich habe eine Frage«, sage ich zu der Wärterin.

Sie dreht sich kurz um, schüttelt den Kopf und zuckt die Achseln. Natürlich spricht sie kein Englisch. Das braucht man wohl nicht, wenn man in so einem Verlies arbeitet. Verlies ist der einzig richtige Ausdruck für diese Betonburg, deren kahle Gänge mit Neonröhren dürftig beleuchtet sind. Wir gehen so schnell, dass ich mich überhaupt nicht richtig orientieren kann, für mich ist das hier ein Labyrinth, alles sieht gleich aus, die Gänge, die Treppen, alles kahl und grau.

Plötzlich bleibt die Wärterin vor einer Tür stehen. Eine große Metalltür ist das, grau lackiert mit einem schweren Riegel, der mit einem großen Vorhängeschloss gesichert ist. Diesmal sagt sie etwas. Wahrscheinlich auf Türkisch, denn ich kann es nicht verstehen. Ich nehme an, dass dies hier die Zelle ist, in die sie mich bringen soll. Die Wärterin nestelt an ihrem Schlüsselbund und steckt einen großen, altmodischen schwarzen Schlüssel ins Schloss. Klack, das Vorhängeschloss schnappt auf. Dann fährt die Wärterin die schwere Tür mit einem gruselig knarrenden Schleifgeräusch zur Seite und gibt den Blick frei in einen düsteren Raum. So muss das Tor zur Hölle aussehen, denke ich. Das passiert hier nicht wirklich, das kann nicht real sein. Die Wärterin macht einen Schritt in einen dunklen Vorraum und bedeutet mir, ihr zu folgen. Als meine Augen sich etwas an das Dämmerlicht gewöhnt haben, sehe ich, dass gleich auf der rechten Seite eine Treppe eine Etage tiefer führt. Geradeaus ist eine weitere Schiebetür, die einen Spalt offen steht. Ich kann nicht erkennen, was dahinter ist, bis auf den Lichtschein, der von dort in den Vorraum fällt.

Die Wärterin zeigt auf die Tüte, die ich mit beiden Händen umklammert halte. Es ist eine kleine Papiertragetasche, wie man sie in Parfümerien erhält. Ich habe sie von einem Konsulatsmitarbeiter auf der Polizeiwache bekommen, auf der sie mich verhört haben. In der Tüte sind die wenigen persönlichen Sachen, die ich behalten durfte, mein Schatz, ein Stück Freiheit, die Reste meines bisherigen Lebens, das heute zu Ende ist. Dann streckt die Frau eine Hand nach der Tüte aus. Nein, sie darf mir nicht das Letzte nehmen, denke ich und meine Fingerknöchel werden weiß, so fest umklammere ich den Henkel. Wieder sagt die Wärterin etwas auf Türkisch und diesmal klingt es ein bisschen ärgerlich. Wie in Trance stelle ich die Tüte ab und sie beginnt sofort, alles auszupacken: ein braunes T-Shirt, ein khakifarbenes Trägertop, drei Höschen, mein Kokoshaarshampoo, der Walkman, das Handy, drei Kassetten (Radiomix, HIM/Travis, Orange Blue), ein Päckchen Davidoff Lights, eine Bürste, mein Maskottchen, der Monchichi, eine graue Mütze, Socken, ein paar Apfelsinen und eine Banane. Die Wärterin kassiert Handy, Walkman und Obst ein und drückt mir die restlichen Sachen in die Hand. Ich fühle mich völlig benommen, alles scheint wie in Watte gepackt, die Geräusche gedämpft, mein Blick verschwommen. Während ich die Tüte langsam wieder einpacke, sehe ich, wie die Wärterin erneut vorauseilt. Sie läuft geradeaus auf die Tür zu, aus der das Licht in den Vorraum dringt. Auch diese Tür ist grau gestrichen, wie die Zellentür, aber sie knarrt nicht, als die Frau sie weit aufschiebt, sie summt nur leise, wie gut geölt, als das Metall in der Schiene zurückfährt.

Das Erste, was ich wahrnehme, ist der Lärmpegel; ohrenbetäubendes Stimmengewirr durchbrochen vom Plärren des Fernsehers, der gleich neben der Eingangstür unter der Decke aufgehängt ist. Mattes Nachmittagslicht fällt aus der einzigen – vergitterten – Fensterfront, die links neben der Tür beginnt, auf ein unbeschreibliches Chaos. Behände schlängelt sich die Wärterin zwischen den drei- und zweistöckigen Etagenbetten hindurch, die dicht an dicht stehen.

Entsetzt sehe ich mich um. Frauen, überall Frauen, in zerlumpten Kleidern, mit verfilzten Haaren. Diejenigen, die auf den Betten keinen Platz gefunden haben, hocken auf dem Fußboden. Ich muss aufpassen, dass ich nicht über sie stolpere, als ich versuche, die Wärterin nicht aus den Augen zu verlieren. Der Lärmpegel in diesem Raum, offensichtlich ein riesiger Schlafsaal, sinkt für einen Moment, als ich mir meinen Weg durch das Gewühl bahne. Ein echter Spießrutenlauf ist das! Ich spüre, wie sie mich anstarren, mich, die Neue. Für diese Frauen bin ich jetzt eine von ihnen, von den Kriminellen. Wie sollen sie ahnen, dass das alles ein furchtbarer Irrtum ist, der sich aufklären wird, und zwar hoffentlich bald.

Wie lange kann ich das hier überleben? Ich weiß es nicht. Am liebsten würde ich mich auf der Stelle in Luft auflösen, damit wenigstens dieses dämliche Geglotze aufhört.

Neben der Fensterfront ist ein wenig Platz, bevor die Reihen mit den Etagenbetten beginnen. Da steht ein rechteckiger Tisch mit drei Gartenstühlen drum herum, auf denen Gefangene sitzen, ein schwarzer, ein weißer mit Armlehnen und ein brauner. Als die Wärterin sich dem Tisch nähert, springt die Frau auf dem weißen Stuhl, dem einzigen mit einem Kissen auf der Sitzfläche, rasch auf. Meine Begleiterin beachtet sie nicht weiter und nimmt Platz, als sei das eine Selbstverständlichkeit. Sofort eilt eine andere Frau mit einer Tasse Tee heran, wofür die Wärterin sich nicht einmal bedankt. Mich scheint sie total vergessen zu haben, auf jeden Fall ignoriert sie mich und beginnt, sich mit den anderen Frauen am Tisch zu unterhalten.

Hilflos bleibe ich ein paar Meter vom Tisch entfernt stehen und stelle meine Tüte ab. Noch nie habe ich mich so allein gefühlt, allein unter Fremden – das ist noch schlimmer als Einsamkeit.

Ich spüre, wie meine Augen feucht werden, wie mir plötzlich Tränen über die Wangen strömen, unaufhaltsam, und ich versuche nicht mal, sie zurückzuhalten. Es ist mir egal, was die anderen denken, wer sie sind, was sie getan haben.

Als ich mich wieder etwas beruhigt habe, stehen mindestens zehn Frauen in einem Halbkreis um mich herum. Alle reden durcheinander, nein, sie reden mit mir. Ich bin völlig verwirrt und versuche ein hilflos-höfliches Lächeln, das jedoch nicht richtig gelingen will.

»Tut mir Leid. Ich verstehe euch nicht«, murmele ich kaum hörbar.

»Hallo, ich spreche Deutsch«, höre ich plötzlich eine Stimme. Sie gehört zu einer kräftig gebauten Dunkelblonden, die normaler aussieht als die anderen Gaffer, die sich um mich drängen. Die meisten tragen furchtbar bunte Klamotten:

lange Röcke und Blusen, die dringend eine Wäsche vertragen könnten. Die Frau, die mich angesprochen hat, hat einen Pulli und eine schmal geschnittene Hose an. Sie lächelt.

»Ich bin Oya«, stellt sie sich vor.

»Andrea«, erwidere ich.

»Wie alt bist du, Andrea? Woher kommst du?«, fragt Oya.

»Achtzehn«, sage ich. »Ich wohne in Berlin.«

Stimmt ja auch, und außerdem ist es irgendwie tröstlich, diesen Satz zu sagen, wie eine Bestätigung, dass dies hier nur ein Zwischenstopp für kurze Zeit ist, ein Horrortrip, den ich schon bald wieder vergessen darf.

Natürlich will Oya wissen, wieso ich hier bin, und als ich es ihr sage, erzählt sie es gleich den anderen. Dann reden alle durcheinander, auf Türkisch. Egal, sollen sie doch denken von mir, was sie wollen. Ich werde mich hier sowieso nicht einleben, wozu?

Während ich so in meinen Gedanken versinke, merke ich gar nicht, wie sich ein Mädchen den Weg durch die Menge der Neugierigen bahnt. Ich registriere sie erst, als sie direkt vor mir steht und mich anspricht, leise, aber mit klarer Stimme: »Do you speak English?«

Ich sehe sie an und mag sie sofort. Ein kleines, zierliches Persönchen mit halblangen dunklen Haaren, die ein trauriges, ausgemergeltes Gesicht umrahmen. Sie muss ungefähr so alt wie ich sein, auch wenn sie auf den ersten Blick jünger wirkt, weil sie so zerbrechlich aussieht. Ich mustere die graue Jogginghose und den grauen Pullover, der um ihren ausgezehrten Körper schlackert, während ihre Hände nervös an dem kleinen schwarzen Stricktäschchen nesteln, das sie um den Hals trägt.

»Ja, ich spreche Englisch«, sage ich dann.

Für eine Sekunde erhellt ein Strahlen das traurige, kleine Gesicht. »Oh, ich bin ja so froh, dass hier endlich jemand Englisch spricht!« Das Mädchen streckt mir die Hand entgegen: »Ich bin Flory.«

»Andrea«, sage ich.

»Rauchst du?«, fragt Flory.

»Ja«, erwidere ich.

»Komm, dann lass uns eine rauchen gehen«, schlägt sie vor. Dann nimmt sie einfach meine Hand und zieht mich aus der Traube der noch immer gaffenden Frauen, die eilig zurückweichen, als wir Richtung Schlafsaaltür gehen. »Hier oben darf man nicht rauchen«, erklärt Flory. »Dafür müssen wir ins Erdgeschoss. Der Aufbau der Zelle ist in den ersten Tagen etwas verwirrend, das ging mir genauso. Unsere Zelle hat nämlich zwei Stockwerke, zwischen denen wir uns frei bewegen können. Im ersten Stock sind der Schlafsaal, zwei Toiletten und ein Waschraum. Da vorne ist der Flur, von dem die eigentliche Zellentür abgeht, durch die dich die Wärterin hereingebracht hat. Von diesem Flur führt eine Treppe ins Erdgeschoss.«

»Aha«, sage ich nur, doch Flory beachtet mich gar nicht.

Unbeirrt redet sie weiter. »Dort ist wieder ein kleiner Flur, von dem zwei Türen abgehen. Eine führt auf den Hof und eine in die Küche, die direkt unter dem Schlafsaal liegt.«

Ich bin total verwirrt. »Das kann ich mir ja nie merken«, murmele ich vor mich hin. Benommen stolpere ich hinter Flory die graue Steintreppe hinunter, die nicht einmal ein Geländer hat, nur eine Betonbrüstung. Die Treppe macht auf der Hälfte einen Knick, und dann stehen wir endlich unten.

»Siehst du, hier geradeaus, hinter der Schiebetür geht es auf den Hof. Und die Tür rechts führt in die Küche.«

Hier unten sind längst nicht so viele Frauen wie im Schlafsaal, vielleicht zwanzig. Sie sitzen an den Tischen, stricken, rauchen und trinken Tee. Dennoch ist es um einiges lauter als in der oberen Etage. Kein Wunder, die Küchentür ist eigentlich nur ein großes Gitter mit zwei Metallbeschlägen, die quer darübergenietet sind. Der Raum, den wir jetzt betreten, ist riesig, genau wie der Schlafsaal – und furchtbar ungemütlich. Ich starre auf die langen Tische mit Granitplatten darauf, die von Bänken flankiert sind, wie man sie aus Biergärten kennt.

Ganz rechts an der Wand, parallel zu der Fensterfront, die genauso aussieht wie die im Schlafsaal, nur dass sie zur Hälfte mit Metallspinden zugestellt ist, entdecke ich eine Art Tisch, in den zwei mal vier Herdplatten eingelassen sind. Einen Backofen gibt es nicht. Der kahle Raum bedrückt mich, roher Steinfußboden, Wände, die vor sehr langer Zeit einmal gelb gestrichen wurden, und kaltes Neonlicht – sonst nichts.

Flory lotst mich an einen der Tische, auf dem eine doppelstöckige Metallkanne steht. Da bemerkt sie meinen fragenden Blick und lächelt. »Oben ist der Teesud drin. Und in der großen Kanne unten Wasser zum Verdünnen«, erklärt sie.

»Çay, çay?«, fragt eine Frau und hat die Kanne schon in der Hand.

Ich schüttele den Kopf. Mein Magen ist noch immer wie zugeschnürt.

Flory gießt sich ein Glas Tee ein. Ich beobachte die Krümel, die darin schwimmen, und ekele mich. »Du kannst den Tee ruhig annehmen«, sagt sie sanft.

»Nein, ist schon gut. Ich habe keinen Durst«, antworte ich, weil ich nicht unhöflich sein will.

Als ich Flory eine Davidoff anbiete, wehrt sie energisch ab. »Nein, du musst deine Zigaretten sparen«, sagt sie und zieht ein zerknautschtes Päckchen Marlboro aus ihrem schwarzen Stricktäschchen. »Hier, nimm eine von mir.«

Ich nehme ihr Angebot an. Seit meiner Verhaftung habe ich viel geraucht und jetzt ist sowieso alles egal. Wir pusten den Rauch Richtung Betondecke, sehen zu, wie zwei Schwaden aufsteigen und sich kräuselig umschlingen. Es ist gut, zu zweit zu sein in der Hölle.

So sitzen wir ein paar Minuten schweigend da. »Wie lange bist du schon hier?«, frage ich dann.

»Seit zehn Tagen«, sagt Flory. »Ich komme aus Rumänien, aus Bukarest. Ich bin in Izmir mit gefälschten Kreditkarten erwischt worden«, fügt sie hinzu und lächelt verlegen. »Und du?«

»Heroin«, sage ich, mehr fällt mir nicht ein, weil mir das Ganze noch immer total absurd erscheint. Hätte mir eine Wahrsagerin noch vor ein paar Monaten prophezeit, dass ich jemals in meinem Leben etwas mit Heroin zu tun haben würde, ich hätte sie ausgelacht.

»Nimmst du Heroin?«, hakt Flory nach.

Klar, das muss sie jetzt ja denken. »Nein, es war in einer Tasche, die meine Freundin mir gegeben hat. Ich wusste nichts davon.«

»Aber wie kann man nicht wissen, was in der eigenen Tasche ist?«, lässt Flory nicht locker.

»Das ist eine lange Geschichte«, sage ich, »meine Freundin Jenny hatte so einen Job. Sie ist regelmäßig in die Türkei geflogen und hat auf dem Rückweg eine Tasche nach Italien gebracht. Irgendwann hat sie mich gefragt, ob ich Lust hätte, einmal mit ihr zu verreisen, sozusagen als nachträgliches Geburtstagsgeschenk. Ich hatte total Lust auf die Reise. Und dann hat Jenny noch gesagt, dass ich dafür nur auch so eine Tasche mitnehmen müsste, so, wie sie es schon so oft getan hat. Ich habe mich so gefreut auf meine erste Reise mit dem Flugzeug, dass ich gar nicht über die ganze Sache nachgedacht habe. Deshalb war es ein Schock für mich, als die Zöllner plötzlich Heroinpäckchen aus meiner Tasche zogen. Heroin ist echt das Allerletzte. Davon wusste Jenny bestimmt auch nichts, das hätte sie mir niemals angetan.« Die letzten Worte kann ich nur noch stammeln, weil ich schon wieder einen riesigen Kloß im Hals habe und sich mein Magen schmerzhaft zusammenzieht.

Flory nimmt mich in den Arm, streicht mir übers Haar. Es tut gut, dass sie einfach da ist, dass sie nichts sagt, nicht weiter nachbohrt. Ich fange ja gerade erst selbst an, mir Fragen zu stellen, nach deren Antworten ich vielleicht viel früher hätte suchen sollen. Aber hätte ich es gekonnt?

Als es mir wieder ein wenig besser geht, sehe ich, dass Oya unseren Tisch ansteuert.

»Andrea, die Wärterin sucht dich!«

Widerwillig stehe ich auf und trotte hinter Oya die Treppe hoch. Da steht die Wärterin mit dem strengen Gesicht, den Zellenschlüssel schon in der Hand. Sie hält mir einen Zettel entgegen. »Du musst hier unterschreiben«, sagt Oya, »da steht drauf, dass sie dein Handy und deinen Walkman einbehalten hat.«

Ich frage, ob ich meinen Walkman nicht doch mitnehmen könne.

Oya diskutiert mit der Wärterin. »Keine Sorge«, sagt Oya schließlich und lächelt, »du wirst ihn wiederkriegen.«

Also unterschreibe ich. Die Wärterin verabschiedet sich nicht, sie geht einfach hinaus. Dann schiebt sie die schwere, knarrende Eisentür zu. Klack, klack. Jetzt schiebt sie den großen Riegel vor. Noch ein metallisches Klacken, als das riesige Vorhängeschloss draußen zuschnappt. Das Geräusch hallt nach in meinem Kopf, schwillt an zu einem Dröhnen. Eingesperrt, denke ich. Eingesperrt, eingesperrt, eingesperrt.

Oya reißt mich aus meinen schwarzen Gedanken. »Wie sieht's aus? Du möchtest doch bestimmt duschen, Andrea, oder?«

Seit drei Tagen trage ich ununterbrochen die gleichen Klamotten, die silbergraue Hose und den Pullover, die ich bei meiner Festnahme anhatte. Drei Tage lang haben die Polizisten mich auf der Wache verhört, ich musste sogar dort schlafen. »Ja, ich würde gern duschen«, sage ich zu Oya, »aber wie? Ich habe doch nicht mal ein Handtuch.«

Oya geht zu einem Spind am Fenster und holt ein kleines weißes Handtuch heraus. »Hier, nimm meines«, sagt sie, »und wenn du willst, kannst du deine Tüte gern in meinen Spind stellen, bis du einen eigenen bekommst.«

Ich nehme das Handtuch und bin froh, dass ich wenigstens mein Kokosshampoo hier habe, mein Lieblingsshampoo von Yves Rocher.

Wieder trotte ich hinter Oya her, diesmal bis ins Bad, das

gegenüber des Schlafsaals hinter einer wackeligen weißen Plastikwand liegt, die nicht ganz bis zur Decke reicht. Dass wir tatsächlich im Bad sind, erkenne ich nicht sofort. Es ist ein Schock. Entsetzt starre ich auf das Loch im Boden, offensichtlich das Klo. Dann zeigt Oya auf zwei Wasserhähne, die aus der Betonwand ragen, und sagt: »Dusche.«

Der Betonboden ist schmutzig, total eklig. Ich ziehe mich trotzdem aus, jedoch nur bis auf die Unterwäsche, weil man nicht abschließen kann. Langsam streife ich eine Socke ab, hänge sie an den braunen Haken, den ich an der Wand neben dem Abfluss entdecke, und schlüpfe mit dem nackten Fuß wieder in meinen Plateauschuh, danach folgt das gleiche Spiel mit der anderen Seite. Ich kann diesen Boden nicht barfuß berühren, ich bin mir sicher, dass ich sterben müsste vor Ekel.

Währenddessen füllt Oya kochend heißes Wasser aus dem einen Hahn in einen Eimer und mischt es mit kaltem aus dem anderen Hahn. Dann gibt sie mir eine Plastiktasse, mit der ich das Wasser aus dem Eimer schöpfen und mir über den Körper gießen kann. Stocksteif stehe ich da, in BH, Slip und meinen Plateauschuhen, den Körper so weit vorgebeugt wie möglich, damit sie nicht so nass werden, und mache Katzenwäsche. Dann sind die Haare dran. Es dauert ewig, bis kein Schaum mehr kommt. Zum Schluss noch die Füße, einzeln. Als ich wieder in meine stinkenden Klamotten schlüpfe, fühle ich mich kein Stück sauberer.

Mir ist kalt. Ich ziehe die Adidasjacke an, die Jenny mir geliehen hat. Jenny ist immer sehr großzügig, mit allem. Sie ist zwei Jahre älter als ich und hat für Probleme immer ein offenes Ohr und eine Lösung. Eine echte Vertrauensperson eben. Man fühlt sich bei ihr sicher, irgendwie. Ich ziehe die Jacke enger um die Schultern und es fühlt sich an wie eine Umarmung von Jenny. Ich habe solche Sehnsucht nach ihr, möchte mit ihr reden, gerade jetzt. Wie es ihr wohl ergangen ist?

Der Kopf tut mir weh vom vielen Denken, wie ferngesteuert tragen mich meine Füße die Treppe hinunter. Mit dem Handtuch, das ich mir um die nassen Haare geschlungen habe, gehe ich wieder in die Küche. Zum Glück sitzt Flory noch immer an dem Tisch.

»Fühlst du dich jetzt besser?«, fragt sie.

Ich schüttele den Kopf und lasse ihn auf die Tischplatte sinken. Minutenlang sitze ich so da, bis ich merke, dass Flory an dem Handtuch zupft.

»Komm, mach das ab, sonst trocknen die Haare nicht und du wirst krank.«

»Ist mir egal«, sage ich, nehme das Handtuch aber trotzdem ab. Völlig apathisch sitze ich da und starre vor mich hin, und als ich wieder etwas um mich herum wahrnehme, ist es draußen schon dunkel. Die Nacht verschluckt die hohe Mauer, die den Blick versperrt, wenn man aus den vergitterten Fenstern guckt. Hier drinnen macht das grelle Licht der Neonleuchten an der Decke die Gesichter blass.

Unsere Gesichter. Denn außer Flory und mir ist niemand mehr in der Küche.

»Wo sind die anderen hin?«, frage ich.

»Mist!«, ruft sie und springt auf. »Es muss 18 Uhr sein, da sind alle längst oben zum Durchzählen.«

Als wir in den Schlafsaal kommen, stehen die Frauen in einer Reihe mit dem Rücken zum Fenster. Es ist so voll, dass an der Fensterfront kein Platz mehr ist. Flory und ich müssen im Vorraum bleiben, neben den Wärterinnen, die dort warten – auf uns warten. Eine der Gefängnisangestellten geht ganz nach hinten in den Schlafsaal und fängt von dort an zu zählen, die andere beginnt bei Flory und mir. Sie zählen stumm, schreiten die Reihe ab und zeigen dabei mit dem Zeigefinger auf jede Einzelne von uns, in der Mitte kreuzen sie sich. Ich stehe da, wie in Trance, die Schultern leicht hochgezogen, so angespannt, dass ich fast einen Krampf kriege. Ich möchte mich so klein wie möglich machen, am liebsten ganz und gar verschwinden aus dieser irrealen Situation.

»Warum zählen die uns?«, flüstere ich Flory zu.

»Das machen sie zweimal täglich, um zu gucken, ob keine geflohen oder gestorben ist«, kommt die Antwort.

Eine Gänsehaut überzieht meinen Körper. Ich frage lieber nicht, ob hier schon mal jemand gestorben ist. Nach fünf Minuten ist der Spuk vorbei, die Wärter gehen.

Danach sitzen Flory und ich noch ein bisschen in der Küche. Sie bietet mir Brot an, aber ich lehne ab, kein Hunger. Und das, obwohl ich seit heute früh nichts mehr gegessen habe. Ich sage Flory, dass ich müde sei, dass ich schlafen wolle.

»Ich bringe dich zu Nülgül, die klärt das«, sagt Flory. »Nülgül ist unsere Zellenchefin, sie sorgt für Ordnung. Wenn du ein Problem hast, kannst du mit ihr reden. Nülgül ist wegen Urkundenfälschung hier, aber eines muss man ihr lassen: organisieren, das kann sie.«

Wir finden Nülgül im Schlafsaal, eine ernste Frau mit einem harten Gesicht, etwa um die dreißig. Sie sitzt im Schneidersitz auf einem der unteren Etagenbetten. Flory gestikuliert, zeigt auf mich, das Bett und sagt ein paar türkische Worte. Nülgül überlegt kurz, dann zeigt sie auf den blanken Boden vor ihrem Bett. Ich gucke entsetzt.

Schnell beruhigt Flory mich. »Ja, du sollst hier schlafen. Aber auf einer Matratze. Die stehen dahinten zusammengerollt am Fenster.«

Nülgül nimmt einen Zettel von dem Plastikhocker, der neben ihrem Bett steht, und versucht meinen Namen aufzuschreiben. Ich sage: »Andrea Rohloff«, doch sie schreibt etwas, was ganz anders aussieht. Langsam male ich die Buchstaben in die Luft, so dass Nülgül sie auf den Zettel kopieren kann. Anschließend holen Flory und ich eine Matratze und machen mein Bett. Flory bringt mir ein Kissen, ein grünes mit Gänseblümchen drauf. Kaum liege ich, bin ich auch schon eingeschlafen.

2

Der nächste Tag beginnt mit Tränen. Ich habe geträumt. Davon, dass meine Eltern kamen und mich hier abgeholt haben. Wir waren alle glücklich und sind uns in die Arme gefallen. Sogar die Polizisten vom Revier, auf dem ich verhört wurde, haben sich mit uns gefreut. Anschließend sind wir ein Eis essen gegangen. Verkehrte Welt. Glück gibt es nur noch im Traum. Die Realität ist der Alptraum. Wie lange wird er dauern?

Durch den Schleier meiner Tränen nehme ich wahr, dass schon wieder lauter Leute um mich herumstehen und auf meine Matratze zeigen. Flory ist auch da, sie hockt neben mir und legt den Arm um mich. Da muss ich noch mehr heulen.

»Du musst aufstehen, Andrea!«, sagt sie. »Es ist sechs Uhr. Die Wärterinnen sind zum Zählen da.«

Jetzt kann ich mir endlich den Krach erklären, der mich aus meinem Traum gerissen hat. Ich beobachte eine Wärterin, die ihren Schlüsselbund immer wieder gegen die Metallpfosten der Betten knallt, in denen noch Häftlinge liegen. »Zayim«, brüllt sie. »Zayim, ladies, zayim.«

»Das heißt ›zählen‹«, übersetzt Flory.

Eilig gehen wir zum Fenster und stellen uns in die Reihe der Wartenden. Plötzlich kommt die Wärterin auf mich zu und verzieht missbilligend das Gesicht. Dann sagt sie etwas auf Türkisch und zeigt auf meine Füße.

»Du sollst deine Schuhe anziehen«, wispert Flory.

Pure Schikane, denke ich, trotte zurück zum Bett und schlüpfe in meine Plateauschuhe. Nun wiederholt sich das Spiel vom Vorabend. Nur, dass es diesmal auch noch schweinekalt ist, weil irgendjemand alle Fenster aufgerissen hat. Ich schlinge die Arme um den Körper und zittere vor mich hin.

Nachdem die Wärterinnen verschwunden sind, gehe ich zur Toilette. Ich muss die Luft anhalten, weil es so stinkt aus diesem ekligen Loch im Boden. Mit spitzen Fingern gieße ich mit dem Messbecher, der am Rand steht, Wasser nach. Als ich das Höschen hochziehe, merke ich, dass ich ein ernsthaftes Problem habe. Ich habe über Nacht meine Tage bekommen und natürlich keine Binden dabei. Auch das noch!

Im Schlafsaal ist schon wieder Ruhe eingekehrt, weil die meisten sich noch einmal ins Bett gelegt haben. Ich laufe die Reihen ab und suche Oya. Vielleicht kann sie mir helfen. Ich habe Glück.

Oya drückt mir fünf Binden in die Hand. »Sei sparsam«, sagt sie. »Das sind die letzten, die ich habe.«

Dann krieche ich wieder in mein Bett.

Ich werde wach, weil es plötzlich so gut duftet. Nach Sauberkeit, nach frischem Parfum. Ich schaue nach links, weil der Duft von dort kommt, und sehe, wie Nülgül sich in ihr Bett kuschelt. Sie muss gerade geduscht haben. Es ist schon hell. Dem Licht nach zu urteilen, muss es so gegen 10 Uhr sein. Ich habe keine Uhr, doch das ist mir egal. Der Tag hier hat keine Struktur, die Zeit steht still. Die stinkenden Klamotten, die ich zum Schlafen anbehalten hatte, kleben an meinem Körper. Sie riechen nach altem Schweiß und kaltem Rauch, genau wie die Luft im Schlafsaal. Die Dusche hätte ich mir sparen können, ich fühle mich elend und besudelt. So sitze ich wie versteinert auf meiner Matratze, starre auf die vergitterten Fenster, als würden sie verschwinden, wenn man nur lange genug guckt, und warte, dass etwas passiert.

Mit einem Mal fühle ich mich unendlich klein und hilflos. So, wie ein Kind die Welt erlebt, als wäre ich wieder zwölf

Jahre alt. Wenn man klein ist, bestimmen Erwachsene die Tagesordnung und man findet sich da rein. Egal, ob es einem logisch und sinnvoll erscheint oder nicht. Klar ist es unverständlich für ein Kind, warum es in den Kindergarten gehen soll oder in die Schule. Aber man nimmt das so hin, weil andere, die Eltern, es für einen entscheiden. Jetzt geht es mir wieder so. Ich habe ja keine Ahnung, wie es funktioniert, das Leben im Gefängnis. Dabei hatte doch gerade die Phase begonnen, in der ich mein Leben endlich selbst in die Hand nehmen wollte, in der ich überzeugt war, dass es mir gelingen würde. Jetzt ist der ganze Mut, ist die Abenteuerlust schlagartig weg. Ich fühle mich schüchtern, voller Angst und unfähig, einen Schritt alleine zu machen.

Eigentlich müsste ich Hunger haben, aber mein Körper fühlt sich einfach nur taub an. Gleichgültig gehe ich mit, als Flory mich von der Matratze hochzieht.

»Komm, frühstücken«, sagt sie.

Wir gehen die Treppe hinunter zur Küche. Bei Tageslicht sieht der Raum noch kahler, noch trostloser aus. Wir setzen uns auf eine der langen Holzbänke. Flory hält mir eine Blätterteigtasche hin, doch ich schüttele den Kopf.

»Du musst essen«, sagt Flory, »sonst siehst du bald aus wie ich.«

Ich schaue sie an. Zerlumpt sieht sie aus, total dürr, die Wangen eingefallen, die Haut ungesund gelblich.

»Wie war das, als du hier reingekommen bist?«, frage ich.

Flory zündet sich eine Zigarette an. »Ich war sauber gekleidet, perfektes Make-up, Rouge, Lippenstift. Ich bin nie ungeschminkt aus dem Haus gegangen. Als ich hier vor zehn Tagen ankam, sah ich aus wie eine Lady, ich trug teures Parfüm, ein schickes Kostüm.«

»Aber warum hast du dann jetzt diese alte Jogginghose an?«, will ich wissen.

»Mein Kostüm habe ich über eine Schnur an meinem Bett

gehängt, damit es nicht kaputtgeht. Es ist zu schade, um es zu versauen, in diesem Dreck hier.«

Flory erzählt, dass die anderen Häftlinge ihr Klamotten geschenkt hätten, weil sie ja nichts besaß außer dem, was sie am Leibe trug, genau wie ich. »Ich weiß genau, wie du dich fühlst, total verwirrt«, sagt Flory. »Und jetzt iss!«

Ich schmecke nichts, aber ich gehorche, kaue mechanisch, schlucke – wie ein Roboter. Ich sehe den Krümeln zu, wie sie auf die Granitplatte des Tisches rieseln, auf den abgeschabten Plastikteller mit Blümchenmuster. In meinem Magen bildet der Teig einen bleiernen Klumpen, schwer wie ein Stein. Als ich fertig bin, bleibe ich einfach sitzen, das Gesicht in den Händen vergraben, den Kopf auf der Tischplatte.

»Wo kommt das Essen eigentlich her?«, frage ich Flory nach einer Weile.

»Wir müssen es bezahlen«, sagt sie. »Jeden Morgen kommen die Wärter mit einem Wagen und verkaufen diese süßen Brötchen. Börek heißen sie. Das hast du heute Morgen einfach verschlafen.«

Flory erklärt mir, dass wir jetzt nach oben gehen müssen, weil ich meine Matratze noch wegpacken soll.

Im Schlafsaal rollen wir die Matratze zusammen und stellen sie zu den anderen unter das Fenster.

Nülgül sitzt auf ihrem Bett und wiegt ein Baby im Arm, kitzelt es, bis es vor Vergnügen gurgelnd gluckst. Ein Baby, hier in diesem Verlies? Das kann doch nicht sein! Werde ich langsam total verrückt? Ungläubig reibe ich mir die Augen.

»Das ist der kleine Ata«, sagt Flory. »Er hat die Welt draußen noch nie gesehen. Seine Mutter hat ihn hier geboren. Sie ist wahrscheinlich gerade in der Küche und macht seinen Brei fertig.«

Ich bin entsetzt, es ist mir absolut unverständlich, wie man unschuldige Kinder mit ins Gefängnis stecken kann. Doch zum Nachdenken darüber bleibt mir keine Zeit, denn da winkt uns auch schon Nülgül heran.

»Sie sagt, dass Oya gerade entlassen wurde«, übersetzt Flory. »Heute Abend kannst du ihr Bett haben.«

Der nächste Schock. Ich bin nicht einmal vierundzwanzig Stunden hier, da ist eine von den beiden Personen, mit denen ich mich verständigen kann, auch schon wieder weg. Ich weiß nicht einmal, warum Oya hier war, aber wenigstens ist das der Beweis, dass man aus diesem Laden auch wieder rauskommen kann, irgendwann.

Nülgül zeigt uns das Bett, es ist ein mittleres Etagenbett mit einer ehemals weiß bezogenen Matratze. Sie sieht genauso schmutzig aus wie die, die wir gerade zusammengerollt haben.

Ich frage Flory, was Nülgül eigentlich genau macht.

»Die Zellenchefin ist so eine Art Mittlerin zwischen Wärtern und Gefangenen. Die Wärter suchen mit aus, wer für diesen Job in Frage kommt«, erklärt sie. »Nülgül muss Streit schlichten, wenn es welchen gibt, sie sorgt dafür, dass die Gefangenen, die zur Reinigung eingeteilt sind, ordentlich putzen, und sie nimmt die Essensbestellungen an. Abends kann man ihr ausgehende Briefe hinlegen, die sie den Wärterinnen am Morgen überreicht. Wenn du zum Arzt oder zum Direktor willst, hilft sie dir, die Anträge auszufüllen, und wenn du ein Fax verschicken willst, schreibst du es vor und gibst es ihr samt Geld mit.«

»Aber ich habe doch gar kein Geld«, wende ich erschrocken ein.

»Dann kannst du bei Nülgül einen Antrag stellen, dass du dir Geld auszahlen lassen willst«, klärt Flory mich auf. »Jeden Freitag kommt der Geldmann, bei ihm kannst du etwas von deinem Gefängniskonto abheben.«

Mir schwirrt der Kopf, ich kann mir gar nichts merken, will mir nichts merken. Zum ersten Mal gucke ich mir die anderen Häftlinge genauer an. Viele der Frauen liegen auf den Betten und dösen, eine ganze Gruppe hockt im Halbkreis strickend auf dem Boden. Andere basteln Perlenschmuck. Ihre Gesichter sind grau, verhärmt, ohne Hoffnung. So will ich nicht aussehen, so werde ich niemals enden.

Ohrenbetäubendes Gebrüll reißt mich aus meinen Gedanken, dumpfe Schläge, gefolgt von metallischem Scheppern. Ich zucke zusammen. Flory scheint ganz ungerührt.

»Da hinten tritt eine wie irre gegen die Spinde«, sagt sie. »Kümmere dich nicht weiter darum. Hier rastet öfter mal eine aus.« Sie zieht mich Richtung Treppe. »Komm, wir gehen raus auf den Hof.«

Die Tür am Fuß der Treppe, gleich neben der Küche, steht offen. Sie führt in ein Betonverlies, das vielleicht acht mal fünfzehn Meter misst. Wo ich auch hinschaue, stößt mein Blick auf Grau. Der Boden, die Wände, die einzige Außenwand mit Stacheldraht darauf, die Bank, sonst nichts. Die Welt hinter der Mauer existiert nicht. Bis auf einige kahle Äste, die von der anderen Seite herüberragen, und ein Rechteck Himmel, leuchtend blau und unerreichbar. Die Luft ist frisch, wir haben ja Januar, doch direkt vor den Küchenfenstern malt die Sonne einen meterbreiten Streifen Licht ins Grau. Wir setzen uns auf eine verrostete Bank, deren Sitzfläche nur noch aus zwei Latten besteht. Aber die Sonne fühlt sich gut an in meinem Gesicht, warm und freundlich, ein Streicheln des Himmels. Ich krame das Foto von meiner Hündin Cora aus der Hosentasche und spüre, wie sich mein Magen zusammenkrampft.

»Letztes Jahr um die Zeit war ich in Japan«, sagt Flory und starrt auf die gegenüberliegende Wand.

»Das muss schön sein in Japan«, erwidere ich.

»Ich war immer viel unterwegs«, redet Flory weiter, »mit den falschen Kreditkarten war das ganz einfach.«

»Wie ging denn das?«, will ich wissen.

»Meine Freunde und ich haben Leuten die Brieftaschen geklaut«, erzählt Flory. »Wir hatten da einen, der hat die Karten am Computer kopiert und neue Namen draufgemacht. Der hat auch dazu passende falsche Ausweise hergestellt. Vier Jahre habe ich so gelebt, im totalen Luxus. Weißt du, in Rumänien lebt die Hälfte der Menschen in bitterer Armut. Wenn man aus so einer Familie stammt wie ich, hat man keine Chance, aus eigener Kraft und mit ehrlicher Arbeit da rauszukommen.«

Flory ist kriminell, denke ich, richtig kriminell, aber ich mag sie. Das passt nicht zusammen und funktioniert trotzdem. Niemals hätte ich mich in Berlin mit jemandem abgegeben, der so etwas macht. Hier bin ich froh, dass es Flory gibt. Erst jetzt sehe ich, dass sie mit den Tränen kämpft. Ich nehme sie in den Arm und wir sitzen einfach so da. Ich habe ja auch etwas Kriminelles gemacht, denke ich. Nur wusste ich nichts davon. Ist das etwa besser? Ich spüre, dass das hier nicht zählt, in dieser Welt, drinnen. Der Hof ist ebenfalls drinnen. Daran ändert auch das Rechteck Himmel über uns nichts.

Ich finde keine Ruhe, stehe auf, um mir die Füße zu vertreten. Wie ein Tiger im Käfig laufe ich hin und her. Ein paar Meter vor, bis zu der Wäscheleine, die den Hof in zwei Hälften teilt, und wieder zurück. Ich schließe die Augen und atme tief durch. Die Luft riecht frisch und gut, nach Freiheit. Für einen Moment gelingt es mir, an gar nichts zu denken und abzuschalten – herrlich.

Als ich die Augen wieder öffne, sehe ich, dass sich ein kleines, dürres Mädchen zu Flory auf die Bank gesetzt hat. Es erwidert meinen fragenden Blick mit einem Lächeln, einem leicht entstellenden Lächeln, weil ihm oben einer der Schneidezähne fehlt. Ich schätze sie auf etwa zwanzig, auch wenn sie älter aussieht durch die Zahnlücke.

»Hallo«, begrüßt sie mich und stellt sich als Zeynep vor.

»Andrea«, sage ich nur und werfe Flory einen fragenden Blick zu.

»Zeynep und ich kochen manchmal zusammen«, sagt Flory. »Wenn man fast nichts hat, ist es gut, das Wenige zusammenlegen zu können.«

Ah, eine Freundschaft aus Not, denke ich und bin ein bisschen beruhigt. Denn sonderlich sympathisch ist sie mir auf den ersten Blick nicht, diese Zeynep. Sie hat so einen komischen Blick, ein bisschen verschlagen, unehrlich. Vielleicht ist das ungerecht, aber ich fühle mich unbehaglich in ihrer Gegenwart.

»Deine Hose ist hinten schmutzig, Andrea«, sagt Flory nach einer Pause.

Ich gucke über die Schulter und sehe einen dunklen Fleck am Po. Oyas Binden taugen wohl nicht gerade viel. »Ja, ich weiß«, erwidere ich, »meine Tage.«

Zeynep sagt etwas auf Türkisch und zeigt auf eine winzige beige Hose, die auf der Wäscheleine hängt. »Sie meint, dass sie dir ihre Hose leihen würde«, übersetzt Flory.

Ich lehne ab. »Die passt mir niemals«, wende ich ein, »außerdem würde ich sie nur auch noch dreckig machen. Danke, trotzdem.«

Es ist mir egal, wie ich aussehe, an diesem Ort, an dem ich nicht sein will.

3

Ich liege auf meinem Bett und rede mit Cora, mit dem Foto von Cora, das ich noch immer in meiner Hosentasche habe, ganz leise, damit mich niemand von den anderen Häftlingen für wahnsinnig hält, obwohl ich wirklich schon nahe dran bin am Wahnsinn.

Es ist Donnerstag, der 25. Januar, mein dritter Tag im Gefängnis. Ich habe mich nach dem Mittagessen in mein mittleres Etagenbett verkrochen, weil das der einzige Ort ist, an dem ich allein sein kann, wenn ich es schaffe, den ohrenbetäubenden Lärm zu vergessen. Ich schaue tief in Coras treue, braune Hundeaugen und flüstere: »Liebste Cora, du bist wohl die Einzige, die sich freuen wird, wenn ich hier rauskomme. Ich habe niemanden mehr – außer dir. Niemals kann ich Mama und Papa wieder unter die Augen treten. Wie soll ich ihnen das alles erklären? Wie sollen sie mir glauben, jetzt, nachdem sie wissen, dass ich sie schon vor meiner Abreise belogen habe, dass ich ihnen mein wahres Reiseziel vorenthalten hatte, weil ich genau wusste, dass ihnen eine Auslandsreise mit Jenny noch weniger passen würde als eine an die Ostsee?«

Seufzend schließe ich die Augen. Warum, verdammt, müssen Eltern immer Recht haben? Mama hat es natürlich wieder geahnt. Sie hat die Lüge förmlich gerochen, wie Cora spürt, wenn ich traurig bin. Wir haben am Esszimmertisch gesessen, Mama und ich, an diesem Samstag, dem 13. Januar, an dem ich losgefahren bin. Es gab Kartoffelsuppe, die leckere, selbst gemachte. Papa war nicht da, er hatte eine Schulung.

Ich sehe förmlich vor mir, wie Mama ungewohnt schweigend die Wiener in die Suppe schneidet. Sie runzelt die Stirn, guckt streng und sagt: »Andrea, willst du wirklich da hinfahren?«

Ich hatte ihr erzählt, dass meine Freundin Jenny und ich in Rostock Urlaub machen würden, bei ihrem leiblichem Vater. Und dass ich in seinem Restaurant jobben könnte, Geld verdienen. Dass wir in Wahrheit erst nach Amsterdam und dann in die Türkei fahren würden, durfte ich nicht erzählen. Das hatte ich Jenny versprochen. Ein Versprechen, das man seiner besten Freundin gibt, bricht man nicht, das ist Ehrensache. Trotzdem habe ich mich unwohl gefühlt mit der Lüge, die da mit mir und Mama am Tisch saß.

»Mir ist das alles nicht geheuer mit dieser Reise, das klingt alles so unsicher«, setzt Mama noch mal an.

Ich versuche so entspannt wie möglich zu gucken und erwidere: »Ihr habt doch meine Handynummer. Ich melde mich regelmäßig, so wie immer. Wird schon alles gut gehen.« Schweigen. Ich stochere mit dem Löffel in der Suppe herum, irgendwie will sie heute nicht rutschen.

»Andrea«, sagt sie und ich mag das gar nicht, wenn sie meinen Namen so ernst betont, »wir wissen ja nicht mal, wo du genau bist. Sonst lässt du uns doch immer eine Adresse da.«

Aber genau darum geht es doch, denke ich. Ich bin jetzt erwachsen, ich darf selbst entscheiden, wo ich hinfahre. Allerdings sage ich all das nicht. Ich erkläre ihr nur noch mal, dass Jenny zwar hinfinde zu der Gaststätte, doch dass sie eben die genaue Adresse nicht im Kopf habe und ich sie durchgeben würde, sobald wir in Rostock angekommen seien.

Ich fühle, dass Mama mir nicht glaubt. »Willst du nicht doch lieber hier bleiben?«, hakt sie noch mal nach. »Du könntest die Sache verschieben und erst mal Urlaub machen, ohne zu arbeiten.« Und dann fängt sie wieder damit an, Jenny schlecht zu machen. Das kann ich ja gleich gar nicht leiden. Sie habe Angst, dass Jenny auf den Strich gehe, es werde schließlich geredet über sie im Wohngebiet, dass sie so viele Männer habe und so viel Geld. Noch dazu dieser Mann in Rostock mit der Kneipe. »Bisher hat sich Jennys Vater doch auch nicht um sie gekümmert. Nicht, dass der was mit dem Rotlichtmilieu zu tun hat«, sagt sie abschließend.

Da bleibt mir doch die Suppe wirklich im Hals stecken. Dieser letzte Satz macht mich richtig wütend. Nur weil Jenny sich gern verliebt, geht sie doch nicht gleich auf den Strich. Meine andere beste Freundin, Nicky, hat auch öfter mal einen neuen Freund. Das ist mir doch egal. Außerdem weiß ich, wo Jennys Geld herkommt. Nur darf ich es Mama nicht sagen – und ich will es ihr auch gar nicht sagen, schließlich bin ich volljährig.

Bevor ich gehe, fährt Mama noch eine Attacke auf mein Gewissen. »Andrea, du weißt, bei dir läuft alles schief. Jetzt hast du auch noch die Schule abgebrochen und seit der Pleite von Papas Firma haben wir jede Menge Schulden am Hals. Überleg dir gut, was du machst. Und wenn was ist, ruf vorher an, egal worum es geht.«

Nun freue ich mich, dass ich Mama und Papa bald entlasten kann, was die Finanzen betrifft. Und die Lüge fühlt sich plötzlich gar nicht mehr so schlimm an. Zum Abschied nehme ich Mama in den Arm. »Du brauchst keine Angst zu haben, mir passiert schon nichts«, versuche ich sie zu beruhigen. »Vertrau mir!«, sage ich und versuche fröhlich zu klingen.

Mama weint. Als die Tür hinter mir ins Schloss fällt, laufen mir plötzlich auch die Tränen. Dabei freue ich mich doch so auf diese Reise. Gedankenversunken mache ich mich auf den Weg zu Nicky, meiner Schulfreundin. Ich habe ihr versprochen, den letzten Abend vor meiner Abreise bei ihr zu verbringen, und freue mich schon sehr darauf. Als ich vor Nickys Haustür stehe, verschwindet das schlechte Gewissen und die Aufregung siegt. Es geht los. Endlich. Mein neues Leben beginnt.

Eine durchdringende Frauenstimme reißt mich aus meinen Erinnerungen. »Andre!«, keift sie, »Andre, Andre!«

Ich brauche ein paar Sekunden, bis ich den Sprung von der Vergangenheit in die Gegenwart schaffe, bis mir klar wird, dass ich im Gefängnis bin, mit verheulten Augen auf einem mittleren Etagenbett sitze, das zerknitterte Foto von Cora noch immer in der Hand halte.

»Andre!«, höre ich die schrille Stimme jetzt ganz nah an meinem Ohr. Dann kann ich den Atem der Wärterin spüren, die einen genervten Blick in meine Höhle wirft und mir so den letzten Rest Privatsphäre raubt. »Andre, Advokat«, drängt sie und bedeutet mir aufzustehen.

Ich kapiere gar nichts. Was zum Teufel will diese Frau von mir?

»Du sollst mitkommen, dein Anwalt wartet auf dich!«, mischt sich plötzlich Flory ein, die gehört hat, wie die Wärterin meinen verstümmelten Namen gerufen hat, und mir zu Hilfe eilt.

»Was für ein Anwalt?«, frage ich. Dann erinnere ich mich an das Fax vom Konsulat, das eine Wärterin mir vorhin hereingebracht hat. Da standen irgendwelche Anwaltsadressen drauf, sonst nichts. Ich wusste überhaupt nichts damit anzufangen. Na, vermutlich haben sie mir nur eine von mehreren Faxseiten gegeben, denke ich dann. Ein Wunder, dass überhaupt etwas ankommt in diesem Chaos hier.

Die Wärterin wird ungeduldig und sagt etwas auf Türkisch.

»Du sollst jetzt sofort mitkommen«, übersetzt Flory.

Hastig verstaue ich das Foto von Cora in meiner Reißverschlusstasche am Hosenbein und laufe hinter der Wärterin her. Anwälte kosten Geld, schießt es mir durch den Kopf, während die Frau die Zellentür aufschließt und sie mit der

Kraft ihres ganzen Körpers mühsam aufschiebt. Ich will keinen Anwalt haben, ich habe keinen bestellt. Es darf nicht sein, dass Mama und Papa wegen mir noch mehr Schulden machen müssen. Ich fühle mich unglaublich elend.

Die Wärterin bedeutet mir, stehen zu bleiben. Ihre Hände fahren über meinen Körper, sie tastet mich ab. Dann muss ich meine Hosentaschen leeren. Die Frau guckt kurz auf das Foto von Cora und den Zettel, auf dem steht, welche Sachen das Gefängnis mir weggenommen hat, dann darf ich beides wieder einstecken.

Nach einem endlosen Marsch durch das halbe Gefängnis biegen wir erneut in einen Gang ein. Auf der linken Seite sehe ich mehrere Kabinen mit vergitterten Fenstern und breiten Metallrahmen drum herum, in die kleine Löcher eingelassen sind.

Das muss das Sprechzentrum sein, von dem Flory erzählt hat. Hier können sich die Gefangenen mit ihren Angehörigen treffen und sich durch die Scheibe mit ihnen unterhalten. Ich stelle mir vor, dass ich mit Mama durch so ein vergittertes Fenster sprechen muss, und kriege eine Gänsehaut. Nein, das darf nicht passieren, wird es auch nicht. Ich kann mir nicht vorstellen, dass Mama mich überhaupt noch sehen will. Und selbst wenn – hier würde ich so ein Gespräch nicht überleben.

Ich beschleunige meinen Schritt, um die Wärterin einzuholen, die schon an der grau lackierten Schiebetür am Ende des Ganges angekommen ist, vor der ein einzelner Wärter Wache schiebt. Meine Begleiterin nickt ihm kurz zu und der Mann schließt auf. Dann schiebt die Frau mich in den kleinen Raum, der höchstens zwanzig Quadratmeter misst, und geht einfach weg. Es ist schummrig da drinnen, vermutlich, weil es überhaupt keine Fenster gibt, nur Wände, die in dem gleichen Gelbton gestrichen sind wie die Zelle. Der Boden ist mit grauem Teppichboden ausgelegt, es ist der erste Raum in diesem Gefängnis, in dem ich Teppich sehe. Ohne den Teppich wäre es sicher noch viel lauter hier drin, bei den vielen Menschen, die in einer Reihe an den weiß lackierten Holztischen an der Wand sitzen. Alle Tische sind besetzt, mit gepflegten Herren in feinen Anzügen – das müssen wohl Anwälte sein – und Männern in abgerissenen Klamotten, von denen ich annehme, dass sie Häftlinge aus dem Männertrakt des Gefängnisses sind. Ich bin die einzige Frau in diesem Raum. Ob das wohl Zufall ist?

Ich komme nicht mehr dazu, darüber nachzudenken, weil der Anzugmann, der an dem Tisch gleich neben der Tür sitzt, nun aufsteht und mich anlächelt.

»Andrea Rohloff?«, fragt er.

Ich nicke. Der Mann trägt einen dunklen Anzug, ein weißes Hemd mit Krawatte, die perfekt frisierten schwarzen Haare umrahmen ein fein geschnittenes, sonnengebräuntes Gesicht. Ich versuche, sein Alter zu schätzen, doch es gelingt mir nicht. Er ist nicht richtig alt, aber auch nicht mehr ganz jung, Ende dreißig vielleicht.

»Setz dich doch«, sagt er in beinahe akzentfreiem Deutsch und weist mit der Hand auf den freien stoffbezogenen Stahlrohrstuhl ihm gegenüber. Ich nehme Platz und spüre, dass ich es genieße, respektvoll behandelt zu werden, nach den Strapazen der letzten Tage. »Ich bin Ülkü Caner«, stellt sich der Mann vor. »Das Konsulat hat mir gesagt, dass du einen guten Anwalt brauchst. Ich bin hier, um dir zu helfen.«

Ich bin etwas verwirrt, schließlich hatte ich in meinem Leben bisher nie etwas mit Anwälten zu tun. Wie soll ich da wissen, ob dieser Mann mir tatsächlich helfen kann. Aber irgendwie traue ich mich auch nicht genau nachzufragen, weil ich mich nicht blamieren will mit meiner Ahnungslosigkeit. Zum Glück erwartet Herr Caner keine Antwort und stellt erst mal eine praktische Frage.

»Gibt es etwas, was du dringend brauchst in der Zelle?«

Da muss ich nicht lange nachdenken, schließlich trage ich noch immer meine befleckte Hose. »Ja, ich brauche eine Hose zum Wechseln«, sage ich, und dann leiser, weil es mir ein bisschen peinlich ist, »und Binden.«

»Ich werde mich sofort darum kümmern«, erwidert er. »Wie wirst du hier behandelt im Gefängnis, bist du misshandelt worden?«, fragt er nun.

»Wie meinen Sie das?«, frage ich zurück.

Er erklärt mir, dass Häftlinge in türkischen Gefängnissen hin und wieder schlecht behandelt würden, aber ich solle keinen Schrecken kriegen, weil das bei ausländischen Häftlingen selten vorkomme. Ich muss mich zu Herrn Caner hinüberbeugen, um ihn halbwegs zu verstehen, weil der Geräuschpegel in diesem Raum ein normales Gespräch unmöglich macht.

»Wie sieht es eigentlich finanziell bei deinen Eltern aus?«, erkundigt der Anwalt sich jetzt.

Da ist es wieder, mein schlechtes Gewissen, das ich für ein paar Minuten vergessen hatte. Aber ich kann doch diesem wildfremden Mann nicht erklären, dass ich Mama und Papa nicht noch weiter belasten will, und schon gar nicht finanziell. Also sage ich nur: »Meine Eltern arbeiten beide, doch sie haben nicht viel Geld.«

Herr Caner nickt verständnisvoll. »Trotzdem brauchst du hier im Gefängnis Geld, das deine Eltern dir überweisen können. Ich kann das für dich organisieren.« Er zieht eine Visitenkarte aus der Innentasche seines Sakkos, dreht sie um und schreibt ein paar Namen darauf. »Hier, das sind alles Leute, die in meiner Kanzlei arbeiten. Wenn du uns brauchst, musst du uns nur ein Fax schicken lassen, dann komme ich oder einer meiner Mitarbeiter vorbei, um dir zu helfen.« Nun erklärt er mir noch, dass ich in den nächsten Tagen zum Direktor gerufen würde und dort ein Papier unterschreiben müsse, auf dem steht, dass ich ihm den Auftrag zu meiner Verteidigung erteile. »Ohne deine Unterschrift kann ich nicht für dich tätig werden.«

»Kostet das denn Geld?«, will ich wissen.

»Darüber musst du dir jetzt keine Gedanken machen«, sagt

Herr Caner. »Du brauchst auf jeden Fall einen Anwalt, denn ohne gute Verteidigung hast du keine Chance, hier herauszukommen. Heroinschmuggel wird in der Türkei mit bis zu dreißig Jahren Haft bestraft.«

Das ist vielleicht ein Schock! Ich muss schlucken. »Wieso dreißig Jahre?«, kriege ich schließlich heraus. »Der Haftrichter hat mir gesagt, dass ich vierzig Tage hier bleiben muss. Und das ist schon ganz schön viel.«

Herr Caner lächelt beruhigend. »Vierzig Tage dauert es ungefähr, bis du hier vor Gericht gestellt wirst. Es wird einen Prozess geben und ich werde mein Bestes tun, um dich hier so schnell wie möglich rauszuholen.« Er sieht mir tief in die Augen und merkt, wie sehr ich mich gerade zusammenreiße. »Hab keine Angst, Andrea«, sagt er. »Natürlich musst du keine dreißig Jahre hier bleiben. Das ist ja nur die Höchststrafe, die im türkischen Gesetzbuch steht. Ausgesprochen wird sie so gut wie nie. Ich werde auch mit deinen Eltern Kontakt aufnehmen und ihnen alles erklären.«

Es tut gut, dass er so ruhig bleibt, dass endlich jemand da ist, der mir das Gefühl vermittelt, dass es einen Ausweg gibt aus dieser vertrackten Situation, die ja offensichtlich noch viel schlimmer ist, als ich dachte. »Also gut«, sage ich. »Wieso muss ich dann vor Gericht?«

»Weil wir dem Richter genau erklären müssen, wie es passieren konnte, dass Heroin in deiner Tasche war«, antwortet der Anwalt. »Damit ich dich richtig verteidigen kann, musst du alles ganz genau aufschreiben, die Wahrheit, Andrea, verstehst du?« Ich nicke automatisch, während er auf seine Armbanduhr schaut. »Ich muss jetzt los, wir reden dann beim nächsten Mal darüber. Ich melde mich bei dir, sobald ich mit deinen Eltern gesprochen habe.« Er kramt noch einmal in seiner Aktentasche. »So, ich schiebe dir jetzt unter dem Tisch dreißig Millionen Türkische Lira zu, das sind etwa neunzig Mark, damit du dir etwas zu essen kaufen kannst. Ich darf dir hier eigentlich kein Geld geben, aber die Wachposten sehen normalerweise darüber hinweg, wenn man es nicht zu auffällig macht.«

Ganz schön verrückt, denke ich, als ich die Noten in der Hand spüre und sie mit zitternden Fingern in der Reißverschlusstasche an meinem Hosenbein verschwinden lasse.

Die Wärterin, die mich hergebracht hat, wartet schon an der Tür. Ich folge ihr automatisch, ich stehe immer noch unter Schock, bin voller Angst. Dreißig Jahre, das kann einfach nicht sein. Aber der Anwalt hat ja versichert, dass er mich hier rausholt. Und es hat überzeugend geklungen, als er das gesagt hat. Er wirkte auf mich durchaus vertrauenswürdig und beruhigend, irgendwie väterlich.

Zurück in der Zelle verkrieche ich mich sofort wieder in mein Bett. Ich mag jetzt mit niemandem reden. Nicht einmal mit Flory, die sofort ankommt und wissen will, wie es war mit dem Anwalt.

»Später, Flory«, vertröste ich sie. »Ich muss jetzt allein sein, nachdenken.«

4

Sie können mich doch nicht hier ewig einsperren, wegen dieser elenden Tasche. Wie soll ich die ganze Geschichte dem Anwalt aufschreiben, wenn ich doch selbst nicht verstehe, wie das alles passieren konnte?

Plötzlich spult sich alles wieder vor meinem inneren Auge ab, diese absurde Situation wie aus einem Film, einem schlechten Film: Es ist Sonntag, der 21. Januar 2001. Wir stehen am Zoll: die unheimliche Tasche und ich. Allein. Meine Freundin Jenny ist seit genau vierundzwanzig Stunden weg, abgeflogen, mit genauso einer Tasche. Sie hatte mir eigentlich versprochen, dass wir zusammen zurückfliegen würden, und dann hatte es plötzlich doch nicht geklappt mit den Tickets.

Ich fühle mich schlapp, will nur noch nach Hause. Der unfreundliche Taxifahrer, der mich um 5 Uhr früh durchs nachtdunkle Izmir zum Flughafen gebracht hat, stellt die Tasche aufs Band. Sie sieht aus wie ein altmodischer Arztkoffer mit Stoffbezug und sie passt überhaupt nicht zu mir. Sie gehört ja auch nicht zu mir. Ich sehe zu, wie das Monstrum hinter den schwarzen Plastikfransen des Durchleuchtungsgerätes verschwindet. Dann bleibt das Band stehen.

Die Zöllner starren auf den Monitor und winken mich heran, ganz freundlich, ich solle auch draufgucken auf den Schirm. Aber ich kann nichts erkennen, sehe nur schwarzweißen Brei mit ein paar Strichen drin. Sie lassen die Tasche noch mal durchfahren und noch mal. Meine Hände werden feucht, mein Herz rast. Haben sie etwas gefunden? Unmöglich. Jenny hat ja schon oft Taschen auf so ein Band gestellt. Und nicht nur Jenny, auch andere Freundinnen von ihr, die vor mir so eine Reise gemacht haben. Da war immer das Gleiche drin und niemand hat etwas gesehen. Was passiert hier bloß? Es ist bestimmt nur eine Routinekontrolle. Mein müdes Gehirn leistet Schwerstarbeit.

»Can you open your bag – Könnten Sie die Tasche öffnen?«, fordert der Zöllner mich auf. Er sagt das ganz höflich.

Ich schaue ihn an, er sieht ganz entspannt aus. Trotzdem bin ich nervös, als ich nach dem Schlüssel suche. So was ist Jenny und mir auf der Hinreise nicht passiert. Sie hat mir zwar die Rückreise genau erklärt und mir alles in mein kariertes Din-A5-Ringbuch geschrieben, aber von einer derartigen Situation war nicht die Rede.

Ich muss die Tasche auspacken, sie noch mal leer durch das Gerät fahren lassen. Zum Glück sind die Zöllner furchtbar nett und unterhalten sich mit mir. Das beruhigt mich. Sie wollen wissen, wie alt ich sei, wo ich herkäme, was ich in der Türkei gemacht hätte. Ich erzähle, dass ich Urlaub gemacht und diese Tasche erst in der Türkei bekommen hätte, dass sie mir gar nicht gehöre. Schließlich ist das die Wahrheit. Die Anspannung in meinem Körper lässt nach. Meine Neugier, was denn nun in dieser Tasche drin sei, besiegt die Angst. So schlimm wird es schon nicht sein. Jenny hat mal erzählt, dass sie auch nicht so genau wisse, was da drin sei, und dass sie es auch gar nicht wissen wolle. Ich habe mir gedacht, dass es dann schon so okay ist.

Die Zöllner sind auch neugierig. Immer mehr von ihnen scharen sich um das Röntgengerät. Es trägt die Nummer drei. Auch der Taxifahrer steht noch da. Er wartet, weil er mir noch Wechselgeld schuldet. Ich hatte ja nur noch einen Hundertmarkschein, mein letztes Geld, mit dem ich die Fahrt bezahlen konnte. Hände gleiten über das bräunliche Innenfutter der Tasche, über die Seitenwände, den Boden. Plötzlich hält der Zöllner inne und sagt etwas zu seinem Kollegen. Der reicht ihm ein Messer. Mein Herz schlägt mit einem Mal so wild, dass es die anderen eigentlich hören müssten. Ritsch, ratsch fährt das Messer in den Stoff an der schmalen Seite des Taschenbodens. Dann, ganz langsam, zieht der Mann das Messer heraus. Und ich sehe etwas Weißes leuchten. Etwas Weißes, pulvrig wie frisch gefallener Schnee.

Mir wird kalt, mein Herz bleibt stehen und mit ihm die Zeit. Filmriss. Der Ton ist weg, mein Blick friert ein: das ernste Nicken des Zöllners, der eine Prise gekostet hat, der Taxifahrer, der immer noch wartet, Gaffer, die neugierig stehen bleiben – ein Standbild. Drogen, sagt mein Gehirn, Drogen, das kann nicht sein. Drogen, Drogen, Drogen, die Wiederholung des Wortes läuft als Endlosschleife in meinem Gehirn, lässt keinen Platz für andere Gedanken. Eine Sekunde lang? Zwei? Mein Gefühl meldet eine halbe Ewigkeit.

Plötzlich läuft der Film wieder. Die Zöllner diskutieren aufgeregt. »Weißt du, was das ist?«, fragt eine Frau, die eine Uniform der Schweizer Airline trägt, mit der ich fliegen wollte, und deutet auf die drei in Plastikfolie eingeschweißten Päckchen.

Ich schüttele den Kopf. Es muss Kokain sein oder Heroin. Woher soll ich das wissen?

»Heroin«, sagt sie.

So was habe ich doch noch nie gesehen – außer im Kino. Ich bin schon wieder bei Jenny. Sie wusste, dass ich nichts für Drogen übrig habe, sie ja auch nicht. Wenn sie das auch nur geahnt hätte, sie hätte das sicher auch nicht gemacht. Es wird herauskommen, dass wir beide betrogen worden sind. Diese Gedanken geben mir Kraft. Ich werde ganz ruhig.

Zwei Polizistinnen kommen auf mich zu und sagen etwas auf Türkisch. Ich zucke hilflos die Achseln. Da zeigt eine auf eine Tür schräg gegenüber von dem Gepäckband. Ich verstehe, sie wollen wohl, dass ich sie dorthin begleite. Die Frauen bringen mich in ein kleines Büro. Es ist ziemlich leer: ein Holzschreibtisch, dahinter ein Ledersessel, mehr nehme ich nicht wahr. Eine Polizistin setzt sich auf den Sessel und überträgt die Daten meines Ausweises in ein Formular. Anschließend steht sie auf, geht wortlos hinaus und zieht die Tür hinter sich zu.

Ich stehe da und fühle mich unbehaglich. Jetzt lässt die andere Polizistin auch noch die Jalousien an den Glasscheiben herunter, durch die man auf das Gepäckband gucken kann. Dann kommt sie auf mich zu und zupft an meinen Jackentaschen. Soll ich sie ausleeren? Richtig. Ich lege den Inhalt auf den Schreibtisch: eine angebrochene Packung Sonnenblumenkerne, mein Portemonnaie, Zigaretten, mein grünes Feuerzeug. Nun zeigt sie auf meine Plateauschuhe.

»Ausziehen?«, frage ich und löse die Klettverschlüsse.

Sie nickt. Es ist unheimlich still in dem Raum, weil wir uns nur mit Gesten verständigen können. Die Frau dreht meine Schuhe hin und her, sie klopft gegen die Sohlen, während ich in Socken dastehe und mir vorkomme wie ein Schwerverbrecher. Ich muss mich bis aufs Höschen ausziehen. Fröstelnd stehe ich fast nackt da vor der Uniformierten, fühle mich elend, ausgeliefert. Die Polizistin zeigt auf mein Höschen.

»Das auch noch?«, frage ich entsetzt. Langsam ziehe ich es hinunter.

»Okay«, sagt die Frau, bevor ich es ganz ausgezogen habe. Endlich darf ich mich wieder ankleiden.

Im Anschluss daran bringt sie mich in ein angrenzendes Büro. Ich zähle fünf Polizisten, die sich aufgeregt unterhalten. Die Frau von der Schweizer Airline ist auch da.

»Setz dich erst mal auf diesen Stuhl«, sagt sie freundlich.

Nach einigen Minuten stürmt ein junger Mann in einem hellen Trenchcoat herein. Der sieht ja aus wie ein Inspektor aus einem Fernsehkrimi, denke ich, da stellt er sich auch schon vor.

»Hello«, sagt er und zeigt mir seinen Ausweis, einen Polizeiausweis. »I am Aslan, Turkish Police. Please follow me – Bitte folgen Sie mir.«

Wir verlassen das Flughafengebäude zusammen mit ein paar anderen Polizisten. Draußen warten zwei Autos. Wir steigen in den Zivilwagen, ein helles Auto, nicht mehr ganz neu, ein Corsa vielleicht oder ein Polo. Auf jeden Fall sieht es nicht so aus, als ob man damit Verbrecher jagen könnte. Wir fahren los.

Aslans Englisch ist schlechter als meins, aber gerade das macht ihn sympathisch. »Could you tell the rights?«, sagt er.

Ich weiß sofort, dass er jetzt von mir die Wahrheit hören möchte, aber Wahrheit heißt doch »truth« auf Englisch, nicht »rights«, Rechte. Ein Polizist, aber eben auch nur ein Mensch. Aslan ist um die dreißig und sieht auch noch ganz schnuckelig aus. Schöne, lockige Haare, gut gebaut. Er sitzt hinten, neben mir.

»Wir fahren jetzt zum Doktor«, erklärt er. »Routinekontrolle, um sicherzugehen, dass du keine Drogen nimmst.«

Einige Minuten später stoppt der Wagen.

»Hospital«, sagt Aslan.

Drinnen riecht es nach Desinfektionsmitteln, doch wie im Krankenhaus sieht es nicht aus, eher wie in einer kleinen Arztpraxis. Ich muss mich auf eine Arztliege setzen und die Ärmel hochkrempeln. Ah, die suchen Einstiche, schießt es mir durch den Kopf. Natürlich finden sie keine.

»Ich nehme keine Drogen«, sage ich. Ich fühle mich sicher, bin noch immer total ruhig. Mir graut zwar etwas vor dem Zoff mit meinen Eltern, den ich auf jeden Fall kriegen werde, wenn sie hiervon erfahren. Aber ich bin auch erleichtert, dass jetzt Schluss ist mit der Lüge um diese verdammte Reise. Weiter denke ich nicht.

Da fahren wir auch schon wieder los. Aslan ist total nett zu mir. Er hat wohl begriffen, dass ich keine Verbrecherin bin, und beruhigt mich, dass sich alles bald klären werde, dass ich etwas Gutes tun könne: helfen, die wahren Täter zu fangen. Total putzig, der Typ, ich mag ihn, allein weil er mir keine Vorwürfe macht, sondern begriffen hat, wie sehr mich das selbst geschockt hat mit dem Heroin in meiner Tasche.

Meine Gedanken sind wieder bei Jenny. Die Vorstellung, dass sie vielleicht immer noch mit ihrer Tasche unterwegs ist, in der dann ja wohl auch Heroin steckt, ist unerträglich. Ich verspüre das dringende Bedürfnis sie anzurufen, sie zu warnen. Sie muss diese Tasche zur Polizei bringen, bevor sie auch noch damit erwischt wird.

Nach zehn Minuten Fahrt hält der Wagen auf dem Parkplatz vor der Wache. Bevor ich mir das Gebäude richtig angucken kann, gehen wir eine Treppe hinauf. Aslan führt mich in ein Büro, in dem mehrere Holzschreibtische stehen, alle mit den gleichen Computern und Telefonen drauf.

»Please, sit down – Setz dich«, sagt er und zeigt auf einen Stuhl gegenüber eines Schreibtischs, auf dem ein Schild mit dem Namen »Hakan« steht. So heißt wohl der Polizist, der dahinter sitzt, ein kompakter Typ mit kurz geschorenen Haaren und einem gutmütigen Gesicht. Auch die anderen Kollegen haben solche Namensschilder neben ihren Computern. An der Wand hängt ein Foto von einem Türken, der wichtig aussieht, feierlich irgendwie. Ansonsten ist alles wie überall bei der Polizei: Computer, Telefone, Uniformierte. Dieser Anblick ist mir vertraut. Meine Mama hat ja vor der Wende auch bei der Polizei gearbeitet. Ich war oft mit Papa dort und habe sie abgeholt. Manchmal haben wir dann auch bei Oma im Büro vorbeigeschaut. Die war ebenfalls bei der Polizei.

»Wir werden dir jetzt ein paar Fragen stellen«, beginnt Aslan, während er noch einen Stuhl für sich vor Hakans Schreibtisch stellt. »Versuch bitte, sie so genau wie möglich zu beantworten.« Dann eröffnet er das Verhör.

»Was hast du in der Türkei gemacht?«

»Ich war mit meiner Freundin Jenny in Urlaub.«

»Wo ist deine Freundin jetzt?«

»Sie ist einen Tag vor mir abgeflogen.«

»Warum?«

»Ich weiß es nicht. Vielleicht war kein zweiter Platz mehr in der Maschine frei.«

»Wie kommt das Heroin in deine Tasche?«

»Ich weiß es nicht. Das ist nicht meine Tasche. Ich habe sie erst in der Türkei bekommen. Eine dunkelhäutige Frau namens Ice-Cream hat sie uns vor zwei Tagen in Antalya in ein Hotel gebracht.« Ich sage lieber nichts von der zweiten Tasche, die die Frau Jenny mitgebracht hat, weil ich sie nicht auch noch reinreiten will in diese Scheiße.

»Wer ist diese Ice-Cream?«

»Ich kannte sie nicht. Ordell hat sie uns geschickt.«

»Wer ist Ordell?«

»Das ist ein Schwarzer, der unsere Reise in die Türkei bezahlt hat, die Flugtickets und die Hotels.«

»Warum hat diese Person dir Geld gegeben und dich in die Türkei geschickt?«

»Ich weiß es nicht. Ich kannte den Mann nicht. Ich habe mir auch keine Gedanken darüber gemacht, weil Jenny ihn kannte. Sie ist meine beste Freundin, warum sollte ich an dem zweifeln, was sie mir sagt?«

»Wie kam es denn zu der Reise mit Jenny?«

»Letztes Jahr im November hat Jenny mir vorgeschlagen, dass wir nach meinem achtzehnten Geburtstag zusammen verreisen könnten. Vor einer Woche, am 13. Januar, sind wir losgefahren. Zuerst nach Amsterdam. Dort haben wir in der Wohnung von diesem Ordell übernachtet.«

»Ich dachte, du kanntest diesen Mann nicht?«

»Das stimmt ja auch. Ich habe ihn in Amsterdam zum ersten Mal in meinem Leben gesehen.«

»Wie ging es dann weiter?«

»Dieser Ordell hat uns am Montagabend, das war am 15. Januar, gesagt, dass wir am Dienstag in die Türkei fliegen würden. Er hat uns die Tickets gegeben und dreihundertfünfzig Mark. Wir sollten eine Woche unterwegs sein und nach unserer Rückkehr noch etwas Geld von Ordell bekommen.«

»Wie viel?«

Ganze sechstausend Mark wären es gewesen, sechstausend Mark für jede von uns. Das ist eine Menge Geld. Natürlich war mir irgendwo klar, dass da etwas Verbotenes in die Tasche reingepackt würde, aber eben etwas nicht so schlimm Verbotenes wie Drogen. Vielleicht irgendwelche Papiere, hatte ich mir gedacht, oder Schmuck. Davon hatte Jenny einmal gesprochen. Ich hatte also keinen Grund anzunehmen, dass der Inhalt dieser Tasche jemandem ernsthaft schaden könnte. Trotzdem beschließe ich, den Polizisten lieber nichts von den sechstausend Mark zu sagen, weil ich Angst habe, dass sie das nicht verstehen, dass sie mir diese verrückte Geschichte niemals glauben.

»Keine Ahnung, wie viel das gewesen wäre«, sage ich also und hoffe, dass mir die Polizisten diese kleine, unwichtige Lüge nicht ansehen. Schließlich will ich ihnen helfen, so gut ich kann.

»Wann bist du mit Jenny in die Türkei eingereist, wo bist du überall gewesen und zu welchen Personen hattest du dort Kontakt?«, fragt Aslan nun weiter.

Ich erzähle, dass wir am Dienstag über Istanbul nach Antalya geflogen seien, dass Jenny mich dort in ein Hotel gebracht habe und wir ein paar Tage Urlaub gemacht hätten, bis diese Ice-Cream uns am Freitag zwei Taschen und die Rückflugtickets gebracht habe. Mit diesen Taschen seien wir dann mit dem Bus nach Izmir gefahren. Erst an diesem Abend habe Jenny mir gesagt, dass sie gleich am folgenden Morgen abreise, einen Tag vor mir. »Das war schlimm für mich, weil ich ja noch nie alleine geflogen bin und furchtbare Angst hatte, dass ich das alles nicht schaffe mit dem Einchecken und Umsteigen«, sage ich.

»Bist du gezwungen worden, die Tasche mitzunehmen?«, will Aslan jetzt wissen.

»Nein«, erwidere ich, »aber als ich da allein am Flughafen stand, war sie mir plötzlich doch sehr unheimlich, weil sie viel schwerer war, als eine normale Reisetasche sein sollte. Ich wollte sie loswerden, doch ich wusste nicht wie.«

»Hat Jenny dir gesagt, wie du dich am Flughafen verhalten sollst, falls die Tasche geöffnet wird?«

»Nein, sie hat das ja schon öfter gemacht. Und ihr ist so etwas nie passiert, deshalb bin ich gar nicht erst auf die Idee gekommen, sie danach zu fragen.« Mist, jetzt ist es mir doch herausgerutscht, dass Jenny schon öfter mit solchen Taschen unterwegs war. Zum Glück bohren die Polizisten jedoch nicht weiter nach. Das Verhör ist für sie offenbar genauso mühsam wie für mich, weil Hakans Englisch sehr schlecht ist und Aslan meine Antworten zwischendurch für die Frau übersetzt, die an einem benachbarten Schreibtisch alles mitschreibt. Ich bin todmüde, total erschöpft und würde mich am liebsten einfach wegbeamen.

5

Ich schrecke hoch, als die Frau von der Schweizer Fluggesellschaft hereinkommt, die schon am Flughafen mit mir gesprochen hat. Aslan holt noch einen Stuhl, damit sie sich zu uns setzen kann. Sie stellt sich vor, aber ich vergesse ihren Namen sofort, weil mein Gehirn noch immer wie gelähmt ist.

»Ich werde für dich dolmetschen«, sagt sie. Dann fragt sie, ob ich einen Tee wolle.

»Nein, danke«, sage ich, »ich kriege jetzt nichts runter, nicht einmal Tee.«

Die Polizisten beginnen sich alle Dinge anzugucken, die sonst noch in meiner Reisetasche waren. Als Erstes nehmen sie Fotos heraus und fragen, wer da drauf sei. Es sind Bilder von meinen Eltern, von Cora und eins von Jenny. Dann hat Hakan plötzlich mein kleines Notizbuch in der Hand.

»Was ist das?«, fragt die Tante von der Fluggesellschaft und zeigt auf den Zettel, auf dem Jenny mir alles Wichtige aufgeschrieben hat: was ich auf der Rückreise beachten muss, wann ich mich bei Ordell melden soll, Jennys Kontaktmann in Amsterdam, wie ich nach der Landung in Genua nach Neapel komme, wo die Tasche abgeholt werden soll.

Als ich es ihnen erkläre, werden die Polizisten ganz aufgeregt.

Ein Mann vom Konsulat ist jetzt auch da, Herr Grund. Er hat mir eine richtige Dolmetscherin mitgebracht, die nun die Frau von der Fluggesellschaft ablöst.

»Wenn wir die anderen kriegen, bist du frei«, sagt einer. »Ordell, Jenny oder den Mann, der auf deine Tasche wartet. Dein Flieger geht in ein paar Stunden – wenn es klappt. Es ist ganz einfach, du rufst jetzt Ordell auf seinem Handy an und tust so, als seist du planmäßig in Genua gelandet. Dann wird er dir sagen, wie es weiterläuft.«

Die Dolmetscherin sitzt jetzt ganz dicht neben mir, weil sie mithören soll. Das Telefon lässt sich nämlich nicht laut stellen. Ich wähle die Nummer, denke an meinen Heimflug nach Berlin und das Schauspielern fällt gar nicht so schwer.

Ordell ist sofort dran. Er klingt ganz normal, jedenfalls so, wie ich ihn bei den wenigen Telefonaten erlebt habe, die wir während der Reise hatten. Er fragt, warum ich so spät dran sei, und ich lüge, dass der Flug bei der Zwischenlandung etwas Verspätung gehabt hätte, ich mich deshalb aus Zürich nicht hätte melden können. »Okay«, sagt Ordell, »fahr jetzt weiter nach Neapel und von dort meldest du dich wieder.«

Die Fahrt nach Neapel dauert sechs Stunden, doch ich muss Ordell zwischendurch immer wieder anrufen. Ich beruhige meinen Magen mit den Sonnenblumenkernen, die ich noch aus Antalya habe, und die ganze Polizeistation knabbert mit. Draußen vor dem Fenster ist ein Balkon mit so einer Art Feuerleiter. Ich gucke oft hinaus, sehe Häuser, eine Fabrik mit einem großen Firmenschild davor, eine Schranke. Wenn sie heruntergeht, macht es ding, ding, ding und kurz darauf rast ein Zug vorbei. Es macht oft ding, ding, ding. Wir sitzen lange in dem Büro, die Polizisten haben unendlich viele Fragen.

Als ich sage, dass ich aufs Klo müsse, begleitet mich eine Beamtin. Sie wartet vor der Tür, während ich in der Kabine bin. Was für eine Bruchbude, die Wände sehen so aus, als würden sie zusammenfallen, wenn man sich zu viel bewegt. Ich suche das Klo und kann keins entdecken. Da ist nur ein Loch im Boden, völlig verdreckt. Ich frage die Beamtin, was ich machen solle. Sie lacht und erklärt mir, dass man sich da hinhocken müsse. Wie appetitlich!

Als wir wieder im Büro sind, fragen mich die Polizisten, ob ich meine Eltern anrufen wolle. Ich lehne ab. Vielleicht darf ich ja bald gehen. Warum soll ich Mama beunruhigen und ihr die ganze komplizierte Geschichte erklären, bevor ich weiß, was mit mir passiert. Schließlich denken sie noch immer, ich sei in Rostock. Ich bin für diese Scheiße selbst verantwortlich, jetzt will ich versuchen, da selbst wieder herauszukommen. Das ist das Mindeste, was ich tun kann.

Ich könnte Jenny anrufen, sie hat mir die Handynummer eines italienischen Freundes gegeben, unter der sie zu erreichen ist. Jenny könnten sie kriegen, ganz einfach. Das ist mir wichtig. Nicht weil ich sie verraten will, auf keinen Fall. Ich will sie retten, ihr erklären, worauf sie sich da eingelassen hat.

Aber die Polizisten schütteln den Kopf. »Ordell, Ordell«, sagen sie nur. »Der ist wichtig.« Ich muss Ordell in immer kürzeren Abständen anrufen, wir stressen richtig rum. Ich merke, wie der Typ langsam nervös wird, und verstehe nicht, warum die Polizisten das machen. So kapiert er doch sofort, dass etwas nicht stimmt. Trotzdem sage ich lieber nichts, schließlich sind das ja Polizisten, die ihren Job gelernt haben. Sie werden schon wissen, warum sie das tun. Da möchte ich mich nicht unbeliebt machen mit altklugen Fragen.

Zwischendurch telefonieren die Polizisten immer wieder mit ihren italienischen Kollegen. Die haben dort eine Beamtin im Einsatz, die aussieht wie ich. Ein Double, das meine Rolle bei der Taschenübergabe übernehmen soll. Sie steht jetzt wie verabredet am Treffpunkt, einer Telefonzelle, an der U-Bahn-Station Pozzuoli.

»Warte da«, sagt Ordell, »es wird jemand kommen, der sagt: ›Ice-Cream, follow me.‹ Dann gehst du mit.« Er legt auf.

Sofort klingelt es wieder, diesmal sind die italienischen Polizisten dran. Sie haben einen Mann entdeckt, der verdächtig aussieht. Er trägt eine grüne Hose.

Ich muss Ordell schon wieder nerven. »Ordell, Ordell, trägt er eine grüne Hose?«

»Ich weiß es nicht«, sagt er und klingt schon sauer. »Warte einfach, bis einer die Parole sagt.«

Die Polizisten wollen, dass ich weiter drängele. »Komm schon, in zwei Stunden geht dein Flieger nach Berlin. Halte ihn in der Leitung, wir haben ihn gleich.«

Ich reiße mich zusammen und wähle wieder. »Ordell, ich habe Angst, ich kann nicht mehr. Es kommt keiner!«, rufe ich so verzweifelt wie möglich in den Hörer. Es knackt, die Leitung ist tot. Danach rufen wir nicht mehr an.

Sie müssen einen von denen kriegen, ich will nach Hause! »Was ist denn jetzt mit Jenny?«, frage ich. »Soll ich nicht doch ihren Kumpel anrufen?«

Die Polizisten wollen das auf keinen Fall. Das ärgert mich. Erst fragen sie mich aus über Jenny, zwingen mich zu petzen, unsere Freundschaft zu verraten, und dann brechen sie vor dem letzten Schritt, der mich retten kann und letztlich auch Jenny, einfach ab. Es ist Abend geworden. Herr Grund, der nette Mann vom Konsulat, muss gehen. Er umarmt mich zum Abschied, wünscht mir Glück. Noch ist nicht alles aus, denke ich. Immerhin habe ich den Polizisten geholfen, so gut ich konnte. Das wird mich retten, bestimmt. Bloß jetzt nicht zusammenklappen! Ich habe diese Reise gemacht, weil ich erwachsen sein wollte, jetzt will ich mich auch erwachsen benehmen. Ja, ich werde kämpfen und meine Unschuld beweisen.

Die Polizisten haben schließlich gesagt, sie würden mir glauben, dass ich keine richtige Schmugglerin bin. Fest steht: Den Heimflug kann ich mir für heute abschminken, dazu ist es inzwischen zu spät geworden. Was passiert jetzt, wo soll ich schlafen? Die Polizisten beschließen, dass ich auf der Wache bleiben kann. Ayşe, eine Beamtin, wird mit mir in ihrem Büro übernachten. Dankbar nehme ich das Sandwich, das sie mir organisiert haben. Der Hunger ist längst weg, also kaue ich einfach mechanisch und registriere, dass es meinem Magen danach besser geht.

Ayşe ist um die dreißig, eine lustige Frau mit längeren schwarzen Haaren, leicht gewellt. Obwohl wir uns kaum verständigen können, mögen wir uns sofort. Als Ayşe merkt, dass ich gleich im Sitzen einschlafe, zeigt sie mir, wie man drei von den gepolsterten Stühlen so zusammenstellen kann, dass daraus ein Bett wird: zwei gegenüber, einen in der Mitte. Sie schläft auf der Couch. Ich kann die Beine nicht richtig ausstrecken, es ist ganz schön ungemütlich, aber es geht.

Zwei Nächte muss ich mit Ayşe auf dem Polizeirevier verbringen und mir tun allmählich die Knochen weh von der ungemütlichen Schlafstatt. Zwar muss ich nicht noch mal bei Ordell anrufen, aber immer wieder die gleichen Fragen beantworten, weil Aslan und Hakan noch mehr Details wissen wollen.

Am dritten Tag sollen die Haftrichter entscheiden, ob ich nach Hause kann. Es sind gleich zwei. Die sind wohl supergründlich hier in der Türkei, denke ich. Es ist schon später Vormittag, als wir vor dem Gericht vorfahren, Hakan und zwei Kollegen bringen mich mit einem Zivilfahrzeug hin. Wir gehen eine Treppe hinauf, die in eine Art Durchgangszimmer mit Wartebereich führt. Das Gericht ist ein altes, schönes Gebäude. Drinnen riecht es nach frisch gewienertem Linoleum und altem Holz. Nach einer weiteren Treppe kommen wir in einen breiten Flur mit ein paar Stühlen, der Wartebereich. Diesmal ist eine andere Dolmetscherin vom Konsulat gekommen, vielleicht hat die bisherige heute frei.

»Ich heiße Ezra«, stellt sie sich vor. Ezra ist jung und sehr hübsch. In der Hand hält sie eine voll gestopfte Plastiktüte. »Das ist für dich«, sagt sie. »Das Konsulat hat dir ein Carepaket gepackt: Obst, Schokolade und Zigaretten.«

Ich bin ganz gerührt, weil das total lieb ist.

»Wie sind denn die Haftrichter?«, will ich von Ezra wissen. »Sehr streng?«

Die junge Frau lacht: »Richter sollen nicht streng sein, sondern gerecht. Und es sind auch nicht mehrere, sondern nur einer. Aber vorher müssen wir zum Staatsanwalt, der von der Polizei eine Zusammenfassung deiner Aussage bekommen hat. Er stellt dir noch ein paar Fragen und gibt dem Haftrichter, zu dem wir anschließend müssen, eine Empfehlung, was mit dir passieren soll.«

Ich habe keine Zeit mehr, Ezra zu fragen, wie meine Chancen stehen, weil uns eine Dame abholt und in das Zimmer des Staatsanwaltes bringt.

Der Staatsanwalt ist ein kräftiger Mann mit grauen Haaren. Lächelnd sitzt er hinter seinem schweren Holzschreibtisch, vor dem zwei Stühle mit einem kleinen Tischchen dazwischen stehen. Ezra und ich setzen uns hin.

»Wollen Sie Tee?«, fragt der Staatsanwalt.

Ich schüttele den Kopf, Ezra nimmt das Angebot an. Der Staatsanwalt drückt auf einen kleinen Klingelknopf, der sich hinter seinem Schreibtisch an der Wand befindet, gleich neben dem unvermeidlichen Porträt, das in allen türkischen Amtsstuben hängt, wie ich mittlerweile weiß. Kemal Atatürk ist da drauf, der türkische Staatsgründer. Nachdem der Tee serviert wurde, schaut der Staatsanwalt auf das eng beschriebene Blatt Papier, das vor ihm auf dem Tisch liegt. Ich vermute, dass es meine Aussage ist.

Nun fragt er etwas und Ezra übersetzt: »Sie wussten also wirklich bis zu Ihrer Festnahme nicht, dass Heroin in der Tasche war?«

Ich schüttele den Kopf. »Nein, wirklich nicht.«

Er geht die ganzen Fragen, die mir die Polizei gestellt hat, noch einmal einzeln durch. Seine Sekretärin, die an einem kleinen Schreibtisch neben seinem sitzt, tippt alles mit. Zum Schluss sagt er: »Gut, Sie können jetzt zum Haftrichter.«

Als wir wieder auf dem Gang stehen, erklärt mir Ezra: »Er sagt, dass er sich nicht sicher sei, ob du ins Gefängnis musst oder nach Hause darfst. Ich schätze, deine Chancen stehen fünfzig zu fünfzig. Es ist wohl ganz gut gelaufen.«

Ich mache mir also nicht allzu viele Sorgen. Ich habe jetzt schon so viel erklärt, dass er eigentlich begreifen müsste, wie ahnungslos ich tatsächlich war.

Doch dann läuft es wider Erwarten gar nicht gut beim Haftrichter. Schon beim Reinkommen merke ich, dass er ein sehr strenger Mann ist. Er lächelt nicht einmal zur Begrüßung und wir müssen auch noch vor seinem riesigen Schreibtisch stehen bleiben. Ich fühle mich ganz klein vor diesem sitzenden Mann, der sich in seinen mächtigen Ledersessel zurücklehnt. Ich bin nervös, weiß nicht wohin mit meinen Händen und schiebe sie in die Jackentaschen. Der Richter guckt grimmig und sagt etwas zu Ezra.

»Er möchte, dass du die Hände aus den Taschen nimmst«, übersetzt sie. Wie ertappt ziehe ich sie hervor und fühle mich noch unbehaglicher.

Sichtlich schlecht gelaunt beginnt der Richter mit seinen Fragen. Er will mehr Details über Ordell. Und ich wiederhole immer wieder, dass ich kaum etwas über ihn wisse, weil ich ihn nur einmal kurz getroffen habe. Diesmal habe ich irgendwie das Gefühl, dass Ezra nicht alles genau wiedergibt, sondern meine Antworten ständig zusammenfasst. Der Haftrichter scheint es eilig zu haben, lustlos rast er durch seinen Fragenkatalog. Alles Fragen, auf die ich keine Antwort weiß. »Wo ist Jenny jetzt?«, will er wissen, und: »Wer ist die Person, der du in Italien die Tasche geben solltest?« Ich will ja helfen bei der Suche nach den Tätern, aber zu diesen Dingen kann ich nun wirklich nichts beitragen. Nach fünfzehn Minuten dürfen wir gehen.

Draußen vor der Tür sagt Ezra, dass der Haftrichter mich ins Gefängnis stecken wolle, in Untersuchungshaft. Weltuntergang! Ich bin geschockt, die Tränen fließen. Ich muss ins Gefängnis, wie ein Verbrecher. Noch dazu in der Türkei, in einem fremden Land, in dem ich kein Wort verstehe. Ezra und ich stehen in der Eingangshalle des Gerichts, wo wir auf die Polizisten warten sollen, die mich ins Gefängnis bringen. Sie reicht mir ihr Handy. Was soll ich damit? Dann verstehe ich: Ich muss ja Mama Bescheid sagen. Wie soll ich ihr das bloß erklären? Mir fällt beim besten Willen nichts ein. Verzweifelt starre ich auf das Display, während das Telefon schon Mamas Büronummer wählt, die ich wie in Trance eingegeben habe.

Wie durch Watte höre ich ihre Stimme. »Rohloff«, meldet sie sich, wie immer mit dieser perfekten Mischung aus Freundlichkeit und Kompetenz.

»Hallo, Mama«, sage ich.

Schlagartig ist es vorbei mit der Büroprofessionalität. »Andrea, wo bist du?«, ruft sie aufgeregt. »Bist du in Holland?« Sie muss auf ihrem Display gesehen haben, dass ich sie aus dem Ausland anrufe.

»Nein, in der Türkei«, erwidere ich langsam. Ich atme tief durch. Draußen vor dem Fenster steht doch tatsächlich eine Palme. Üppig ragt sie in den strahlend blauen Himmel, die Sonne scheint – ein Bild wie aus dem Urlaubskatalog.

»Was macht ihr denn in der Türkei?«, höre ich Mamas besorgte Stimme.

»Ich bin allein, Jenny ist schon wieder zurück«, sage ich.

»Was ist denn los?«, schreit Mama nun und ich merke an ihrer Stimme, dass sie sich furchtbare Sorgen macht.

Ich möchte mir alles von der Seele reden, das mit Jenny, der Tasche, dem Gefängnis, doch ich kann es nicht. »Es ist alles so weit in Ordnung«, sage ich stattdessen. »In einer Stunde wird dich jemand vom Deutschen Generalkonsulat anrufen und dir alles erklären.« Mein Magen krampft sich schmerzhaft zusammen, ich muss jetzt Schluss machen.

Bevor ich auflege, höre ich Mama noch sagen: »Was habt ihr denn angestellt?«

Dann ist die Leitung tot. Drei Polizisten holen mich ab und bringen mich ins Gefängnis.

6

Der Hof ist mein Zufluchtsort. Wegen der Kälte kommt nur selten eine der anderen Frauen heraus, obwohl die Tür von 6.30 Uhr morgens bis zum späten Nachmittag offen steht.

Die Sonnenstrahlen streicheln mein Gesicht und trocknen etwas die Tränen, die mir ständig laufen. Warum ausgerechnet ich, hier? Ich kann es immer noch nicht glauben. Ich sitze auf der völlig verrotteten Bank, die vor der Fensterfront der Küche steht, und fühle mich ganz betäubt vom vielen Weinen. Gegenüber sehe ich die Fenster vom Besuchertrakt. Manche sind zubetoniert, die anderen mit Pappen verrammelt. Ich kann das Gebrüll bis hier hören – offenbar sind viele Besucher da. Ich habe solche Sehnsucht nach meiner Familie, nach Berlin. Wenn sie wüssten, wie sehr sie mir alle fehlen.

Vier Tage bin ich erst hier, aber es kommt mir vor wie eine halbe Ewigkeit. Was Mama und Papa jetzt wohl machen? Und Ari? Die Sonne steht schon tief. So ungefähr um diese Zeit habe ich sonst immer meine kleine Schwester Ari vom Hort abgeholt. Ich sehe ihr winziges Gesicht vor mir, wie es sich aufhellt vor Freude, wenn ich im Hort eintreffe, die langen braunen Haare, die Mama ihr morgens zu einem Pferdeschwanz gebunden hat, ein bisschen verwuschelt von einem langen, aufregenden Tag. Ari ist ja erst im Herbst in die erste Klasse gekommen und hat total viel Spaß in der Schule – anders als ich in den letzten Jahren. In den Wochen unmittelbar vor der Reise war ich oft ein bisschen genervt darüber, dass ich Ari immer abholen und dann beaufsichtigen musste, bis Mama und Papa von der Arbeit kamen. Früher habe ich mir diese Aufgabe mit Dani geteilt, meiner großen Schwester. Aber seit sie einen festen Freund hat und meistens bei ihm ist, blieb Aris Betreuung oft an mir hängen, obwohl ich mich viel lieber mit Freundinnen getroffen hätte. Dafür schäme ich mich jetzt.

Wieder sehe ich Aris Gesicht vor mir. So ernst und konzentriert, wie sie immer guckt, wenn ich mit ihr die Hausaufgaben durchgehe. Ernst, konzentriert und voller Bewunderung für mich, ihre große Schwester. Ari, du hast dich geirrt, ich bin es nicht wert, bewundert zu werden, ich habe einen riesigen Scheiß gebaut.

Dann sehe ich Mama, wie sie geschäftig durch ihr Büro eilt, telefoniert, sich mit Kollegen bespricht. Ich habe mal für zwei Tage ausgeholfen in ihrer Firma, einem Immobilienunternehmen, in dem sie als Chefsekretärin arbeitet. Sie ist sehr beliebt bei ihren Kollegen und erfolgreich im Job. Was Mama anpackt, das klappt. Das war schon vor der Wende so, als sie noch als Chefsekretärin bei der Polizei beschäftigt war. Nun muss sie ihren Kollegen erklären, was ich angestellt habe. Ob die sie jetzt schief angucken im Büro, wegen ihrer missratenen Tochter? Mama, das habe ich nicht gewollt, wirklich nicht.

Und Papa? Wie er wohl reagiert hat, als ihm Mama von meiner Verhaftung erzählt hat? Er ist ja eigentlich immer ruhig und besonnen, selbst in schwierigen Situationen. Er war im Grunde beinahe mehr zu Hause als Mama, weil er freiberuflich arbeitet, als Kurierfahrer. Ich erinnere mich, wie cool Papa damals reagiert hat, als ich mit Jenny beim Klauen erwischt wurde. Knapp vierzehn war ich da. Wir waren bei Schlecker und ich hatte so einen Kapuzenpulli an, mit Tasche. Da hatte ich das »Impulse«-Parfum reingesteckt, das ich so hammergeil fand, und einen Labello. Außerdem wanderten noch Bonbons in meinen Rucksack. Es war wie ein Sport. Nur die Schokolade habe ich bezahlt, ich fand mich total raffiniert – allerdings nur kurz. Wir hatten den Laden gerade verlassen, als plötzlich zwei Polizisten dastanden. Sie brachten uns in ein Hinterzimmer, wo es hieß: »Na, jetzt packt mal alles aus.«

Also habe ich mein Portemonnaie vorne herausgenommen, dann das Parfüm. Den Labello habe ich drin gelassen und behalten. Die Bonbons wollten sie mir auch abnehmen, doch ich habe sie ausgetrickst.

»Nee, nee, die habe ich bezahlt, beim Schlecker an meiner Schule«, habe ich einfach behauptet.

Da durfte ich sie behalten. Jenny haben sie allein nach Hause geschickt, weil sie schon sechzehn war, ich dagegen musste mit in den Polizeiwagen steigen. Ein kleiner Knirps, den ich noch vom Spielplatz kannte, stand dumm rum und glotzte.

»Na, habt ihr was angestellt?«, rief er uns nach.

Ich wäre am liebsten vor Scham im Boden versunken. Wenige Minuten später stand ich mit meinem Hund, den ich dabeihatte, flankiert von zwei Polizisten vor dem Fahrstuhl in unserem Haus. Der Fahrstuhl kam herunter, die Tür ging auf und wer sieht mir da direkt ins Gesicht? Mein Vater und meine kleine Schwester Ariane.

»Hi, ich wurde beim Klauen erwischt. Können wir noch mal hochfahren?« Ich hatte mich spontan für die Angriffstaktik entschieden, weil das die beste Methode ist, wenn es sowieso schon zu spät ist. Papa blieb ganz ruhig, wie immer.

»Sagen Sie ihr, sie soll es nicht noch mal machen«, schärften ihm die Polizisten ein. »Sie verstehen, dass wir natürlich Anzeige erstatten müssen.«

Nachdem sie gegangen waren, hat Papa nur gemeint: »Mach so etwas nie wieder.«

Er selbst hat tatsächlich nie wieder ein Wort darüber verloren. Ich glaube, er hat es nicht mal Mama erzählt, damit sie sich nicht so aufregt. Und ich habe mich an mein Versprechen gehalten – bis auf eine einzige Ausnahme, als ich mal kein Geld hatte und dringend eine Kerze brauchte für einen Geburtstag. Aber das war ein Notfall. Das Verfahren gegen mich wurde dann eingestellt.

Ach Papa, diesmal kannst du mir nicht helfen. Vielleicht willst du es diesmal ja auch gar nicht. Vielleicht willst du deine missratene Tochter sogar nie wiedersehen. Ich könnte es verstehen.

Meine Wangen sind wieder nass, die Januarsonne hat nicht genug Kraft, sie zu trocknen. Ich fühle mich unendlich allein. Ich bleibe so lange da draußen sitzen, bis ich zittere vor Kälte.

Als ich wieder hineingehe, höre ich, wie die Zellentür knarrend aufgeschoben wird. Das Stimmengewirr schwillt an. Was ist los da oben? Schon auf der Treppe zum Schlafsaal sehe ich, dass sich eine Gruppe von wild durcheinander schreienden Frauen um die Zellentür drängt, die offen steht. Kommt schon wieder eine Neue? Draußen stehen ein paar Wärterinnen mit Plastiksäcken. Eine hat eine Liste in der Hand und ruft Namen auf. Die Frauen, die aufgerufen werden, bekommen Sachen aus den Plastiktüten.

»Ah, Andre!«, sagt die Wärterin, als sie mich sieht. Dann gibt sie mir einen der Säcke, an den mein Name geheftet ist, und ich muss den Empfang der Sachen quittieren.

Ich schleppe die Tüte zu meinem Bett und gucke mir erst mal den Namenszettel genauer an. Er stammt vom Konsulat. In der Tüte sind ein paar Decken, ein Kopfkissenbezug, ein kleines deutsch-türkisches Wörterbuch und die Sachen, die mir der Anwalt versprochen hat: Binden, eine schwarze Hose, eine Jogginghose, Unterwäsche zum Wechseln sowie Papier und Stifte, damit ich meine Aussage aufschreiben kann. Als Erstes sehe ich mir die Hose an. Die Farbe ist ja okay, aber der Schnitt! Ich beschließe, dass ich selbst im Gefängnis eine Hose in Karottenform nicht anziehen werde, obwohl ich sonst wirklich nicht besonders eitel bin. Die weinrote Jogginghose ist okay und ich tausche sie sofort gegen meine befleckte Hose.

Als Nächstes nehme ich das Wörterbuch in die Hand. Was für ein Schatz! Ich muss es sofort Flory zeigen, die sicher unten in der Küche sitzt.

Ich finde sie mit ein paar anderen an einem der langen Tische. Unter ihnen erkenne ich Zeynep, das Mädchen, das mir seine Hose angeboten hatte, und nicke ihr zu. Gegenüber von Flory sitzt ein dunkelblondes Mädchen, deren gefärbtes Haar oben am Ansatz schon braun nachwächst. Sie hat ein freundliches, offenes Gesicht.

»Fatoş«, sagt sie zu mir und zeigt auf sich selbst.

»Andrea«, erwidere ich.

Fatoş hebt die rechte Hand und zeigt mir fünf Finger, dreimal hintereinander, und dann noch einmal drei.

»Ah, du bist achtzehn«, sage ich und wiederhole das Spiel. »Ich auch.«

»Kardeş?«, fragt Fatoş jetzt.

Kardeş heißt Geschwister auf Türkisch. Das hat Flory mir erklärt. Ich nicke und hebe zwei Finger für meine beiden Schwestern. Nun malt Fatoş mit beiden Händen eine weibliche Figur in die Luft, deutet lange Haare an. »Ja, Schwestern«, ich nicke wieder.

»Kız kardeş«, sagt Fatoş. Diesmal malt sie eine Person mit kurzen Haaren und Hose in die Luft. »Erkek kardeş.«

Das muss dann wohl Bruder heißen.

»Abla?«, fragt Fatoş jetzt und zeigt eine große Person. Ich zeige ihr einen Finger, für eine große Schwester, für Dani. Danach hebe ich noch einmal einen Finger und deute eine kleine Person an.

»Küçük kız kardeş«, sagt Fatoş und lacht vergnügt.

»Küçük« heißt dann wohl klein. Ich schaue in meinem Wörterbuch nach. Richtig. Mir beginnt das Sprachelern-Spiel Spaß zu machen. Schnell hole ich ein paar von den Zetteln, die mir Herr Caner geschickt hat, um mir die wichtigsten Wörter aufzuschreiben.

Als ich wiederkomme, sagt Fatoş: »Andrea, Heroin. Fatoş, Kafti.«

Jetzt will sie mir wohl mitteilen, warum sie hier ist, aber ich kann sie nicht verstehen. Ich zucke hilflos die Achseln.

»Kafti, kafti«, sagt Fatoş und macht mit der Hand eine Greifbewegung.

Ich verstehe immer noch nicht.

»Sie ist wegen Diebstahls hier«, sagt Flory, die schon eine ganze Menge Türkisch versteht. Jetzt mischt sich auch Zeynep in unser Gespräch ein. »English«, sagt sie und zeigt auf sich, dann »turkish« und deutet auf mich.

Wieder muss ich passen.

»Zeynep möchte Englisch lernen«, erklärt Flory. »Und dafür will sie dir Türkisch beibringen.

»Okay«, willige ich ein und wir beginnen sofort.

Zeynep klopft auf den Tisch. »Masa«, sagt sie.

»Table«, sage ich.

Wir schreiben beides auf den Zettel. So lerne ich gleich noch Gabel – çatal, Fenster – pencere und weitere türkische Vokabeln von Dingen, die in der Küche zu sehen sind. Irgendwann setzt sich noch eine Gefangene zu uns. Sie stellt sich als Aygül vor und spricht einigermaßen passables Englisch und hat eine durchdringende Stimme. Aygül ist ziemlich dick, sie trägt mindestens Größe sechsundvierzig. Sie erzählt mir, dass sie hier sei, weil ihr Ehemann Urkundenfälschung betrieben hat. Da sei sie mit dran gewesen, weil sie auch in der Firma gearbeitet hat.

In der Zwischenzeit haben sich vier weitere Frauen zu uns gesetzt. Alle sind sehr zierlich, haben lange schwarze Haare, tragen Jeans und Pulli, sie sehen aus wie Studentinnen. Eine von ihnen erkenne ich sofort wieder, sie hat nämlich ihr Bett gleich neben Florys.

»Hör mal«, sagt Flory. »Diese Frauen haben morgen ihren Gerichtstermin. Sie werden wahrscheinlich freikommen und dann könntest du ja in das Bett neben mir umziehen.«

Wir beschließen, die Zellenchefin gleich bei der nächsten Gelegenheit zu fragen, ob das in Ordnung gehe.

»Warum seid ihr denn hier?«, frage ich eine der vier auf Englisch.

»Uns wird Terrorismus vorgeworfen«, sagt sie. »Aber wir sind keine Terroristinnen, wir sind Kommunistinnen.« Sie schiebt den Ärmel ihres Pullis hoch und zeigt mir ihren Oberarm, der von blauen Flecken übersät ist. »Die Polizei hat mich geschlagen, beim Verhör«, sagt sie. Fassungslos starre ich auf ihren malträtierten Arm. Das hat der Anwalt also gemeint, als er mich gefragt hat, ob ich misshandelt wurde. Ich kriege eine Gänsehaut, mir wird eiskalt. Dann muss ich an die Polizisten denken, wie nett sie zu mir waren, wie verständnisvoll. Ob Aslan, der Inspektor mit dem Trenchcoat, schon einmal einen Verdächtigen während eines Verhörs geschlagen hat? Ich kann es mir einfach nicht vorstellen.

»Du bist Ausländerin«, fährt die Frau fort. »Das ist etwas anderes. Außerdem geht es bei unserer Anklage um Politik, staatsfeindliche Politik. Das wird in der Türkei sehr streng geahndet.«

Ich nicke, obwohl ich das nicht so richtig verstehe. Ich habe mich noch nie richtig mit Politik beschäftigt, davon habe ich einfach keine Ahnung und von türkischer erst recht nicht.

Klack, das ist das Geräusch, wenn oben an der Zellentür das Vorhängeschloss aufschnappt. Zwei weitere Klacks folgen, der Riegel. Verwundert blicke ich mich um.

»Ach ja«, sagt Flory, »heute ist Freitag, der Tag, an dem wir Geld von unserem Gefängniskonto abheben können.«

Ich habe zwar noch etwas von dem Geld übrig, das mir der Anwalt gegeben hat, aber da wir unser Essen kaufen müssen, denke ich, dass es keine schlechte Idee sei, noch etwas abzuheben von der Summe, die meine Eltern mir inzwischen geschickt haben. Wer weiß, wie viel ich in den nächsten sieben Tagen brauchen werde.

Als wir oben ankommen, ist da schon eine lange Schlange, an der wir uns hinten anstellen müssen. In Zweiergruppen dürfen die Häftlinge die Zelle verlassen, jedoch nur bis auf den Flur vor der Tür. Dort steht ein Tisch, an dem zwei Männer in Uniform mit dicken Büchern sitzen. So sieht also die Bank aus im Gefängnis. Nach einer Viertelstunde sind Flory und ich endlich dran.

»Hallo Andrea«, sagt der jüngere der Uniformierten und lächelt freundlich.

»Wieso kennt er meinen Namen?«, flüstere ich Flory zu.

Als sie nachfragt, lacht der Mann noch breiter und sagt etwas auf Türkisch.

»Dein Bild war in der Zeitung«, dolmetscht Flory. »Ganz groß auf der Titelseite.«

»Was?«, frage ich entsetzt. Die Gedanken rasen nur so durch meinen Kopf. Wenn ich schon in der Türkei auf der Titelseite war, wie ist es dann in Deutschland? Weiß jetzt etwa ganz Berlin, was ich getan habe? Ich möchte am liebsten auf der Stelle im Boden versinken. Niemals kann ich nach Hause zurück, selbst wenn die mich hier jemals wieder rauslassen. Es ist alles so unglaublich peinlich, so verfahren, absolut ausweglos.

»Viele, die hier ins Gefängnis kommen, stehen in der Zeitung«, versucht Flory mich zu trösten. »Das ist ganz normal. Aber die Leute, die das lesen, vergessen es auch wieder. Es passiert ja jeden Tag etwas Neues.«

Ich versuche, ihr zu glauben, doch es fällt mir ganz schön schwer.

Später schreiben Flory und ich einen Einkaufszettel: Wasser, Milch, Marmelade, Waschpulver. Wir fragen die anderen, was das ungefähr kostet und wickeln das Geld in den Einkaufszettel ein. Eigentlich ist das Geldverschwendung, hier gibt es nichts, was ich gern essen würde. Manchmal esse ich deshalb einfach gar nicht. Flory und ich haben auch Schokolade auf unsere Liste geschrieben.

»Keine Chance«, sagt Nülgül beim Einsammeln der Zettel und schüttelt bedauernd den Kopf.

Wehmütig denke ich an die Schokopuddings, die Mama immer für mich im Kühlschrank hatte. Bei meiner Abreise waren noch zwei drin. Die hat meine kleine Schwester Ari bestimmt längst aufgegessen. Ob sie dabei an mich gedacht hat?

Ich schaue mich um in diesem scheußlichen Raum, dessen Gestank ich schon gar nicht mehr wahrnehme, weil ich vermutlich genauso rieche, und denke an mein schönes Zuhause. An mein gemütliches, sauberes Bett, auf dem noch immer alle Kuscheltiere aus meiner Kindheit sitzen, weil ich es nie übers Herz gebracht habe, mich von ihnen zu trennen, an die Stereoanlage, die getrockneten Rosen, mit denen ich die Wand dekoriert habe. All das hatte ich so satt vor meiner Reise, es kam mir eng vor, unerwachsen, eingesperrt. Wie ungerecht von mir. Mama hat uns wirklich ganz schön verwöhnt.

»Hast du auch solche Sehnsucht nach deiner Familie?«, frage ich Flory und setze mich zu ihr ins Bett.

»Nicht wirklich«, sagt sie. »Nach einem Leben in Freiheit, ja. Aber meine Eltern habe ich lange Zeit nicht gesehen. Ich bin ja schon seit Jahren weg von zu Hause. Außerdem haben sich die beiden auch nicht so gut verstanden. Es gab viel Streit.«

Ich versuche mich zu erinnern, wann sich Mama und Papa das letzte Mal gestritten haben. Mir fällt nichts ein. Meine Eltern hatten sich an der Moccabar im Palast der Republik ineinander verliebt. »Da, wo sich halb Berlin kennen gelernt hat«, sagt Papa immer. Als Dani geboren wurde, haben sie ihren Trabant verkauft, weil es sonst für einen Kinderwagen nicht gereicht hätte. Bei ihnen ist es wohl wirklich die ganz große Liebe. Ich spüre, dass ich bei den Gedanken wieder weinen muss, und sage Flory, dass ich jetzt ein bisschen allein sein möchte. Als ich in mein Bett krieche, fällt mein Blick auf den rosafarbenen Donald-Duck-Kopfkissenbezug, den mir die Leute vom Konsulat geschickt haben. »Die erste Niederlage des Tages ist das Aufstehen«, steht in der Sprechblase neben dem liegenden Donald, der sein zerknautschtes Gesicht in seinem Kopfkissen vergräbt. Wie passend!

Ich habe eine besondere Familie, eine besonders glück-
liche, denke ich. Wieso ist mir das früher nur nie aufgefallen?
Warum habe ich dieses Glück zerstört?

Eine ganze Weile liege ich auf dem Bauch auf dem Bett und
schluchze leise in mein Kopfkissen, bis keine Tränen mehr
kommen. Als ich mich wieder aufrichte, sehe ich, wie die Frau
in dem Bett schräg rechts unter mir ihr Baby wiegt. Der kleine
Ata liegt auf ihren ausgestreckten Beinen, die sie langsam
von rechts nach links dreht, und gurgelt zufrieden vor sich
hin. Obwohl mir gar nicht danach ist, lächele ich ihn an, voller Mitleid, weil ich plötzlich denke, dass er viel schlimmer
dran ist als ich – noch kein Jahr alt und schon in dieser Hölle. Er hat noch nicht einmal ein Kuscheltier, denke ich. Ein
Baby muss doch ein Kuscheltier haben. Kurz entschlossen
nehme ich mein Maskottchen, den Monchichi, von meinem
Kopfkissen, klettere aus meinem Bett und gebe ihn Atas Mutter. Flory hat mir erzählt, sie habe ihren Mann umgebracht.
Unvorstellbar, wenn man sieht, wie sanft und zärtlich sie mit
ihrem Kind umgeht. Die Frau lächelt ein Danke. Als ich wieder
auf meinem Bett liege, sehe ich zu, wie der Kleine mit dem
Monchi spielt, wie seine winzigen Finger in das weiche Fell
fahren, wie er ihn an sich drückt, ganz fest. Ich fühle mich
etwas besser, für einen kurzen Moment.

7

Ich erinnere mich daran, dass Herr Caner morgen wieder-kommen will. So steht es zumindest auf dem Fax, das eine Wärterin mir gebracht hat. Mist, denke ich. Ich habe ihm ja versprochen, dass ich ihm diese ganze dumme Geschichte aufschreiben werde. Ich hole mir ein bisschen von dem Papier, das er mir geschickt hat, und verkrieche mich wieder auf das Bett. Minutenlang starre ich auf das leere linierte Blatt, bis die Linien vor meinen Augen verschwimmen. Wo soll ich anfangen? Ich überlege und überlege, und dann weiß ich es endlich. Mit Jenny natürlich! Ohne sie wäre ich nie gefahren. Ich muss aufschreiben, wie Jenny meine Freundin wurde, damit er begreift, warum ich ihr vertraut habe, warum es richtig war, ihr zu vertrauen.

Wie es ihr wohl ergangen ist? Ob sie weiß, dass ich im Gefängnis bin? Bestimmt, wenn es in der Zeitung stand. Sie ist jetzt die Einzige, die mir helfen kann, denke ich. Sie kann meine Geschichte bestätigen. Vielleicht hat sie sich inzwischen ja schon bei der Polizei gemeldet und es dauert nur so lange, bis die Beamten in der Türkei Bescheid kriegen. Jenny wird mich nicht hier sitzen lassen, sie hat mich noch nie im Stich gelassen. Schließlich kennen wir uns schon ewig, seit ich vierzehn bin. Damals sind meine große Schwester Dani und ich immer zusammen mit Cora Gassi gegangen in unserem Wohngebiet in Berlin-Altglienicke, einem ordentlichen Plattenbauviertel, in dem jeder jeden kennt. Jenny stand oft am

Fenster, wenn Dani und ich vorbeikamen, und winkte, sie wohnte ja nur einen Block weiter. Manchmal kam Jenny auch runter zum Quatschen, weil sie mit Dani in einer Klasse war. Es war immer total lustig, Jenny hat nämlich einen richtig coolen, bissigen Humor.

»Jenny ist dumm«, lästerten damals die Mädchen in meiner Klasse. »Kein Wunder, dass nicht einmal ihre Mutter sie bei sich haben will.«

Ich hatte mich bei diesen Sticheleien nie eingemischt, doch irgendwann platzte mir der Kragen. »So ein Quatsch, ihr kennt sie ja gar nicht. Jenny lebt bei ihrer Oma, was ist denn schon dabei?«

Die Zicken stichelten weiter. »Ihre Mutter hat sie gleich nach der Geburt dort abgegeben. Und zwischendurch musste sie sogar ins Heim.«

Ich war empört und hatte das dämliche Gequatsche einfach satt. Vielleicht hat es mir auch deshalb so besonders gestunken, weil ich selbst eine Außenseiterin war, eine von denen, die dauernd gehänselt wurden. Auf der Grundschule hatte ich immer viele Freunde, war beliebt, respektiert, und auf dem Gymnasium war es auch okay. Als die Noten, vor allem in Mathe, immer schlechter wurden, kam ich auf die Gesamtschule. Erst war ich neugierig auf die neuen Leute und die auch auf mich, aber ich merkte schnell, dass ich da nicht hineinpasste. Die meisten Mädchen waren blondierte, affektierte Tussis, die sich überall einschleimten, die wenigen Jungs großmäulig und laut.

Dazwischen ich, in meinen Schlabberklamotten, von denen ich mich nicht trennen konnte, bis sie mir vom Körper fielen. Ich stand auf Schlaghosen und auf Jungs mit längeren Haaren. Auf Musik von den Ärzten, auf die coolen Basketballspieler vom Alex, auf die Punks, die am Kudamm abhingen, auf Tour gingen mit der S-Bahn durch Berlin. Ich wollte in die Großstadt eintauchen, ihren schnellen Puls spüren und nicht wie die meisten spießig in meinem Wohngebiet versauern.

Abenteuer und Freiheit waren mir wichtiger als Schminke und Styling. Ich wollte keine von diesen hohlen Partymäusen sein. Schon deshalb war ich überhaupt nicht angesagt in meiner Klasse. Da war es eher schick, rechts zu sein. Wir hatten einige, die Uniform trugen: Springerstiefel, Bomberjacke, kurze Haare. Dazu der Hitlergruß und zu viel Dosenbier. Das war nun gar nicht meine Welt.

Manchmal haben sie mir »Zecke« hinterhergerufen, so schimpfen diese Typen Punks, Linke und Leute wie mich, die lieber Hippieklamotten tragen als Bomberjacke. Ich habe selbst zwar nur wenig Ahnung von Politik, aber immerhin genug, um zu verstehen, dass die nicht wirklich politisch rechts waren, sondern einfach nur dumpf und dämlich sinnlose Parolen nachplapperten. Dann gab es da noch die Mädchen, die mit solchen Jungs abhingen. Insgesamt war vielleicht ein Drittel der Klasse rechts.

Jenny waren diese Idioten einfach gleichgültig. Sie konnte witzig sein und verrückt, zurückhaltend und nachdenklich. Manchmal jedoch auch laut und grob im Ton, so wie die anderen, wenn ihr die Sticheleien zu viel wurden. Sie hatte das Selbstbewusstsein der Älteren und benahm sich trotzdem jünger. Wir haben immer viel gelacht. Ich brauchte nur sagen: »Guck mal, der und der« und sie stieg sofort darauf ein. Wir konnten uns da richtig Bälle zuspielen.

Damals hat mir Jenny öfter Gesellschaft geleistet, wenn ich nachmittags auf meine kleine Schwester Ari aufpassen musste. Wir haben viel gequatscht und sie hatte für meine Probleme stets ein offenes Ohr. So kam es, dass sie langsam mehr meine Freundin wurde als Danis. Es war die Zeit, in der ich in der Schule immer weiter absackte. Die Leute waren mir zuwider, mit denen im Unterricht zusammensitzen zu müssen erst recht. So hat das wohl angefangen mit dem Schwänzen. Das war im ersten Halbjahr der zehnten Klasse, 1998. Statt zur Schule sind wir mit der S-Bahn durch die Stadt gefahren, von Schönefeld bis Spandau, Füße hoch, Walkman auf volle

Pulle und den Tag genossen, Jenny, die damals auf der Bauschule eine Tischler-Berufsvorbereitung gemacht hat, und ich. Manchmal waren auch Nicole, die eine Klasse unter mir war, oder Steffi aus meiner Klasse dabei, die auch nichts für die Rechten übrig hatten. Wir haben am Alex rumgehangen und Leute geguckt. Und bei McDonald's McChicken gegessen, Sprite oder Schokoshake getrunken, wenn wir Kleingeld hatten. Wochenlang haben wir Urlaub gemacht vom Psychoterror. Gut dreißig Fehltage hatte ich am Ende des ersten Halbjahres – keine Ahnung, wie viele davon unentschuldigt.

Alleine hätte ich mich das niemals getraut. Ich weiß nicht mehr, wer schließlich gesagt hat: »Komm, wir lassen die Schule einfach ausfallen!« Aber es schien uns allen wie ein unverhoffter Ausweg aus dem Stress. Wir waren stark, wir waren nicht allein, wir waren frei. In mir tobte ein Zweikampf: schlechtes Gewissen gegen das gute Gefühl, den Hänseleien und dem Schulstress entkommen zu sein. Aufstehen machte wieder Spaß, so viel Spaß, dass sich das schlechte Gewissen in die hinterste Ecke meiner Seele verkroch. Ich hatte meine Eltern ja nicht angelogen, ich hatte nur einfach nichts gesagt.

Irgendwann standen dann zwei Lehrer vor unserer Tür. Ein Blick durch den Spion und das schlechte Gewissen kam aus seiner Ecke, machte sich plötzlich ganz breit. Erwischt, dachte ich. Was soll ich jetzt bloß tun? Meine Eltern waren nicht da. Erst wollte ich die Lehrer nicht hereinlassen, aber dann habe ich doch die Tür aufgemacht. Frau Meier, die damals meine Klassenlehrerin war, hat mich schon vorher einmal zur Seite gezogen und gefragt, ob alles in Ordnung sei.

»Ja, ja«, war ich ausgewichen, »alles okay.«

Jetzt war gar nichts mehr in Ordnung. Das mit dem Schwänzen sei nicht gut, fingen sie an. Warum mir denn die Schule keinen Spaß mache? Und dann kam der Hammer: Sie fragten doch tatsächlich, ob da Drogen im Spiel seien. So ein Quatsch! Warum denken so viele Erwachsene eigentlich immer nur an Drogen, wenn irgendwas nicht läuft. Es gibt doch so viele Dinge, die schwierig sind, wenn man in der Pubertät ist. Haben die alle ihre eigene Jugend vergessen?

Meine Eltern reagierten übrigens sensationell und klärten die Sache mit der Klassenlehrerin. Allerdings war Jenny seitdem nicht mehr so besonders gern gesehen bei uns zu Hause. Sie durfte natürlich trotzdem kommen, weil Mama und Papa anderen immer eine zweite Chance geben, aber sie durfte nicht mehr bei uns übernachten. Jennys und meine Freundschaft ist daraufhin langsam eingeschlafen. Vielleicht lag es auch daran, dass sie mit der Schule fertig war und wir uns nicht mehr täglich sahen. Es sollte fast ein Jahr dauern, bis wir uns wiedertrafen.

Der Stift, den ich in der Hand halte, ist oben schon ganz abgekaut vom vielen Nachdenken. Ich habe noch immer kein Wort geschrieben. Doch jetzt weiß ich endlich, wo ich anfangen muss, und zwar mit dem Tag im Sommer 2000, als ich Jenny durch Zufall am Kudamm begegnete, dem Tag, an dem unsere Freundschaft von neuem begann. Plötzlich flitzt mein Stift über das Papier, füllt Zeile um Zeile. Die Vergangenheit wird lebendig, gerade so, als würde ich alles noch einmal erleben.

Es ist ein heißer Tag in diesem Juli 2000, einer von der Sorte, an dem selbst muffelige Leute dieses typische Sommergrinsen nicht verbergen können und hektische Menschen anfangen zu schlendern, damit sie sich ihre schicken Businesshemden nicht mit Schweißflecken versauen. Die Luft steht und es riecht ein bisschen nach Benzin von den vielen Autos, die vorbeifahren. Ich sitze mit Nicky, die inzwischen meine beste Freundin geworden ist, in der Nähe des Brunnens vor dem Europacenter und atme Großstadt. Wenn ich schon nicht reisen kann, die Welt entdecken, dann lasse ich die Welt eben einfach zu mir kommen. Ich liebe diesen Platz, den Tausende Menschen aus aller Welt täglich überqueren, Passanten und

Touristen, Geschäftsleute und Punks. Hier schlägt das Herz Berlins und wir sind mittendrin. Beste Unterhaltung. Und das alles kostenlos, denn Nicky und ich haben immer Proviant dabei: Schokolade, Eistee – ein optimales Picknick.

Es ist die Zeit kurz vor der Loveparade, da sind immer besonders viele junge Berlin-Reisende in der Stadt. Da steigt die Party vor der Party, die bessere eigentlich. Wir sitzen auf einer der vielen Stufen, die zur Gedächtniskirche führen, hören den Flötenspielern zu und warten auf zwei Typen, die wir neulich hier getroffen haben und von denen Nicky einen ganz süß findet. Nichts Ernstes, nur ein Flirt. Ich träume und beobachte die Leute, als sich plötzlich ein Mädchen aus dem Strom der Passanten löst und auf uns zurennt: Jenny.

Sie hat eine Frau und einen Schwarzen im Schlepptau.

Ich beschließe, die beiden einfach zu ignorieren, weil ich mich so freue, Jenny zu sehen.

Ihr geht es genauso. »Hi«, sagt sie und strahlt über das ganze Gesicht. »Wo warst du denn so lange? Wir müssen unbedingt einmal wieder etwas zusammen unternehmen.«

Ich grinse zurück. »Na, wer von uns ist denn wohl abgetaucht? Das warst doch wohl du. Was hast du gemacht in den letzten Monaten?«

Jenny guckt geheimnisvoll. »Das ist eine lange Geschichte«, sagt sie, »die erzähle ich dir mal in Ruhe.« Dann zieht sie mich auf die Seite und wir gehen ein Stück alleine.

»He, ich habe einen Superjob, ich reise ein bisschen hin und her, da gibt's richtig gut Kohle dafür«, sagt sie.

»Klingt ja nach einem Traumjob«, meine ich. »Und ich dachte schon, dass Arbeiten einfach nur öde ist. Meine Ausbildung macht jedenfalls nicht besonders viel Spaß. Manchmal möchte ich einfach abhauen.«

Ich würde gern mehr erfahren über Jennys neues Leben, doch wir sind schon wieder bei Nicky angekommen. Jenny, die Frau und der Schwarze haben es eilig.

»Ich bin jetzt oft in Amsterdam«, meint Jenny zum Abschied. »Ich schreib dir mal. Und wenn ich das nächste Mal in Berlin bin, müssen wir uns unbedingt treffen.«

Abends im Bett bin ich immer noch ganz aufgeregt. Ich werde Jenny wiedersehen, das klingt nach dem Ende der schrecklichen Langeweile, die zurzeit meinen Alltag bestimmt. Was das wohl für ein Job ist, den sie macht?

Ich schreibe und schreibe, bis mir die Hand wehtut und ich eine Pause machen muss. Der kleine Ata ist längst eingeschlafen, friedlich ruht sein Köpfchen an der Schulter seiner Mutter, im Gesicht diesen seligen Ausdruck absoluten Vertrauens und Glücks, wie ihn nur Babys haben. Ari hat früher auch so ausgesehen, wenn sie geschlafen hat. Aber dass ein Baby sich auch im Gefängnis wohl fühlen kann, das ist wirklich merkwürdig. Ich schäme mich beinahe dafür, dass es mir so schlecht geht. Draußen ist es schon so dunkel, dass man die Gitter vor den Fenstern nicht mehr sehen kann. Ich habe gar nicht gemerkt, wie es Abend geworden ist. Dabei flammen alle Neonröhren bei Einbruch der Dämmerung auf einmal grell auf und bleiben an bis zum nächsten Morgen. Wenn mal eine kaputtgeht, wird sie sofort repariert. Das ist aber auch wirklich das Einzige, was hier klappt. Wenn du mich hier sehen könntest, Jenny, dann würdest du mich endlich hier rausholen mit deiner Aussage. Meine Gedanken wandern zurück zum Sommer 2000.

In den Wochen nach unserem Treffen am Kudamm war ich jeden Morgen die Erste am Briefkasten, in der Hoffnung, dass Jenny schon geschrieben haben könnte, aber sie ließ sich Zeit. Schade, dachte ich mehr als einmal. Denn damals hatte ich gerade echt Stress mit meiner Ausbildung und etwas Ablenkung davon wäre mir sehr gelegen gekommen. Nach meinem Realschulabschluss im Jahr 1999 hatte ich nicht die geringste Idee, was ich werden könnte.

In der Schule hatte ich mich erfolglos durch den Matheunterricht gequält und jetzt bekam ich das mit der Buchführung nicht auf die Reihe. Dabei mussten Mama und Papa so viel Geld für die Privatschule bezahlen. Ganze siebeneinhalbtausend Mark kostete die zweijährige Ausbildung zur Staatlich geprüften Kaufmännischen Assistentin mit Schwerpunkt Fremdsprachensekretariat damals. Das war verdammt viel Geld für meine Eltern und eigentlich auch eine tolle Chance für mich. Am Anfang habe ich mir auch richtig Mühe gegeben. Schließlich wollte ich meine Eltern nicht enttäuschen, nachdem sie mir diese Chance ermöglicht hatten, die besser war als das meiste, was meine Klassenkameradinnen so machen mussten: Floristin, Friseurin, Zahnarzthelferin. Aber nach einem Jahr, in dem Sommer, in dem ich Jenny wiedertraf, war die Luft schon ganz schön raus.

Jennys Brief kam im August. Es gehe ihr gut und sie freue sich schon, wieder etwas mit mir zu unternehmen, wenn sie zurückkomme nach Berlin, stand darin. Über ihren Job hatte sie nichts geschrieben. Danach war wieder ein paar Wochen Funkstille. Im September habe ich ein Praktikum in einem Blumenversand angefangen. Endlich einmal keine Theorie, mit Menschen arbeiten, mit Blumen. Den Gedanken fand ich spannend, die Praxis weniger, und so hatte ich schon bald die Nase voll. Vor allem, weil ich nichts zu tun bekam. Ich bin ständig müde geworden vom Rumsitzen und schlecht gelaunt, weil es so öde war. Jeden Tag habe ich den Feierabend herbeigesehnt wie andere Leute kurz vor der Pensionierung. Ich kam mir uralt vor und das mit siebzehn. Zum Glück war ich mit der Außenwelt wenigstens durch mein Handy verbunden. Ich hatte es immer an. Meistens war Nicky dran, wenn es klingelte. Sie war gerade mit der Schule fertig und hatte viel Zeit zum Quatschen. Unsere Gespräche waren immer sehr lustig, weil Nicky keine komplizierte Person ist, sondern total humorvoll – und manchmal etwas zickig, aber nur ganz selten. Sie ist ein offener Mensch, ziemlich frech und für jedes Abenteuer zu haben. Irgendwann Mitte September hatte sie richtig gute Neuigkeiten.

Das ist wichtig, denke ich. Das muss ich für den Anwalt aufschreiben. Ich nehme mir ein neues Blatt Papier und setze mich im Schneidersitz aufs Bett. Beim Aufrichten stoße ich mir prompt den Kopf an dem Deckenbalken über mir. Das ist der Nachteil, wenn man oben schläft in dieser verdammten Zelle. Und stickig ist es hier auch, aber dafür etwas wärmer, was ganz angenehm ist. Ich schreibe weiter, über den Tag, an dem meine Freundin Nicky mich im Büro des Blumenversandes anrief.

Sofort habe ich Nickys Stimme im Ohr, total aufgeregt, voller Vorfreude.

»Jenny hat mich angerufen, du weißt schon, die, mit der wir in der Schule immer so viel Spaß hatten«, sagt sie. »Wir haben uns heute Nachmittag in den Gropiuspassagen verabredet. Zum Shoppen.«

Ich habe wie immer überhaupt keine Kohle, aber es macht ja auch so Spaß, bummeln zu gehen.

Wir treffen uns an der U-Bahn-Station Johannisthaler Chaussee, fahren mit der Rolltreppe direkt ins Einkaufszentrum. Ich sehe Jenny sofort. Sie trägt eine lange schwarze Hose und dazu einen dunklen Rolli. Sie hat sich verändert, denke ich. Früher war Jenny eher ein burschikoser Typ, jetzt sieht sie richtig weiblich aus, beinahe elegant.

»Hi, Andrea«, sagt Jenny, »schön, dass du auch mitgekommen bist.« Wir umarmen uns und es fühlt sich an wie früher. »Lasst uns erst mal bei H&M gucken, was es Neues gibt«, schlägt Jenny vor. Wir stöbern ein bisschen, bis Jenny irgendwann einen gelben Pulli in der Hand hält und ihn Nicky zeigt. »Wie wär's damit? Der würde dir bestimmt super stehen.«

Nicky verzieht das Gesicht. »Ich weiß nicht. Gelb ist nicht so meine Farbe und außerdem ist der viel zu teuer, fast sechzig Mark, das ist ja Wahnsinn.«

Jenny bietet ihr an, den Pulli zu bezahlen, doch Nicky lehnt ab.

»Ich brauche eine neue Aufladekarte für mein Handy«, sagt Jenny dann. »Die kriegen wir hier gleich gegenüber.«

An der Kasse fragt sie, ob wir auch neue Karten bräuchten.

»Schon«, sage ich und will noch ergänzen, dass ich mir im Moment keine neue leisten könne.

Aber Jenny ist schneller.

»Und dann nehme ich noch eine Fünfzig-Mark-Karte für D2«, sagt sie zu dem Verkäufer. Als sie meinen verwirrten Blick bemerkt, meint sie beruhigend: »Schon gut, die geht auf mich. Das ist mein Wiedersehensgeschenk an dich.«

Ich bin immer noch etwas überrumpelt, fünfzig Mark sind ein Vermögen, wenn man wie ich mit Zeitungsaustragen dreißig Mark im Monat verdient, zusätzlich zu den fünfzig Mark Taschengeld, die Mama und Papa mir geben.

»Ich verdiene im Moment genug«, sagt Jenny, die meinen Gerechtigkeitssinn kennt. »Ich weiß ja, dass du mir auch immer etwas spendieren würdest, wenn du könntest.«

Wir gucken noch im Mediamarkt nach neuen CDs, finden jedoch nichts, was uns gefällt. »Mann, habe ich einen Hunger«, sagt Jenny irgendwann.

Ich krame in meiner Tasche. »Hier, ich habe noch eine Stulle übrig, die ich mir heute Morgen für die Arbeit geschmiert habe. Da ist Salami, Käse und Salat drauf, total lecker.«

Jenny lehnt ab.

»Danke, aber ich hatte da an etwas Warmes gedacht. Wisst ihr was, ich lade euch zum Essen ein.«

Wir fahren zurück ins Wohngebiet, zu »Da Franco«, dem Italiener. Dort gehe ich sonst nur mit meinen Eltern hin, wenn es etwas zu feiern gibt. Wir bestellen Nudeln mit Brokkoli.

»Woher hast du denn das viele Geld?«, fragt Nicky.

»Ich habe es Andrea ja schon am Kudamm erzählt«, erwidert Jenny knapp. »Ich reise viel und bekomme ein gutes Honorar dafür.«

Dann guckt sie in Richtung Küche. »Ah, da kommt ja unser Essen. Endlich.«

Wir quatschen die ganze Zeit ohne Punkt und Komma.

Jenny erzählt von ihrem neuen Freund und ich erzähle ihr von Marco, einem Typen, mit dem ich immer bei der Arbeit flirte.

»Alles wie gehabt«, meint Nicky grinsend. »Es hat sich wirklich nichts verändert, seit wir das letzte Mal zusammen unterwegs waren.«

Jenny schlägt vor, nach dem Essen zu ihr zu fahren, in das Hotel, in dem sie immer wohnt, wenn sie in Berlin ist. »Meistens bin ich ja in Amsterdam«, sagt sie. »Da habe ich eine total süße Wohnung.«

Das Hotel ist gleich um die Ecke, in Adlershof. Das ist wie eine eigene Wohnung haben, nur cooler, denke ich. So ein Hotelzimmer ist irre, alles wird gemacht, alles ist sauber, keiner nervt. Ich kenne das ja gar nicht. Wir hatten im Urlaub immer eine Ferienwohnung. Und das hier ist nicht einmal Urlaub. Das ist Berlin. Jenny hat zwei einzelne Betten in ihrem Zimmer. Da setzen wir uns drauf und quatschen. Nicky und ich wollen abends zum Reamonn-Konzert, aber Jenny hat keine Lust. Dafür hat sie eine andere Idee.

»Kommt doch mit in die Disko«, schlägt sie vor. »Ich will noch ins Latino am Zoo. Ist total cool da. He, ich lade euch auch ein!«

Ich war vorher nur einmal in einer Disko und so toll war das nicht, doch mit Jenny auszugehen, verspricht immer Spaß. Wir haben Montag und es ist noch ziemlich früh, als wir im Latino ankommen, und dementsprechend leer. Der Laden ist überhaupt nicht mein Stil: ziemlich schummrig mit Sitzecken, Holztischen und stoffgepolsterten Stühlen. Ich gucke Nicky an und sehe, dass sie sich hier auch nicht wohl fühlt.

Doch bevor wir etwas sagen können, spendiert Jenny eine Runde Getränke. Ich nehme eine Piña-Colada, Nicky entscheidet sich für Wodka-Cola.

»Lasst uns darauf anstoßen, dass wir wieder zusammen sind«, sagt Jenny ausgelassen.

Wir stoßen noch öfter an an diesem Abend und irgendwann gibt Nicky es auf, die Drinks selbst bezahlen zu wollen.

Ich bin schon ein bisschen benebelt, als ich diesen süßen Typen entdecke. Längere Haare bis auf die Wangen, ein bisschen gegelt, aber nicht schleimig, coole Klamotten, so weite im Hiphop-Style. Er heißt Timmy und ist total klasse. Wir verstehen uns super, Timmy und ich.

»Ich geh mal kurz raus, einen durchziehen«, sagt er irgendwann.

»Ich steh nicht auf Kiffen«, erwidere ich. »Aber wenn du meinst, dass du das brauchst, ist das deine Sache.«

»Haschisch ist weniger schädlich als Alkohol«, erklärt Timmy und verschwindet kurz alleine.

Während ich auf ihn warte, spüre ich den Vibrationsalarm meines Handys in der Hosentasche. Mist, ist es wirklich schon so spät? Ich gehe ran.

»Andrea, wo steckst du denn?«, höre ich die Stimme meines Vaters. »Es ist schon Mitternacht, komm bitte sofort nach Hause!«

Ich murmele nur: »Ja, ja, bin gleich unterwegs« und weiß natürlich, dass ich jetzt auf keinen Fall abhauen kann. Timmy kommt nämlich gerade wieder. Um 1 Uhr ist Papa noch mal dran, diesmal klingt er ziemlich sauer. Sonst kriege ich nicht mehr so viel mit. Von den vielen Drinks, die Jenny spendiert hat, bin ich ganz schön zu und außerdem high vom Küssen. Wir werden uns wiedersehen, Timmy und ich, auf jeden Fall.

Nach diesem Abend sind meine Eltern gar nicht froh darüber, dass ich Jenny jetzt wieder regelmäßig treffe. Vor allem seit sie wissen, dass Jenny mir die neue silberfarbene Hose geschenkt hat, als vorgezogenes Geburtstagsgeschenk. Ist doch voll nett, denke ich. Sie hat auch den gelben Pulli gekauft, für Nicky. Leider hat sich Nicky gar nicht so richtig gefreut. »Ich habe doch gesagt, dass Gelb mir nicht steht«, hat sie nur gemeint. Ich glaube, sie ist ein bisschen eifersüchtig, dass sie mich jetzt mit Jenny teilen muss.

Jenny und ich sind jetzt öfter alleine in der Stadt unterwegs. Zuerst ist mir das gar nicht aufgefallen.

»Was ist mit Nicky?«, habe ich manchmal noch gefragt.

»Sie kann ja später dazukommen«, antwortete Jenny dann immer. Doch das war nie der Fall.

Eines Tages sitzen wir wie so oft in der U-Bahn, auf dem Weg zum Kudamm, Leute gucken, so wie früher.

»Wie funktioniert das eigentlich mit deinem neuen Job?«, frage ich.

Da beugt sich Jenny ganz dicht zu mir herüber und senkt die Stimme verschwörerisch. »Ich habe diesen Job nur bekommen, weil ich vertrauenswürdig bin, weil ich schweigen kann«, sagt sie. »Alles was ich bisher erzählt habe, muss unser Geheimnis bleiben, okay?«

»Ja«, sage ich überrascht, obwohl ich jetzt natürlich platze vor Neugier. Ob es etwas mit dem Geheimdienst zu tun hat? Das frage ich natürlich nicht, weil es mir einfach zu verrückt vorkommt.

»Vielleicht erzähle ich dir später mehr«, sagt Jenny, »wenn du bewiesen hast, dass du unser Geheimnis auch bewahren kannst.«

Ich bohre nicht weiter, schon deshalb, weil ich mich ein bisschen geehrt fühle, dass sie sich ausgerechnet mir anvertraut, und weil ich weiß, dass es mir nicht schwer fallen wird zu schweigen. Ich spüre, sie wird mir bald mehr erzählen. Dann, wenn sie meint, dass es die richtige Zeit dafür ist.

Als Jenny mich wieder einmal von zu Hause abholt, will Mama natürlich sofort wissen, was sie jetzt so macht, und fragt sie regelrecht aus. Mir ist das ein bisschen peinlich, weil Jenny erzählt, dass sie in einem Café arbeitet, was ja nicht stimmt. Also grinse ich nur in mich hinein und schweige. Nicht einmal Jennys Mutter weiß etwas von ihren Reisen, warum sollten meine Eltern davon erfahren? Eltern müssen nicht mehr alles wissen, wenn man bald volljährig ist. Ich will mehr Privatsphäre, dazu gehören Geheimnisse, die ich nur mit meinen Freunden teile. Das nächste Mal treffen wir uns im Hotel, weil wir da ungestört sind, und Jenny erzählt ein bisschen mehr von ihrem neuen Leben.

»Meine Wohnung in Holland würde dir bestimmt gefallen«, sagt sie, »die ist total schick und direkt am Wasser. Alle paar Wochen fliege ich für sechs bis acht Tage in die Türkei. Manchmal kann ich sogar eine Freundin mitnehmen. Steffi, die mit uns zusammen Schule geschwänzt hat, war auch schon mit.«

Ich erinnere mich, dass Steffi mir erzählt hat, sie sei mit Jenny im Urlaub gewesen, und mir auch Fotos gezeigt hat, vor allem von irgendwelchen Typen. Irgendwie bin ich ein bisschen eifersüchtig auf Steffi, weil sie schon mit Jenny reisen durfte und ich nicht. Aber ich erinnere mich, dass die beiden seitdem zerstritten sind.

»Steffi hat erzählt, dass ihr Stress hattet wegen ihrer Handyrechnung«, hake ich vorsichtig nach.

»So ein Quatsch«, sagt Jenny. »Ich kriege sechstausend Mark pro Tour, dagegen ist doch diese Rechnung lächerlich. Und Steffi hätte genauso viel verdienen können, wenn sie auf die Lieferung gewartet hätte. Aber sie musste ja unbedingt vorher nach Hause, weil ihre Mutter rumgestresst hat.«

So viel Geld, denke ich – das ist ja Wahnsinn! Was für eine Lieferung ist das wohl, die da kommen sollte? Jetzt ist der richtige Moment, um noch mehr zu erfahren. »Das mit der Lieferung habe ich nicht ganz verstanden«, sage ich.

»Ich transportiere Taschen«, erklärt Jenny. »Ich bringe sie von der Türkei nach Italien, das ist alles. Ganz einfach.«

»Und dafür bekommt man so viel Geld?«

»Du willst es aber ganz genau wissen«, sagt Jenny und lacht. »In diese Taschen wird etwas reingepackt. Ich weiß selbst nicht, was das ist, und ich will es auch gar nicht wissen. Ich habe dir ja erklärt, dass das kein Job ist für Leute, die zu viele Fragen stellen.«

Alles klar, mehr werde ich heute nicht erfahren. Wir lästern noch ein bisschen über Steffi und ihre aufgeregte, ängstliche Art. Das war schon damals so beim Schuleschwänzen, als sie die Erste war, die ein schlechtes Gewissen hatte.

Mehrere Wochen später, als wir gerade mal wieder über den Kudamm spazieren, wage ich einen erneuten Vorstoß. Schließlich haben mich Jeannettes Erzählungen nicht mehr losgelassen.

»Wie läuft denn so eine Reise genau ab?«, will ich wissen.

»So ähnlich wie ein richtig toller Urlaub«, sagt Jenny.

»Mal gucken, vielleicht kannst du ja mal mitkommen«, fügt sie noch hinzu.

Ich bin plötzlich so aufgeregt, dass ich meinen Herzschlag spüren kann. Reisen, Fliegen, zum ersten Mal. Das klingt wie ein Lottogewinn. Das ist die Chance, endlich auszubrechen aus der Langeweile. Die Sache hat nur einen kleinen Haken, dass in den Taschen, die Jenny transportiert, irgendetwas Geheimnisvolles drin ist. »Woher weißt du denn, dass in die Taschen was reingepackt wird?«, frage ich.

»Lass uns nicht in der Öffentlichkeit darüber reden«, erwidert Jenny streng. »Du weißt doch, Diskretion ist das Wichtigste an diesem Job. Ich erkläre dir bald mehr, das habe ich dir doch versprochen.« Sie zeigt auf die Straße. »Ach guck mal, ein Taxi!« Energisch winkt sie es heran und wir lassen uns auf den weich gepolsterten Rücksitz fallen.

Ich verkneife mir weitere Fragen, obwohl ich es kaum aushalten kann vor Neugier. Was muss Jenny denn von mir denken, wenn ich sie ständig löchere? Es wird schon alles seine Ordnung haben damit.

Das Schöne an Jenny ist, dass ich mir jetzt vorstellen kann, dass Erwachsensein doch cool ist. Ich will nämlich kein so geregeltes Leben haben wie die meisten Erwachsenen. Jenny ist da schon ein Vorbild. Gerade wenn es um Männer geht, hat sie eine Menge Erfahrung. Sie lebt mir vor, dass es auch anders geht: Männer ausprobieren, Spaß haben, solange der Spaß bleibt. Sie ist glücklich, unabhängig, richtig frei.

Leider muss sie jetzt wieder für drei Wochen weg. Als ich sie zur Bahn bringe, sieht sie zum ersten Mal seit langem richtig traurig aus. »Wäre doch total schön, wenn wir zusammen fahren könnten«, sagt sie.

»Ja«, erwidere ich, »aber ich kann hier ja nicht weg, wegen der Ausbildung.«

Ich winke, bis der Zug ganz klein wird in der Ferne. Dann denke ich über Jennys letzten Satz nach. Zusammen reisen, eigenes Geld verdienen, es allen zeigen. Ich träume mich ins Glück.

Es ist still geworden in der Zelle, alle schlafen. Ich packe die fünf eng beschriebenen Seiten, die ich geschafft habe, unter mein Kopfkissen und versuche abzuschalten. Doch es gelingt mir nicht. Wieder weine ich, bis mein Kopfkissen ganz nass ist. Ich weine um meine Freundschaft zu Jenny, die mir so viel bedeutet, mehr als jede andere, die ich bisher hatte. Draußen schüttet es wie aus Gießkannen. Ich höre, wie die Tropfen auf den Betonhof prasseln, der Himmel weint. Endlich bin ich mal nicht allein mit meinen Tränen.

8

Es muss so gegen 10 Uhr sein, nach dem Stand der Sonne geschätzt, als die Wärterin mich abholt, um mich ins Anwaltszimmer zu bringen. Während sie die Zelle aufschließt, werfe ich noch einen kurzen Blick in den Spiegel, der im Vorraum gleich neben der Treppe hängt. Es ist ein winziger quadratischer Spiegel, der einzige für mehr als fünfzig Frauen. Ich sehe mein verquollenes Gesicht, das noch ganz rot ist vom Heulen. Kleine Pickel überziehen meine Haut, die eigentlich immer perfekt war, selbst meine Haare, auf die ich so stolz war, haben ihren Glanz verloren. Die schlechte Ernährung fordert ihren Tribut. Ich streiche mir die Haare glatt und versuche ein Lächeln. Es hilft nichts, ich sehe furchtbar aus. Die Wärterin wird ungeduldig und sagt etwas auf Türkisch, was wahrscheinlich so viel wie »Komm endlich, beeil dich« heißt. Dann hetzt sie mich durch die düsteren Gänge in Richtung Anwaltszimmer.

Wieder ist es dort brechend voll, ich muss mich erst orientieren. Hilflos wandern meine Augen über die vielen Köpfe hinweg, bis ich endlich Herrn Caner entdecke, der an einem der Tische hinten an der Wand steht und mir zuwinkt.

»Da bist du ja endlich, Andrea«, sagt er, als er mir die Hand schüttelt.

»Ich musste mich doch noch schön machen für Ihren Besuch. Hat aber nicht so richtig geklappt«, versuche ich einen Scherz.

»Mach dir darüber mal keine Gedanken«, sagt er freundlich. »Ich beurteile niemanden nach seinem Aussehen. Und außerdem siehst du wirklich besser aus als das letzte Mal.«

Ich bin mir nicht so sicher, ob das stimmt, aber es tut trotzdem gut.

»Warum bin ich eigentlich schon wieder die einzige Frau in diesem Raum?«, frage ich.

»Es gibt hier, wie in allen Gefängnissen, einfach viel weniger weibliche als männliche Häftlinge. Das liegt daran, dass Frauen seltener kriminell werden«, erklärt mir der Anwalt.

»Stimmt«, sage ich, »ich bin ja auch nicht kriminell. Aber warum muss ich dann trotzdem hier bleiben?«

Herr Caner mustert mich plötzlich ganz ernst. »Andrea, niemand kommt ohne Grund ins Gefängnis – und das gilt auch für dich. Heroinschmuggel ist ein ganz schlimmes Delikt, du weißt doch, dass jedes Jahr viele Menschen an dieser Droge sterben. Deshalb kann auch derjenige bestraft werden, der Heroin geschmuggelt hat, ohne davon zu wissen.« Als er sieht, wie entsetzt ich gucke, ergänzt er sanft: »Natürlich fällt die Strafe dann nicht so hart aus. Deshalb bin ich ja für dich da.«

»Sie meinen also, dass ich schuldig bin?«, frage ich.

»Nein«, erwidert er, »aber sicher nicht ganz unschuldig, sonst hättest du nicht eingewilligt, eine fremde Tasche gegen Honorar zu transportieren. Ich habe übrigens mit deinen Eltern gesprochen«, sagt er dann. »Ganz liebe Grüße soll ich dir bestellen. Und dass sie nicht sauer sind auf dich. Sie sind fest davon überzeugt, dass du die Wahrheit sagst und dass deine Freundin dich hereingelegt hat.«

Das ist beinahe ein bisschen viel auf einmal. Ja, es ist schön zu hören, dass Mama und Papa zu mir halten, wenn ich auch nicht verstehe, wie sie das jetzt noch können. Doch dass sie die Schuld allein auf Jenny schieben, das ist nicht fair. Sicher, ohne sie wäre ich nie auf die Idee gekommen mit dieser Reise, aber ich habe mich doch freiwillig entschieden mitzukommen.

»Wissen Sie«, sage ich zu Herrn Caner. »Ich glaube, dass meine Eltern sich irren, was Jenny betrifft. Sie haben sie nie besonders gemocht. Dabei weiß ich genau, dass Jenny mich nie hereingelegt hätte.«

Der Anwalt denkt einen Moment nach. »Es kann ja sein, dass sie dich nicht hereinlegen wollte, aber vielleicht wurde sie ja dazu gezwungen.«

Jetzt verstehe ich nur noch Bahnhof. Wer sollte sie dazu gezwungen haben? »Ich kapiere das nicht«, sage ich.

»Also«, beginnt Herr Caner, »diese Reise, wie du sie nennst, wurde von einer Drogenschmugglerbande organisiert. Von einer kriminellen Organisation, die naive Mädchen wie dich und deine Freundin einspannt, um Heroin über die Grenzen zu bringen, weil sie hofft, dass Zöllner junge Urlauberinnen nicht so streng kontrollieren.«

Das ist jetzt wirklich ein bisschen viel auf einmal. »Was für eine Bande?«, stammele ich. »Ich habe niemanden getroffen, der zu einer Bande gehörte.«

»Jennys Bekannter in Amsterdam zum Beispiel«, erklärt Herr Caner, »gehört ganz sicher dieser Bande an.«

Plötzlich fällt mir etwas Unheimliches ein. »Jenny hat mal gesagt, dass Ordell Leute hat, die überall auf sie aufpassen, selbst in Berlin. Das fand ich damals total nett, irgendwie beruhigend.«

Der Anwalt nickt wissend. »Siehst du. Das bedeutet, dass Jenny wahrscheinlich längst selbst ein Mitglied dieser Bande war.«

Ich bin empört. »Nein, das glaube ich nicht. Sie hat mir mehrfach gesagt, dass sie nicht genau weiß, was in den Taschen ist, die sie transportiert hat. Warum sollte meine beste Freundin mich anlügen?«

»Nun«, entgegnet Herr Caner geduldig, »diese Organisationen arbeiten im Allgemeinen so, dass der Kurier, so nennt man Leute wie Jenny und dich, beim ersten Mal tatsächlich nicht weiß, was in der Tasche ist. Beim zweiten Mal heißt es dann: Du hast Heroin transportiert. Du hast etwas Kriminelles getan und hängst jetzt mit drin. Jetzt musst du diesen Job weitermachen, sonst lassen wir dich auffliegen.« Ich kann diese schockierenden Informationen gar nicht so schnell verdauen. »Das bedeutet«, fährt Herr Caner fort, »dass Jenny spätestens bei der zweiten Tour Bescheid wusste.«

»Das glaube ich nicht. Dann hätte sie mir hundertprozentig davon erzählt. Wir hatten keine Geheimnisse.«

Herr Caner bleibt ganz ruhig. »Du kannst mir ruhig glauben, ich habe genug solcher Fälle erlebt in meiner jahrelangen Praxis als Anwalt. Vielleicht hätte dir Jenny sogar gerne davon erzählt, doch sie durfte es sicher nicht. Vermutlich hat die Bande von ihr verlangt, dass sie weitere Kuriere anwirbt – unter ihren Freundinnen. Und da hat sie dich ausgewählt.«

Ich bin entsetzt, welches gemeine Bild mein Anwalt da von Jenny entwirft. »Sie wird sich bei der Polizei melden, sobald sie kann, und die Wahrheit erzählen«, sage ich trotzig.

»Hätte sie sich dann nicht längst melden müssen?«, gibt Herr Caner zu bedenken. »Deine Verhaftung ist nun schon beinahe eine Woche her. Und von Jenny fehlt weiterhin jede Spur.« Er beugt sich vor und lächelt. »Weißt du, Andrea, vielleicht brauchst du noch eine Weile, um das alles zu verdauen. Ich persönlich bin eigentlich ganz froh darüber, dass du so entsetzt bist. Das zeigt mir nämlich, dass du wirklich total ahnungslos in diese Sache hineingerasselt bist.«

Wenigstens glaubt er mir, denke ich. Irgendwie mag ich ihn, diesen geduldigen Anwalt, der sich so viel Mühe gibt, meinen Fall zu verstehen, auch wenn er sicher in ein paar Dingen irrt. Da fallen mir die Seiten ein, die ich für ihn aufgeschrieben habe.

»Einen Moment«, sage ich und ziehe die klein gefalteten Blätter aus meiner Hosentasche. »Ich habe schon mal angefangen aufzuschreiben, wie es zu der Reise kam. Vielleicht werden Sie dann verstehen, warum ich Jenny nicht in Frage gestellt habe.«

Da ist unsere Zeit auch schon vorüber und die Wärterin steht bereits in der Tür, um mich abzuholen.

»Wir sehen uns in ein paar Tagen«, sagt der Anwalt zum Abschied. »Kopf hoch, du hast das große Glück, dass deine Familie voll hinter dir steht. Das hat man selten hier.«

Ich kann nicht einschlafen an diesem Abend, weil ich das alles gar nicht verarbeiten kann, was Herr Caner gesagt hat. Was ist, wenn Jenny doch etwas gewusst hat von dem Heroin? Ich kann es mir einfach nicht vorstellen. Aber warum war sie dann immer noch nicht bei der Polizei? Vielleicht haben die Leute von der Bande das verhindert. Dass es solche Banden überhaupt gibt, ist neu für mich. Ich habe zwar in der Schule mal ein Referat gehalten über Drogen und ihre Wirkung und sogar eine Eins plus dafür gekriegt. Doch wo sie herkommen, das war darin nicht Thema, darüber habe ich noch nie nachgedacht. Wenigstens halten Mama und Papa zu mir, denke ich dann. Ob sie wirklich meinen, was sie dem Anwalt gesagt haben, oder haben sie sich vielleicht einfach nur nicht getraut, einem Fremden zu erzählen, wie sauer sie wirklich auf mich sind? Vergeblich suche ich Antworten auf die Fragen, die immer mehr werden, bis mir fast der Kopf platzt vor Anstrengung. Schließlich erlöst mich die Erschöpfung und ich falle in traumlosen Schlaf.

Aufstehen im Gefängnis ist der Horror. Warum müssen die anderen nur morgens immer vor dem Zählen alle Fenster aufreißen? Ich stehe in der Reihe neben Flory, ziemlich in der Mitte, spüre, wie der eisige Luftzug mir in den Nacken fährt und unbarmherzig die letzte Schlafwärme vertreibt. Gerade kreuzen die Wärterinnen vor uns ihre Wege. Zweimal deutet ein Zeigefinger auf mich, murmeln die Lippen eine lautlose Zahl. »Vierundsechzig«, sagt die eine dann laut, als sie am Ende ihrer Reihe angekommen ist. »Dreiundsechzig«, sagt die andere und guckt ein bisschen hilflos. Ein Kichern ertönt und ich denke nur: Nein, nicht noch mal. Ich will zurück ins Bett, sofort. Der zweite Durchgang ergibt, dass wir dreiundsechzig sind. Während die meisten sich wieder schlafen legen, bedeutet eine der Wärterinnen einem Mädchen, das höchstens fünfzehn Jahre alt ist, noch einen Moment stehen zu bleiben.

»Was ist denn mit ihr?«, frage ich Flory, als wir wieder unter unsere Decken kriechen. Nülgül hat mir inzwischen tatsächlich das Bett neben ihr zugeteilt.

»Das Mädchen darf heute gehen«, sagt Flory. »Sie ist wegen Prostitution hier. Jetzt hat ihr Zuhälter sie für hundertfünfzehn Millionen Türkische Lira freigekauft.«

Ich rechne nach. »Das macht zum aktuellen Kurs genau 359,06 Mark«, sage ich dann.

Obwohl ich die Kleine nicht kenne, nie mit ihr gesprochen habe, ist es schlimm für mich, sie gehen zu sehen. Von meinem Bett aus beobachte ich, wie sie dasteht mit der Tüte in der Hand, in die sie ihre Sachen gepackt hat. Sie umarmt die Frauen, die sie unterstützt haben, und einige fangen an zu schluchzen. Es ist immer das gleiche Ritual, wenn eine geht. Als die Tür hinter dem Mädchen ins Schloss fällt und wir hören, wie der Schlüssel sich im Schloss dreht, wie der Riegel vorgeschoben wird, verspüre auch ich einen schmerzhaften Stich. Tür auf, ein Luftzug Freiheit, Tür zu. Jede Entlassung erinnert daran, dass draußen alle so weiterleben wie bisher. Dass es dort einfach weitergeht, ohne mich. Ich sitze mir in diesem zeitlosen Raum meinen Hintern breit, sehe den anderen zu, wie sie sinnlosen Kram häkeln und basteln, und spüre, wie meine Jugend verrinnt. Diese Gedanken kann ich nicht ertragen, also versuche ich sie abzuschalten. Es tröstet wenig, dass diejenige, die gerade gegangen ist, auch draußen nicht frei ist.

Haben Tage im Gefängnis mehr als vierundzwanzig Stunden? Die ersten bestimmt. Wenn man nicht einmal eine Uhr hat und sich ab und zu mit einem Blick auf den Sekundenzeiger versichern kann, dass die Zeit wirklich nicht aus dem Takt ist, glaubt man das jedenfalls irgendwann. Ich bin jetzt seit einer Woche hier und schon völlig wirr im Kopf von den vielen Gedanken, die ohne Pause kreisen, so dass mir ganz schwindelig wird davon. So ist das, wenn es keine Ablenkung gibt, wenn man den ganzen Tag nur herumsitzt, den Hals zugeschnürt vom Heimweh, die Seele vergiftet von dem schlechten Gewissen, das sich immer mehr in mir breit macht. Gefängnis in echt, das ist ganz anders, als man es aus Fernsehen und Kino kennt. Hier muss man sich nicht zu einer bestimmten Zeit einen Teller nehmen und runter zum Essen gehen. Man kann schlafen, wann man will, man kann aufstehen, wann man will. Man könnte hier drin verrecken und keiner würde es mitkriegen.

Ich versuche wieder einzuschlafen, weil man es dann hier am besten aushalten kann und ich selten vor zehn Uhr aufstehe, aber es wird nichts daraus, da plötzlich ein lautes Gekeife ausbricht. Ich schrecke hoch und sehe, wie zwei Frauen in schmutzigen bunten Röcken an der der Fensterfront gegenüberliegenden Seite des Schlafsaals streiten. Sie stehen vor einem der Spinde. Eine hält ein Brot an den Körper gedrückt, die zweite zerrt daran und will es ihr offensichtlich wegnehmen. Jetzt kommt eine dritte Frau dazu. Sie zieht die Besitzerin des Brotes an den Haaren, tritt nach ihr, bis diese aufschreit vor Schmerz und ihren Schatz hergibt.

»Bist du wach, Flory?«, frage ich und zupfe an ihrer Decke.

»Wie soll ich denn bei diesem Gekreische schlafen?«, brummt sie zurück.

»Flory, ich bin so froh, dass ich in deiner Nähe schlafen kann und nicht eine dieser Irren neben mir habe. Die sind ja total gefährlich«, sage ich.

»Ja, unsere Ecke hier ist ganz okay«, erwidert Flory. »Ich glaube, Nülgül sorgt dafür, dass hier hinten nur Leute schlafen, die sich benehmen können und sich nicht beklauen.«

Ich denke nach. Ja, das stimmt. Ganz vorn, wenn man in den Schlafsaal kommt, haben die Frauen ihre Betten, die weder lesen noch schreiben können, die immer wieder wegen Diebstahls ins Gefängnis kommen und die sogar hier drinnen klauen, weil niemand ihnen Geld auf ihr Gefängniskonto überweist. Zum Glück bleiben sie unter sich. Ich hatte jedenfalls bisher mit keiner von ihnen Kontakt oder irgendwelchen Stress. Dennoch tun sie mir ein bisschen Leid, denn sie können irgendwo nichts dafür.

Der Lärm hat sich gelegt, vielleicht weil Nülgül den Streit beendet hat, denke ich und döse langsam wieder ein. Im Halbschlaf höre ich, wie die Zellentür aufgeschlossen wird. »Mektup«, »Briefe«, ruft eine Wärterin. Und dann eine Reihe von Namen. »Andre?«, höre ich sie plötzlich brüllen und bin sofort hellwach. Sie meint mich. Ich habe Post, zum ersten Mal. Ich rutsche beinahe von der Etagenbettleiter ab, weil ich es mit einem Mal so eilig habe.

Ein Fax ist da, von Mama! Ich reiße es der Wärterin beinahe aus der Hand, weil ich es kaum erwarten kann, es zu lesen. Dann klettere ich schnell zurück auf mein Bett, um wenigstens etwas ungestört zu sein.

Liebe Andrea,

wir werden alles versuchen, um dich schnellstmöglich nach Deutschland zurückzuholen. Alle deine Freunde engagieren sich dafür. Deine Freundinnen haben sogar Geld verdient, das wir überweisen werden, um dich zu unterstützen. Schreibe uns bitte, was du noch benötigst. Wir werden dann alles besorgen und es dir zukommen lassen.

Deine Schwester Daniela und ich werden dich auf jeden Fall besuchen. Auch Opa würde am liebsten mit in die Türkei kommen, um dich mit nach Hause zu nehmen. Wir glauben dir, ohne Abstriche zu machen, dass du auf das Widerwärtigste hereingelegt wurdest und unschuldig bist. Bitte glaube jetzt an uns und vertraue uns. Wir werden alles, wirklich alles dafür tun, dass die richtigen Täter vor Gericht gestellt werden. Wir kennen dich ja ganz genau und lieben dich.

Auch deine kleine Schwester Ariane ist ganz traurig und vermisst dich sehr. Ich soll dir sagen, dass sie sich ganz lieb um dein Meerschweinchen Zombie kümmern wird. Ariane wird dir selbst schreiben, damit du siehst, dass sie sich in der Schule anstrengt.

Wir denken alle jeden Tag und jede Nacht an dich.

Deine Mama.

Während ich lese, wird das Papier ganz wellig von den Tränen, die darauf tropfen. Meine Familie wird mich hier herausholen, bald. Sieben von den vierzig Tagen bis zum Prozess habe ich schließlich schon geschafft. Und wenn dieser Anwalt wirklich gut ist, dann komme ich bestimmt danach frei, schließlich sind vierzig Tage in türkischer Haft sicher Strafe genug für jemanden wie mich. Zum ersten Mal, seit ich hier bin, kann ich wieder einigermaßen klar denken, fühle mich froh, optimistisch, voller Hoffnung.

Ich kriege Lust, etwas für mich zu tun, und beschließe, den Mauervorsprung über meinem Bett zu dekorieren. Als Erstes hänge ich zwei Fotos von Cora auf, damit ich beim Aufwachen immer in ihre treuen Hundeaugen gucken kann. Sie ist die einzige Freundin, die mich ganz sicher niemals belügen wird. Ob sie weiß, wie sehr sie mir fehlt? Aus einer Zeitschrift, die mir Herr Caner geschickt hat, habe ich ein Bild der Berliner Friedrichstraße mit den glitzernden Lichtern der Nacht herausgerissen, ein Stück Heimat. Das kommt auch an den Mauervorsprung. Es dauert ewig, bis es haftet, weil ich kein Klebeband habe, nur Zahnpasta. Jetzt noch das Schwarzweißfoto von Mama, eines von früher. Sie sieht darauf aus wie ich. Ob sie wohl auch mal Mist gebaut hat, früher? Kann ich mir gar nicht vorstellen. Mit den Filzstiften, die mir der Anwalt mitgebracht hat, schreibe ich meinen Namen an die Decke und »from Germany« daneben.

Später kochen wir zusammen: Flory, Zeynep, Fatoş, Aygül und ich. Genauer gesagt, Flory kocht, denn ich kann das ja gar nicht. Es gibt Spaghetti, die Aygül spendiert, Fatoş hat noch Tomaten, Flory und ich steuern Milch für die Soße bei. Nülgül hat uns endlich einen Spind zugewiesen, aber das Dumme ist, dass wir kein Vorhängeschloss haben, um ihn abzuschließen. Mir fällt auf, dass Zeynep wieder einmal nichts dazugibt. Sie sitzt einfach nur faul herum, während ich den Tisch decke, mit den Tellern, die Flory und ich im Einkauf bestellt haben. Es sind einfache Plastikteller und manche haben ein scheußliches Blumenmuster, andere Kindermotive wie Bärchen oder Mickey Maus.

Zeynep streicht sich genüsslich über den Bauch – »Ich habe großen Hunger«, soll das wohl heißen –, dann wirft sie mir Luftküsschen zu, zwinkert frech und lächelt ihr unehrliches Lächeln. Nülgül hat Flory und mich vor ihr gewarnt, dass sie nur auf ihren eigenen Vorteil bedacht sei. Ich wollte mir ein eigenes Bild machen, doch langsam glaube ich, dass sie Recht hat. Zeynep ist hier, weil sie ausgerastet ist, als sie ihren Freund mit einer anderen erwischt hat. Und die ist dann die Treppe heruntergefallen und hat sich schwer verletzt. Ob das wohl stimmt? Ich bin mir nicht sicher, ob hier alle die Wahrheit erzählen über das, was sie getan haben.

Als Fatoş eine dampfende Schüssel auf den Tisch stellt, ist Zeynep die Erste, die sich kräftig bedient. Dann greift sie meinen Teller und will ihn als Nächstes auffüllen. Ich nehme ihn ihr weg und schüttele den Kopf, weil ich das nicht mag, dieses schleimige Bedienen, nachdem sie uns einmal wieder ausgenommen hat. Die Spaghetti schmecken gut, so gut, dass ich beinahe den trostlosen Speisesaal vergesse, in dem wir sitzen. Am Nachbartisch gibt es etwas undefinierbares Grünes, das ziemlich streng riecht. Die Armen, denke ich, sie haben wohl kein Geld und müssen das Mittagsgericht essen, das uns das Gefängnis stellt. Am Anfang bin ich ja davon ausgegangen, dass es gar nichts gratis gibt, weil sich Flory immer alles gekauft hat. Jetzt weiß ich, dass es doch etwas gibt, meistens eine Suppe zum Frühstück und mittags oft Bohnen und Reis mit einem Stück Brot. Ich habe noch nichts davon probiert, weil ich Angst habe, krank zu werden, und das darf mir hier einfach nicht passieren.

Ich sehe, wie ein altes Mütterchen gierig sein Brot in die grüne Pampe auf seinem Teller stippt und es dann abschlürft. Mir wird ganz übel von dem Geräusch, dann erkenne ich die Alte: Sie holt immer die Töpfe herein, die die Wärterinnen vor der Tür abstellen, zusammen mit ihrer Tochter, die ebenso ungepflegt ist wie sie selbst.

»Ist das nicht die gleiche Frau, die auch die Zelle sauber macht?«, frage ich Flory.

»Ja«, sagt sie. »Derjenige, der mit dem Saubermachen dran ist, muss auch das Essen holen.«

Ich will wissen, ob wir auch irgendwann dran sind mit Saubermachen.

»Keine Ahnung«, sagt Flory, »Nülgül teilt die Leute ein.«

Aygül, die uns zugehört hat, meint, dass Ausländer und Leute, die Geld haben, eigentlich nie putzen müssten.

Dann erzählt Flory, dass wieder eine Neue gekommen sei, auch wegen Drogen, Ecstasy. Ihre Reise sei wie meine über Antalya gegangen – und über Holland. Ich erinnere mich an das, was der Anwalt gesagt hat, über die Banden, die diese Drogengeschäfte organisieren. Warum müssen sie das ausgerechnet von Holland aus machen?, frage ich mich. Viele Leute denken bei Holland sowieso gleich an Drogen, weil Kiffen dort erlaubt ist. Aber damit tun sie diesem Land unrecht. Mir kommen bei Holland als Erstes wunderschöne Erinnerungen an die vielen Familienurlaube, die wir dort im Sommer gemacht haben, in einer Ferienwohnung in Egmond aan Zee. Ich liebe die Nordsee, den salzigen Geschmack der Luft und den Horizont, wie er sich hinter den Wellen in der Endlosigkeit verliert.

»Ich muss mal raus«, sage ich zu Flory und gehe auf den Hof. Mit geschlossenen Augen träume ich mich an unseren Ferienstrand. Frischer Wind fährt mir durchs Haar, zu kühl für ein Sommergefühl. Ich stelle mir vor, dass es Herbst ist am Strand, einen Spaziergang mit dickem Pullover an der grauen aufgewühlten See. Es tut gut, dass man wenigstens ab und zu mit dem Kopf ausbrechen kann.

Am Nachmittag ist der Anwalt wieder da, mit allerbester Laune.

»Gute Nachrichten für dich, Andrea!«, sagt er und macht ein geheimnisvolles Gesicht.

»Was gibt es denn?«, frage ich und habe für einen Moment die absurde Hoffnung, dass sich alles aufgeklärt hat, dass ich gehen darf.

»Deine Mutter und deine große Schwester kommen dich besuchen, und zwar in ein paar Tagen, am 5. Februar.«

Ich weiß gar nicht, was ich sagen soll, so wild überschlagen sich meine Gedanken. Mama hat ja geschrieben, dass sie kommt. Doch jetzt geht alles so schnell. Ich freue mich riesig und habe gleichzeitig Angst, wie es werden wird, unser Wiedersehen.

»Na«, sagt der Anwalt, weil ich noch immer sprachlos dasitze, »das ist doch wirklich eine Supernachricht, oder?« Ich nicke und bin immer noch nicht in der Lage, auch nur ein Wort herauszukriegen.

»Wie geht es dir denn, Andrea?«, fragt er dann und es klingt wirklich besorgt.

»Jetzt gerade etwas besser«, erwidere ich. »Aber meistens fühle ich mich wie in einem schwarzen Loch, das mich immer weiter in die Tiefe saugt. Der Dreck in der Zelle ist schlimm für mich. Manchmal haben wir den halben Tag kein fließendes Wasser.«

Herr Caner nickt verständnisvoll. »Ich will dir mal eine Geschichte erzählen, weil ich gut verstehen kann, wie es dir geht«, sagt er nun. »Ich habe einen guten Freund, der musste ebenfalls ins Gefängnis, als er achtzehn war. Vier Jahre verbrachte er in einer Zelle, die so ähnlich war wie deine. Aber er hat sich nicht hängen lassen. Man kann zwar nicht heraus aus der Zelle, doch man kann drinnen eine Menge für sich tun: lesen, fernsehen, sich um andere kümmern, denen es schlechter geht als einem selbst. Mein Freund hat das getan und plötzlich gemerkt, dass er kaum zum Traurigsein kam, weil die Tage nur so verflogen. Als er schließlich aus dem Gefängnis entlassen wurde, hat er Abitur gemacht, in der Türkei und Deutschland Jura studiert und ist Anwalt geworden, ein erfolgreicher Anwalt.«

Ich sage, dass sein Freund eine Menge Kraft gehabt haben müsse, mehr Kraft als ich jedenfalls.

»Nein, Andrea«, widerspricht Herr Caner. »Das kannst du auch. Du musst irgendwie durch diese Hölle durch und alles Positive, was dir zur Verfügung steht, nutzen. Versuche dir vorzustellen, dass du hier Gratisurlaub machst.« Als er mein fassungsloses Gesicht sieht, lacht er. »Klar, das hier ist nicht gerade ein Fünf-Sterne-Hotel, aber immerhin kannst du Türkisch lernen.«

»Ich habe ja schon damit angefangen«, sage ich. »Trotzdem komme ich mir hier eher vor wie ein Teilnehmer bei ›Big Brother‹ in einer Irrenanstalt von 1950 und nicht wie im Urlaub.«

»Ja, ich weiß, dass der Alltag im Gefängnis hart ist«, sagt Herr Caner.

Ich erzähle ihm, wie unerträglich ich es finde, wenn die Frauen fluchen, pöbeln und sich schlagen.

»Weißt du«, erklärt mir Herr Caner, »viele, die da in deiner Zelle sitzen, gehören zu den Ärmsten der Armen. Sie können weder lesen noch schreiben, sie haben keine Chance auf einen Job. Deshalb stehlen sie und wandern immer wieder ins Gefängnis, ein Teufelskreis. Du hast es viel besser, du wirst irgendwann in dein normales Leben zurückkehren.«

Das tröstet mich im Moment zwar wenig, dennoch begreife ich, was er meint: Jammern hilft mir nicht weiter. »Ich werde mich jetzt richtig anstrengen beim Türkischlernen«, verspreche ich.

»Gut«, sagt Herr Caner, »weiter so. Vielleicht kannst du ja deine Aussage vor Gericht schon auf Türkisch vorlesen, da wäre der Richter sicher mächtig beeindruckt.«

Dann erzählt er mir noch, dass der erste Prozesstag am 20. März sei und dass ich meine Geschichte unbedingt weiter aufschreiben solle. »Du schreibst sehr gut«, lobt er, »ich kann langsam verstehen, warum du Jenny vertraut hast.«

Na endlich, denke ich.

»Aber«, fährt Herr Caner fort, »ich kann auch zwischen den Zeilen lesen, wie sie dich eingewickelt hat und wie sie deinen Fragen ausgewichen ist. Lies es selbst noch einmal und denke in Ruhe darüber nach.«

Dieser Anwalt ist ein kluger Mann, der sich wirklich Mühe gibt, alles genau zu verstehen, denke ich. »Okay, versprochen«, sage ich. Dass ich schon selbst ins Zweifeln gekommen bin, was Jenny betrifft, mag ich nicht sagen. Ich bin so enttäuscht, dass sie sich nicht meldet, so verletzt. Sie bedeutet mir unglaublich viel. Der Gedanke, dass ich ihr nicht genauso wichtig bin wie sie mir, ist kaum zu ertragen.

»Ich muss jetzt los«, sagt Herr Caner und greift nach seiner Aktentasche. »Und viel Erfolg beim Türkischlernen. Du bist auf dem richtigen Weg.«

Zurück in der Zelle beschließe ich, dass ich unbedingt noch Wäsche waschen muss, bevor Mama kommt, obwohl mir davor graut, die Sachen per Hand zu schrubben. Egal, Mama darf mich nicht so sehen, in Jogginghose mit schmutzigem T-Shirt – total abgerissen schaue ich aus, richtig heruntergekommen. Dummerweise gießt es draußen in Strömen und das bedeutet: keine Chance, dass die Sachen trocken werden. Enttäuscht krieche ich in mein Bett und ziehe mir die Decke übers Gesicht, damit ich das Gekeife der Irren nicht mehr hören muss. Ich will nicht mehr aufstehen, bis Mama kommt. Sechs Tage sind es noch bis zum Montag. Warum Dani sie wohl begleitet und nicht Papa? Schade, dass er nicht mitkommt. Papa ist Experte für verfahrene Situationen. Ich glaube, er kann vieles besser verkraften, weil er rationaler denkt. Dieses Aushaltenkönnen, das Gelassene, ich glaube, das habe ich von ihm. Mama ist zwar an sich auch cool, doch sie ist diejenige, die Druck macht, wenn was nicht läuft. Sie haben sich das ganz klassisch aufgeteilt, meine Eltern. Die typische Mutter- und Vaterrolle, Mama streng, Papa nachgiebiger. Wir wussten immer genau: Wenn du neue Klamotten brauchst, fragst du Mama, und wenn es ums Taschengeld geht oder eine schlechte Note, dann lieber zu Papa. Mir dröhnt der Kopf, ich fühle mich schlapp. So liege ich da, denke nichts, spüre nichts, bis der bleierne Schlaf mich holt.

9

Endlich Montag. Ich bin wach, bevor die Wärterinnen in die Zelle poltern. Der Tag fühlt sich gut an. Da ist so ein Prickeln in meinem Körper, so eine hippelige Unruhe, wie damals, als ich mit Steffi und ein paar anderen Freundinnen zum Ärzte-Konzert fuhr. Unglaublich, dass es mir gestern so schlecht ging und ich nicht aufstehen konnte. Lähmendes Warten, die Minuten krochen so langsam wie lange nicht mehr – alles vergessen.

Heute Nachmittag sehe ich Mama und Dani. Die Vorfreude kommt in Wellen, die mich überrollen. Ich kann nicht stillsitzen. Ich muss noch mal raus auf den Hof. Die Sonne scheint, es ist angenehm warm und ich laufe ein paar große Runden. Es stört mich ausnahmsweise überhaupt nicht, dass ich mich in der Mitte immer ducken muss, weil die fünf Wäscheleinen quer über den Hof gespannt sind, ihn in zwei kleine Hälften teilen. Ebenso wenig stört es mich, dass alle Leinen voll sind, selbst wenn das bedeutet, dass ich wieder nicht waschen kann. Aber das muss ja heute auch wirklich nicht sein.

Als zwei Wärterinnen mich hinausbringen, nach links auf den Gang, der zum Besuchertrakt führt, gerät mein Herz beinahe aus dem Takt. Ich fühle mich leicht, mir ist ein bisschen schwindelig vor Aufregung. Mama ist da. Ich kann es nicht erwarten, sie in die Arme zu schließen, und meine Augen werden feucht. Die Wärterinnen bringen mich in den langen Gang, durch den ich jedes Mal durch muss, wenn ich Herrn Caner treffe. Am Ende des Ganges sehe ich den Tisch, an dem wie gewohnt zwei Wachposten sitzen. Sonst biegen wir immer vorher rechts ab, aber diesmal geht es weiter geradeaus, an dem Tisch vorbei und eine kleine Treppe hinunter. Da ist wieder ein Flur, von dem mehrere der grau lackierten Türen abgehen, die offenbar hier Standard sind. Eine der Wärterinnen schiebt sie auf, und dann sind wir auch schon in einem großen, kahlen Raum, in dem drei lange, von Bierbänken flankierte Tische in parallelen Reihen angeordnet sind. Sie stehen mit der schmalen Seite am Fenster, durch das freundliches Sonnenlicht fällt, so dass der graue Betonboden und die gelbe Farbe, die von den Wänden abblättert, nicht ganz so bedrückend wirken wie in der Zelle.

Drinnen wartet eine Frau vom Konsulat, die mich schon einmal besucht hat, um zu fragen, wie es mir gehe. Sie heißt Margarete Birtler, ist groß und schlank und trägt einen blonden Pagenkopf. Margarete ist allein. Wo sind Mama und Dani?, schießt es mir durch den Kopf. Zwei Guardians, so nennen die Häftlinge die uniformierten Wärter, bauen sich neben dem Tisch auf, an dem wir sitzen, als Margarete mir erklärt, wie der Besuch ablaufen wird.

»Es wird wohl ein bisschen anders, als du es dir jetzt vorstellst«, sagt sie vorsichtig. Als sie mein entsetztes Gesicht sieht, lächelt sie beruhigend. »Keine Sorge, sie sind da und du wirst sie auf jeden Fall sehen. Doch es ist leider nicht möglich, dass ihr in einem Raum miteinander sprecht.«

Also keine Umarmung, ich schlucke.

Die Wärterinnen drängen, ich solle mitkommen, jetzt sofort. Als ich aufstehe, erhasche ich einen Blick aus dem vergitterten Fenster und sehe Izmir zum ersten Mal bei Tag. Da ist eine Straße mit gepflegten, weiß getünchten Häusern, Bäume, die Schatten werfen, darunter geparkte Autos. Schön sieht es da draußen aus, friedlich, nach Urlaub.

Die Wärterinnen bringen mich ins Sprechzentrum, nicht in diesen langen Gang, auf dessen linker Seite sich unzählige

Kabinen aneinander reihen, in denen Häftlinge durch eine Scheibe mit ihren Angehörigen sprechen können, sondern in einen anderen Trakt gleich dahinter, der genauso aussieht, nur dass die Kabinen, vielleicht zehn hintereinander, auf der rechten Seite sind. Es ist unheimlich still hier, bis auf unsere Schritte, die dumpf klingen auf dem Beton und widerhallen von den kahlen Wänden. Ich bin offenbar die Einzige, die jetzt Besuch erwartet. Eine der Wärterinnen deutet auf eine Kabine, in die ich hineingehen soll. Es gibt keine Türen, die Kabinen sind zum Raum hin offen, nur feine Gitter, welche die einzelnen Sprechzellen voneinander abgrenzen. Ich mache einen Schritt hinein und sehe, dass Mama und Dani schon dastehen, hinter der dicken Glasscheibe mit einem Metallrahmen, der mit Löchern übersät ist, durch die man sprechen muss.

Wie demütigend, Mama hinter dieser Verbrechersicherung unter die Augen zu treten. Fehlt nur noch, dass sie mich in Ketten vorführen, denke ich. Doch dann vergesse ich Gitter und Glasscheibe, so sehr haut mich das Wiedersehen um. Mama sieht schlecht aus. Sie hat dunkle Ringe unter den Augen, was besonders auffällt, weil sie so blass ist. Das ist meine Schuld, denke ich, die Sorge um mich gräbt sich ihr ins Gesicht. Dani sieht aus wie immer, nur blasser, ihre Augen sind leicht gerötet. Sie muss geweint haben, gerade eben.

»Hallo Schnecke«, begrüßt mich Mama, das ist mein Kinder-Kosename, und ich höre an ihrer Stimme, die leicht zittert, wie sehr sie sich bemüht, fröhlich zu klingen.

»Hallo Mama«, kriege ich gerade noch heraus, und dann geht gar nichts mehr, bei uns allen dreien. Als wir wieder sprechen können, kommen die Worte nur mühsam und das liegt nicht allein daran, dass wir uns kaum hören können durch die kleinen Schalllöcher im Metallrahmen der Scheibe.

»Ich würde dich so gerne umarmen«, sagt Mama.

»Ich euch auch«, erwidere ich. »Es tut mir so Leid.«

Mama sagt, ich solle mir keine Sorgen machen um die Familie. Das Wichtigste sei jetzt, dass ich so schnell wie möglich aus dem Gefängnis käme, nach Hause.

»Wir wissen, dass du unschuldig bist«, sagt sie.

Ich bin ganz verwirrt, dass sie mir keine Vorwürfe macht, gar keine, nicht einmal wegen der Lüge.

»Wie geht es dir?«, erkundigt sie sich dann. »Wie sind die Zustände in der Zelle?«

Ich erzähle, wie furchtbar es sei, wie ekelhaft die so genannte Dusche sei und dass sich manchmal die Frauen darum prügelten, wer zuerst duschen dürfe.

»Was bekommst du denn zu essen?«, fragt Mama.

Dani steht die ganze Zeit da, als wäre sie zu einer Salzsäule erstarrt. Ich kann förmlich spüren, wie unwohl sie sich fühlt in dieser beklemmenden Umgebung.

Ich berichte von Flory und Fatoş, dass wir zusammen kochen, was ganz okay ist, bis auf die Tatsache, dass wir alles kaufen müssen, weil ich den Gefängnisfraß nicht herunterkriege.

»Aber du kannst doch gar nicht kochen«, erwidert Mama mit ihrem trockenen Humor und lacht zum ersten Mal.

Ich grinse zurück. »Flory kocht. Ich übernehme dafür den Abwasch.«

Da kontert Mama natürlich prompt: »Na, das kannst du dann ja auch zu Hause machen, wenn du hier erst raus bist.«

Wir sind wieder im Takt. Jede Familie hat ihren eigenen Code: Erinnerungen an gemeinsame Erlebnisse, ebenso wie einen besonderen Humor, der immer funktioniert, ohne dass alles ausgesprochen werden muss. Wir sehen uns an, wir reden irgendwas und ich fühle mich zu Hause, genau eine Stunde lang. Ich vergesse den Ort, ich vergesse die Zeit, ich fühle mich gut. Dani ist inzwischen auch aufgetaut. Sie erzählt von Cora, die jetzt immer auf meinem leeren Bett schläft, und von meiner kleinen Schwester Ari, die zufällig abends in den Nachrichten sah, wie ich abgeführt wurde auf dem Flughafen, und empört im Schlafanzug auf den Fernseher zeigte: »Das ist ja Andrea, sie soll sofort nach Hause kommen!« Da müssen wir alle lachen.

Und dann, als hätte einer einen Schalter umgelegt, ist die Zeit plötzlich um. Die Wärterin kommt in die Kabine und zeigt auf ihre Uhr.

»Ich muss gehen«, sage ich zu Mama und Dani.

»Bis bald, Schnecke«, sagt Mama und drückt ihre Hand auf die Scheibe.

Ich halte meine auf der anderen Seite dagegen, fühle kaltes Glas und sehne mich nach einer Umarmung. Stattdessen spüre ich eine Hand auf meiner Schulter. Es ist die Hand der Wärterin, die mich wegholt von Mama und Dani.

Es ist merkwürdig, wieder in die Zelle zurückzukehren nach dem Besuch. Ich verziehe mich in mein Bett, weil ich jetzt allein sein muss, nachdenken über mich und meine Familie. Voll cool, dass Dani mitgekommen ist, um mich zu sehen. Wir hatten uns sehr voneinander entfernt in der letzten Zeit, diesen Abstand habe ich gespürt, selbst vorhin noch. Sie hat sich kaum getraut, etwas zu fragen, sah so verschreckt aus, als ob sie im Gefängnis bleiben müsste und nicht ich. Mama sagt, dass Dani mich früher auf dem Spielplatz immer verteidigt habe, meine Beschützerin gewesen sei – typisch große Schwester eben. Dass sich unsere Wege trennten, fiel so ungefähr in die Zeit, als Jenny meine Freundin wurde. Dani hatte damals so eine Phase, in der sie ein bisschen in die Mädchen-Mädchen-Richtung tendierte: gewollt sexy gestylt, ansonsten ganz brav. Noch dazu konnte ich ihren Freund anfangs überhaupt nicht leiden. Er trug die Haare kurz geschoren, dazu karierte Hemden, wie die Mode-Rechten in meiner Klasse.

Das hat sich jedoch gegeben, als ich ihn richtig kennen lernte, eigentlich ist er nämlich echt okay. Muss ja auch nicht mein Typ Mann sein. Für Dani ist er jedenfalls die ganz große

Liebe. Ich überlege, ob ich nicht vielleicht einfach nur ein bisschen neidisch bin, weil bei Dani alles so geradeaus läuft. Sie hat ihre Ausbildung, ihren Freund, ein glückliches Leben. Mama die Zweite, alles total perfekt.

»He, Andrea, guck mal, du bist im Fernsehen«, höre ich plötzlich Florys Stimme.

Ich war so in Gedanken versunken, dass ich gar nicht gemerkt habe, wie sie auf ihr Bett geklettert ist. Ich drehe mich vom Bauch auf den Rücken und richte mich auf. Von unseren Betten aus hat man einen guten Blick auf den Fernseher über der Tür.

Tatsächlich. Ich sehe, dass hinter der Nachrichtensprecherin mein Bild eingeblendet ist. Und dann zeigen sie die Szene, wie Mama und Dani mit Margarete vom Konsulat in einem weißen Mercedes am Gefängnis ankommen.

So sieht es also von außen aus. Ein flacher Metallzaun, ein weißes Pförtnerhaus, auf dem Dach weht die leuchtend rote türkische Fahne im Wind. Hinter dem Zaun beginnt ein üppiger Palmengarten, dahinter nimmt der mächtige Verwaltungsbau den Blick auf den Gefängnisblock, in den sie mich gesperrt haben. Außen hui, innen pfui! Wer draußen vorbeifährt, kann sich kaum vorstellen, wie es hier drinnen aussieht. Die Kamera zoomt auf den hohen Zaun, der mit gerolltem Stacheldraht gesichert ist, dann zu dem Wachturm, auf dem ebenfalls eine rote Flagge weht.

Für ein paar Sekunden erschließt sich die Welt draußen.

Was Mama und Dani jetzt wohl machen?, wandern meine Gedanken wieder zu den beiden.

»Wir wohnen in einem schönen Hotel«, hat Mama gesagt. »Aber ich spüre das gar nicht richtig, das Schöne. Meine Gedanken sind die ganze Zeit bei dir.« Also werden sie und Dani jetzt in ihrem Hotel sitzen, etwas Leckeres zu Abend essen und trotzdem traurig sein. Reicht es nicht, dass ich bestraft werde und diese Zelle ertragen muss? Warum muss auch noch meine Familie durch die Hölle gehen, wegen mir traurig sein im Urlaubsparadies? Zum ersten Mal wird mir klar, dass alle, die mich lieb haben, irgendwie mitgefangen sind – ohne Gitter. An diesem Abend weine ich nicht um mich, sondern um meine Familie und alle, die mich gern haben.

Am nächsten Morgen fühle ich mich ein wenig besser. Ja, es hat mir Kraft gegeben, dass Mama und Dani da waren. Gleich nach dem Frühstück zieht mich dann auch noch eine Wärterin beiseite und sagt, dass der Anwalt nachher komme. Wieder ein lieber Besuch, wie gut das tut.

»Na, wie war es gestern?«, fragt Herr Caner und guckt ganz vergnügt.

»Schön«, erwidere ich, »aber viel zu kurz.«

Da guckt er noch vergnügter. »Na, dann war es ja eine exzellente Idee von mir, ein gutes Wort für dich einzulegen, damit du deine Mutter und deine Schwester heute noch einmal sehen darfst.«

Hat er das jetzt wirklich gesagt? Ich gucke ungläubig.

»Ja, sie warten schon auf dich.«

Diesmal geht es lockerer zu, weil jetzt jeder vom anderen weiß, wie er sich fühlt. Ich sage Dani, dass sie im Fernsehen gewesen sei und dass man ihre O-Beine prima habe sehen können beim Laufen. Das ist witzig gemeint und sie versteht es auch so. Wir lachen richtig viel diesmal. Mama sagt, dass sie der Presse regelmäßig erzähle, wie es mir geht. Das sei wichtig, damit mein Fall nicht in Vergessenheit gerät. Der Anwalt habe ihr erklärt, dass das sehr gut sei.

»Kann ja sein«, entgegne ich. »Aber ich hatte auch schon Ärger wegen der Artikel. Der Direktor hat mich in sein Büro zitiert und mir einen Artikel aus einer deutschen Zeitung gezeigt, in dem stand, ich hätte gesagt, dass ich mit einer achtzigjährigen Frau in einem Bett schlafen müsse. Das stimmt einfach nicht.«

Mama beruhigt mich. »Fehler passieren überall, auch bei der Zeitung. Weißt du, am Anfang wusste ja niemand, was hier drinnen genau mit dir passiert. Die Journalisten haben mit vielen amtlichen Stellen telefoniert und dabei von irgendjemandem diese falsche Information bekommen. Sie hätten dich sicher lieber persönlich gefragt, doch das ist ja nun mal nicht möglich.«

Ich halte dagegen, dass ich keine Lust habe, irgendwelche Interviews zu geben, selbst wenn ich es dürfte. »Ich bin nichts Besonderes, Mama. Ich will nicht, dass ganz Berlin über mich liest, über diese ganze verdammte Sache Bescheid weiß.«

Mama erklärt mir, dass es dafür jetzt zu spät sei, weil ich nun mal längst in der Zeitung war. »Und du kannst dich schon einmal seelisch darauf vorbereiten, dass zu deinem Prozess sehr viele Journalisten kommen werden, auch aus Deutschland. Selbst wenn du es jetzt nicht verstehen kannst, Andrea«, sagt sie, »je mehr Medien sich für deinen Fall interessieren, desto größer ist die Chance, dass du einen gerechten Prozess bekommst und bald freigelassen wirst.«

So richtig verstehe ich das tatsächlich nicht, aber ich mag jetzt auch nicht mehr darüber nachdenken, in wie vielen Zeitungen meine Geschichte wohl schon zu lesen war. »Meinst du, ihr schafft es, mich hier rauszuholen?«, frage ich leise.

»Klar, Schnecke«, sagt Mama mit fester Stimme. »Wir arbeiten daran. Du musst noch ein bisschen durchhalten, okay?«

Das verspreche ich, allerdings nicht ohne zu ergänzen, dass ich gerade erst dabei sei, Durchhalten zu lernen, weil das ja nicht gerade eine meiner Stärken sei. Mama lächelt in sich hinein und sogar Dani muss grinsen. Ich ziehe die Schultern hoch und versuche meinen altbewährten treuen Entschuldigungsblick. »Ich brauche eben ein bisschen länger als andere, wenn es ums Lernen geht.«

Diesmal fällt mir der Abschied um einiges leichter. Ein Teil meiner Familie bleibt ja bei mir, im Gefängnis: die vielen Sachen, die Mama und Dani mitgebracht haben. Die Wärterin drückt mir die Tüte schon auf dem Rückweg in die Hand, vermutlich nur, weil sie keine Lust hat, das Ding selbst zu schleppen. Mama hat gesagt, dass sie die Sachen schon gestern abgegeben habe, aber dass sie noch durch die Sicherheitskontrolle mussten. Dabei hätten die Uniformierten gleich das Kissen von Nicky und das kleine Kuscheltier aussortiert, das Tante Dagmar und Kusinchen Mandy mir geschickt haben, weil etwas darin versteckt sein könnte. Ich wüsste nicht, was – außer viel Liebe.

10

Wie eine Königin sitzt die Wärterin auf ihrem Thron. So haben Flory und ich den Gartenstuhl mit dem Kissen getauft, der an dem Tischchen am Fenster des Schlafsaals steht. Sie lehnt sich selbstzufrieden zurück, in der Hand eine Tasse Tee, die eine Frau diensteifrig nachschenkt, sobald sie leer ist, und hält Hof. Auf den anderen beiden Stühlen sitzen Nülgül und Hamide, eine scheue, hochgewachsene Frau, die wegen Steuerbetrugs hier ist. Ich kenne sie nicht gut, nur ihren Namen, weil sie wie Flory und ich im hinteren, dem angenehmeren Teil der Zelle schläft. Sie ist freundlich und still und knüpft tagsüber kunstvolle Armbänder aus Plastikperlen, von denen ich eines kaufen will für meine kleine Schwester Ari. Der Verkauf ist zwar nicht erlaubt, von den Wärterinnen jedoch nicht wirklich zu kontrollieren. Sie kommen zwar regelmäßig in die Zelle, um nach dem Rechten zu sehen, und bleiben sogar manchmal ein paar Stunden, aber nach dem abendlichen Zählen sind wir unter uns. Dann muss Nülgül allein für Ordnung sorgen, mit ein paar Frauen, die sie abgestellt hat, ihr dabei zu helfen. Hamide ist eine aus ihrer Truppe und natürlich würde Nülgül sie niemals auffliegen lassen wegen ihres kleinen Handels.

Zwei Wochen ist es jetzt her, dass Mama und Dani da waren, und es geht mir jeden Tag schlechter. Ich liege im Bett, von dem aus ich das Trio am Tischchen bestens beobachten kann, und gucke auf die Uhr, die Mama mir mitgebracht hat.

Es ist 10 Uhr morgens. Minutenlang bleibt mein Blick am Sekundenzeiger hängen. Warten, dass etwas passiert, Sekunde um Sekunde, Stunde um Stunde, Tag um Tag. Ich schlage den kleinen schwarzen Kalender auf, der auch in Mamas Geschenktüte war, und mache ein Häkchen in die Spalte für heute, Dienstag, den 20. Februar.

Flory ist aufgewacht und rekelt und streckt sich auf dem Bett neben mir. »Was ist denn da los?«, fragt sie dann und deutet auf das Tischchen, an dem die Wärterin, Nülgül und Hamide laut gestikulierend diskutieren.

»Keine Ahnung«, erwidere ich. »Aber es muss etwas Wichtiges sein. Die sitzen schon länger da.«

»Ah«, sagt Flory dann, »vermutlich geht es darum, wer die neue Zellenchefin wird. Nülgül wird doch in ein paar Tagen entlassen.«

»Was?«, rufe ich entsetzt. »Dann geht es hier ja drunter und drüber.« Ich habe zwar bisher nie viel geredet mit Nülgül, doch es hat mir Sicherheit gegeben, dass sie da war. »Meinst du, dass Hamide jetzt Nülgüls Job übernimmt?«, frage ich.

Flory beugt sich über den Bettrand und versucht zu verstehen, worum es geht an dem Tischchen. Die Diskussion ist lauter geworden. Ich beobachte, wie Hamide den Kopf schüttelt und mit den Händen fuchtelt.

»Ja, ich glaube, die Wärterin möchte, dass Hamide das macht«, sagt Flory dann. »Aber sie will nicht. Sie hat Angst, dass die anderen nicht auf sie hören werden, und fürchtet sich vor der Verantwortung.«

Ich sehe zu, wie die Wärterin sich mit grimmigem Gesicht von ihrem Thron wuchtet, sich vor Hamide aufbaut und in strengem Ton spricht. »Sie sagt, dass es ihr egal ist, ob Hamide Lust zu diesem Job hat oder nicht«, übersetzt Flory. »Sie muss es machen. Na, das wird ja ein Chaos geben hier.« Dann lacht sie. »Lass uns schnell frühstücken gehen, bevor die Unruhen ausbrechen.«

»Ich habe keinen Hunger«, entgegne ich. »Außerdem muss

ich unbedingt den Text noch mal durchgehen, den ich für den Anwalt geschrieben habe. Es sind ja nur noch vier Wochen bis zu meinem Prozess.«

Vier Wochen – dass ist genauso lange, wie ich schon hier bin, also eine halbe Ewigkeit. Aber der Anwalt behauptet, dass wir diese Zeit bräuchten, um meine Aussage perfekt vorzubereiten. Es ist schon merkwürdig. Wie kann seine Zeit rennen, während meine kriecht? Nun gut, dass er so viel zu tun hat mit der Vorbereitung, zeigt ja nur, wie sehr er sich bemüht, mich hier herauszuholen. Vielleicht darf ich nach dem Prozess endlich nach Hause. Das nächste Mal muss ich Herrn Caner unbedingt fragen, wie meine Chancen stehen.

Es ist endlich einmal ruhig im Schlafsaal, weil die meisten um diese Zeit in der Küche frühstücken. Ich hole die neuen Blätter, die ich schon beschrieben habe, unter dem Kopfkissen hervor und beginne zu lesen:

Jenny ist wieder da. Sie hatte mir eine SMS geschickt und natürlich habe ich sie vom Bahnhof Zoo abgeholt. Es ist ein kalter Tag, Nieselregen, typisch November. Ich hätte sie beinahe gar nicht erkannt, weil sie die Haare jetzt kurz trägt und sie schwarz gefärbt hat.

»Sieht cool aus«, begrüße ich sie, »viel besser als der blonde Pagenkopf.«

Wir nehmen ein Taxi, weil Jenny keine Lust hat, am Bahnhof frierend auf die U-Bahn zu warten, und lassen uns zu dem großen Hotel in der Grünbergallee chauffieren, in dem Jenny diesmal absteigen will. Ich halte ihr die große, schwere Glastür auf, wir laufen über dicken, weichen Teppichboden zum Tresen.

»Ein Einzelzimmer, bitte«, sagt Jenny und legt ihren Personalausweis auf den Tresen. Routiniert sieht das aus und ich bin ein bisschen stolz auf meine Freundin, die so oft reist, dass Hotels ganz normal für sie sind. Jennys Zimmer ist gemütlich: eine Schlafnische mit einem Bett und eine Sitzecke mit Holztisch und Korbstühlen. Sie lässt es sich wirklich gut gehen.

»War ein Super-Urlaub«, sagt sie und lässt sich in einen der Korbstühle fallen. »Ich war wieder in diesem süßen Restaurant in Antalya: weiße Tischdecken, feinstes Essen, hübsche Kellner, da gibt es wirklich alles, was du willst.«

»Wie ist denn der Strand?«, will ich wissen.

»Feiner Sand, kleine Boote, die auf dem Meer schaukeln, es sieht da aus wie auf einer Kitschpostkarte«, schwärmt Jenny. »Aber diesmal war ich gar nicht am Wasser. Ich habe mittlerweile so viele Freunde in Antalya, weil ich so oft da bin, dass ich es meist gar nicht schaffe, sie alle zu treffen.«

»Was ist eigentlich mit dem Typen, den du bei der Reise mit Steffi im Juli kennen gelernt hast?«, frage ich, weil ich mich an die Fotos erinnere, die Steffi mir gezeigt hat. »Der sieht ja total super aus.«

Jennys Gesicht verdüstert sich. »Ja, das ist Ahmet. Steffi hat es uns ja damals versaut, weil sie nicht allein im Hotel bleiben wollte, sonst wäre garantiert etwas gelaufen zwischen uns. Wenn wir zusammen sind, ist da so ein Knistern, das du beinahe hören kannst. Leider habe ich ihn diesmal nicht wiedergesehen.«

»Das ist ja wieder typisch Steffi, dass sie dir aus Schiss einen tollen Abend verpatzt hat«, sage ich und habe Steffi richtig vor Augen, wie sie dasteht und mit piepsiger Stimme verkündet, dass sie nicht allein sein mag in einem fremden Hotel.

»Ja, die Frau ist echt das Allerletzte«, sagt Jenny. »Wegen der habe ich auch noch zweitausend Mark verloren.«

»Wie?«, frage ich.

»Wenn ich jemanden mitnehme und der auf dem Rückweg auch so eine Tasche transportiert, bekomme ich zusätzlich zweitausend Mark für die Vermittlung. Aber dann musste Steffi ja unbedingt abreisen, bevor die Taschen kamen, weil ihre Mutter sie angerufen und ihr gesagt hat, dass sie sich beim Arbeitsamt melden muss. Das war es dann mit meinem Vermittlungshonorar.«

»So etwas würde mir nie passieren«, sage ich. »Du weißt ja, was ich verspreche, das halte ich auch. Ich bin auch nicht so ein Feigling wie Steffi.«

Jenny macht eine der beiden Sprite-Dosen auf, die wir am Bahnhof gekauft haben, und nimmt einen Schluck. »Ich könnte Steffi fertig machen lassen, wenn ich wollte«, verkündet sie dann, »kein Problem.« Sie lacht.

Da muss ich auch lachen. »Wie denn?«, frage ich.

»Ich habe gute Kontakte«, erklärt Jenny und guckt verschwörerisch. »Ich kann jeden fertig machen lassen, der uns dumm kommt. Ist doch nur zu unserer Verteidigung.« Dann lacht sie wieder und ich denke, dass es gut ist, eine Freundin zu haben, die einen wirklich beschützen kann.

»Sag mal«, setzt sie wieder an, »was hältst du davon, wenn ich dir einen Urlaub zum Geburtstag schenke? Einmal Holland-Türkei-Italien und zurück.«

Wow, da ist es! Das ultimative Angebot, aus meinem langweiligen Leben auszubrechen. »Wir beide zusammen?«, frage ich. »Allein im Urlaub?«

»Genau«, sagt Jenny.

Ich bin begeistert, total aufgeregt. Doch prompt meldet sich mein schlechtes Gewissen. Ich kann doch gar nicht weg, wegen meiner Ausbildung. »Wir müssen dann aber warten, bis meine Frühjahrsferien beginnen«, sage ich.

»Das geht leider nicht«, entgegnet Jenny. »Ich hatte gedacht, dass wir gleich nach deinem Geburtstag losfahren, sonst ist es ja gar kein richtiges Geburtstagsgeschenk mehr.«

»Weißt du«, sage ich, »am liebsten würde ich die Schule einfach hinschmeißen, ich packe das einfach nicht. Ich will jedoch meine Eltern nicht enttäuschen, sie haben schon so viel Geld für mich bezahlt.«

Jenny guckt verständnisvoll. »Stimmt«, sagt sie. »Deine Eltern sind echt korrekt. Aber denk doch mal nach: Sie wollen, dass du die Ausbildung machst, damit du irgendwann eigenes Geld verdienen kannst und selbstständig bist, oder?«

»Ja«, antworte ich verwirrt, weil ich nicht verstehe, worauf sie hinauswill.

»Na ja«, fährt Jenny fort, »wenn du mit mir verreist, kannst du natürlich auch Geld verdienen, mehr, als du jemals als Sekretärin kriegen wirst.«

Ich rechne es im Kopf durch: Es gibt sechstausend Mark für eine Tour, Jenny verreist zurzeit etwa einmal im Monat. Mann, ist das viel Geld. Wenn ich öfter mit ihr verreisen würde als dieses eine Mal, wäre es weit mehr, als ich brauchen würde, selbst wenn ich eine eigene Wohnung bezahlen müsste.

»Überleg es dir ganz in Ruhe«, holt mich Jenny aus meinen Gedanken zurück. »Deine Ausbildung ist sicher eine ganz solide Sache. Bevor du sie abbrichst, solltest du dir sicher sein, dass du das auch wirklich willst. Aber wie gesagt, mein Angebot steht.«

Ich überlege, dass ich ja nicht ewig so weiterleben kann wie bisher. Klar, solange ich zu Hause wohne, funktioniert mein Leben ohne Geld. Doch irgendwann will ich ja mal ausziehen. Und dann muss ich mich womöglich Jahr für Jahr in ein langweiliges Büro quälen, um gerade meine Miete bezahlen zu können.

»Am liebsten würde ich sofort Ja sagen!«, rufe ich, »aber ich muss wirklich erst einmal darüber nachdenken.«

Jenny fragt, was eigentlich aus meinem Disko-Flirt mit Timmy geworden sei. Und ich erzähle ihr, dass mein Liebesleben zurzeit richtig kompliziert sei. Ich bin jetzt mit Timmy zusammen, aber immer noch in Marco verliebt, den ich bei meinem Praktikum im Blumenversand kennen gelernt habe. Die Sache mit Timmy ist ziemlich schwierig. Dabei war es am Anfang so schön. Wir haben uns bei Kumpels von ihm in einer Wohnung getroffen, so Technofreaks waren das. Die Wohnung war eigentlich ganz schick – frisch saniert, aber noch nicht fertig eingerichtet. Nach ein paar Treffen habe ich mit Timmy geschlafen, mein erster richtiger Sex eigentlich, wenn man den Typen von der Loveparade nicht zählt, an dessen Namen ich mich gleich hinterher schon nicht mehr erinnern konnte, weil er so unbedeutend war.

»Und, wie war's?«, fragt Jenny.

»Zärtlich, lustig und hinterher richtig kuschelig und gemütlich«, sage ich. Mehr will ich nicht erzählen, weil ich finde, dass Sex etwas sehr Privates ist. Da möchte ich die Details nicht einmal mit meiner besten Freundin teilen.

Stattdessen erzähle ich Jenny von meinem Verdacht, dass Timmy nicht nur kifft, sondern auch härtere Drogen nimmt, Pillen vielleicht oder Kokain. »Weißt du, ich habe zwar noch nie gesehen, dass er so was einwirft, aber er ruft mich manchmal an und ist total komisch drauf«, erkläre ich. »Dann sagt er, dass es ihm gerade total dreckig geht und er mich braucht.«

»Das klingt nicht gut«, meint Jenny.

»Und es kommt noch schlimmer«, sage ich. »Freunde haben mich gewarnt, dass Timmy nicht nur voll drauf ist auf harten Drogen, sondern auch, dass er vielleicht Aids hat.«

Jenny ist entsetzt. »Du musst sofort einen Aidstest machen«, sagt sie. »Versprich mir das!«

Ich habe große Angst davor, aber ich sehe ein, dass der Test wichtig ist. Also mache ich ihn, zweimal: negativ. Uff! Auch Nicky drängelt, dass ich Schluss machen soll mit Timmy. Aber ich habe ihn gern und außerdem tut er mir echt Leid.

Er fängt mich in letzter Zeit öfter vor der Schule ab. »He, lass uns noch mal drüber reden.«

Dann fallen wir uns doch wieder in die Arme. Ich bin schon ein paar Mal extra nicht zur Schule gegangen, weil ich weiß, dass er da wieder wartet.

Gut, dass wenigstens Jenny mich ablenkt. Wir sind fast jeden Tag zusammen unterwegs. Ich gehe jedes Mal mit, wenn sie das Geld, das sie verdient hat, bei der Bank abholt. Bei der Western Union. So viele Dollarnoten auf einmal, das ist schon ein faszinierendes Gefühl. Ich muss mich echt beherrschen, dass ich da nicht so draufstarre. Dann tauscht sie die Dollars an der Wechselstube am Zoo in Mark. Nicht alles auf einmal, immer kleinere Beträge, mal fünfhundert, mal tausend Mark.

Die Wochen fliegen nur so dahin mit Jenny. Wir sind beide total traurig, als ich sie zum Zoo begleite, weil wieder eine Reise ansteht.

»Wer weiß, vielleicht fahren wir ja schon das nächste Mal zusammen«, tröstet Jenny mich. Als wir uns zum Abschied umarmen, sagt sie noch: »Und denk dran, erzähle niemandem etwas davon, klar?«

Das verspreche ich, obwohl es schon merkwürdig ist, dass das so geheim ist mit ihren Reisen. Dabei macht Jenny es doch regelmäßig und fährt prima damit, sogar die feige Steffi war schon mit. Was soll schon dabei sein?

Ein paar Tage später treffen Nicky und ich Steffi in der U-Bahn. »Bekannte von mir behaupten, dass Jenny mit Drogen handelt«, platzt sie heraus.

»Was?«, rufen Nicky und ich im Chor. Mir wird ganz schwindelig und ich kriege ein komisches Gefühl im Bauch. »Und, glaubst du, dass es stimmt?«, frage ich.

Steffi lacht: »Natürlich nicht. Das ist totaler Quatsch«, erwidert sie. »Ich war ja selbst mit Jenny unterwegs. Ich glaube, dass es um Schmuck geht. Damals in Antalya waren wir nämlich ständig in so einem Schmuckladen.«

Das mulmige Gefühl lässt sofort nach. Drogen sind also schon mal nicht drin in Jennys Taschen. Das hätte ich mir auch gar nicht vorstellen können. Wir haben zwar einmal zusammen gekifft vor ein paar Wochen, als Nicky, Jenny und ich auf dem Kudamm einen Kumpel getroffen haben, der uns dazu einlud. Aber es hat uns allen dreien nicht besonders gefallen.

Wir saßen in einer total abscheulichen Wohnung, total dreckig, und irgendwer hat einen gedreht. Niemand hat uns überredet, aber die Tüte ging halt rum. Ich habe zwei-, dreimal gezogen, zum ersten Mal in meinem Leben, dann war mir schwindelig. Ich habe versucht zu laufen, doch alles fühlte sich irgendwie so verlangsamt an. Ich weiß nicht mehr, wann die Wirkung eingesetzt hat und wann es vorbei war. Am nächsten Tag hatte ich weder Kopfschmerzen noch irgendeine besondere Erinnerung daran. Ich wusste nur eins: Kaufen würde ich das Zeug nicht. Dafür ist mir mein Geld wirklich zu schade. Jenny ging es genauso, sie hat also definitiv nichts für Drogen übrig, denke ich.

Ich mache eine Lesepause, weil mir die Augen schmerzen. Meine Ohren auch, denn es ist schon wieder unbeschreiblich laut geworden in der Zelle. Plötzlich fliegt etwas Braunes auf mein Kopfkissen.

»Habe dir ein Börek mitgebracht«, sagt Flory. »Es ist schon fast Mittag, wird Zeit, dass du endlich was isst.«

Die Blätterteigtasche ist ausnahmsweise so frisch, dass ich nicht husten muss von den Krümeln, aber dafür klebt sie am Gaumen fest und ist kaum runterzukriegen ohne etwas zu trinken.

»Danke«, murmele ich mit vollem Mund. »Aber ich muss jetzt unbedingt weitermachen.«

Ich lese den letzten Absatz noch mal. Nein, der muss raus. Es ist bestimmt nicht gut, wenn in meiner Aussage steht, dass ich schon mal einen Joint probiert habe, da denkt der Richter ja gleich, dass ich ein Junkie sei. Also streiche ich die letzte Passage und schreibe weiter:

Anfang Dezember ist Jenny endlich wieder da.

»Na, wie sieht's aus mit unserem Urlaub?«, fragt sie.

»Bin dabei«, sage ich. »Ich werde die Ausbildung schmeißen. Der ganze Kram liegt mir einfach nicht.«

Jenny umarmt mich. »Das ist ja schön! Ich freue mich so, dass ich nicht alleine fahren muss. Zu zweit ist es viel lustiger. Du wirst sehen, wir werden eine Menge Spaß haben.«

»Es gibt nur ein Problem«, sage ich. »Wie soll ich das Mama und Papa beibringen mit der Ausbildung, wenn ich ihnen doch nichts erzählen darf von unserer Reise.«

»Ganz einfach«, schlägt Jenny vor. »Du sagst deinen Eltern, dass du keine Lust mehr hast auf die Schule und dass du etwas Zeit brauchst, um dir zu überlegen, was du stattdessen machen möchtest. Deshalb willst du erst einmal mit mir in Rostock Urlaub machen, weil du da in der Gaststätte meines Vaters etwas Geld verdienen kannst und ihnen dann nicht mehr auf der Tasche liegen musst. Das hört sich doch ganz vernünftig an, oder?«

Die Geschichte klingt okay, obwohl ich jetzt schon weiß, dass Mama und Papa gar nicht begeistert sein werden, egal wohin ich mit Jenny fahre. Außerdem muss ich sie anlügen und das gefällt mir überhaupt nicht. »Kann ich ihnen nicht einfach erzählen, dass du mich zu einem Türkei-Urlaub einlädst?«, frage ich.

»Hast du etwa immer noch nicht kapiert, dass wir beide ein Geheimnis haben?«, fragt Jenny zurück. »Mensch, du bist doch bald achtzehn. Da können deine Eltern dir sowieso nichts mehr verbieten. Du bist dann erwachsen. Dazu gehört, dass man für sich selbst entscheidet, ohne sich ständig um andere Gedanken zu machen. Denk endlich mal an dich, Andrea, an deine Zukunft – unsere Zukunft.«

Sie hat tatsächlich »unsere Zukunft« gesagt. Ich vergesse meine Bedenken und fange an zu träumen. »Vielleicht können wir regelmäßig zusammen verreisen«, sage ich.

»Ja«, meint Jenny, »das wäre schön.«

Wir stellen uns vor, wie unser Leben in ein paar Monaten aussehen könnte. Jenny meint, in ihrer Wohnung in Amsterdam sei genug Platz für mich. Von dort würden wir alle paar Wochen für sechs bis acht Tage in die Türkei verreisen und regelmäßig ein paar Tage nach Berlin fahren.

»Wir können das Geld sparen und uns irgendwann ein Häuschen am Stadtrand von Berlin kaufen«, schwärme ich.

»Klingt gut«, sagt Jenny.

»Und ein Auto wäre auch toll«, denke ich laut weiter, »ich stehe ja total auf den New Beetle in Silber oder in Schwarz.«

Jenny findet auch, dass dieses coole Auto total gut zu uns passt.

Es wird Dezember, Jenny und ich sehen uns jetzt fast jeden Tag. Sie hat mir versprochen, dass sie bis zu unserer Reise in Berlin bleiben will, damit wir alles in Ruhe vorbereiten können. Was Jenny verspricht, das hält sie nämlich auch. Und das, obwohl Ordell angerufen und sie gebeten hat, noch eine Tour vor Weihnachten zu machen. Immerhin ist Ordell so etwas wie ihr Chef. Ihm gehört die Wohnung in Amsterdam, in der wir wohnen werden, und die Reisen organisiert er auch. »Ich habe ihm abgesagt«, sagt Jenny.

»War er nicht sauer?«, frage ich.

»Nein«, erwidert sie. »Ordell ist echt okay, mehr ein Kumpel als ein Chef. Du wirst ihn mögen.«

Daran habe ich keinen Zweifel. Nur die Sache mit meinen Eltern verdirbt mir schon ein bisschen die Vorfreude. Sie wissen inzwischen, dass ich die Ausbildung abbrechen werde, und seitdem gibt es bei uns zu Hause ständig nervige Diskussionen. Wenn ich ihnen doch wenigstens erzählen dürfte, dass ich ordentlich verdienen werde und ihnen dann das teure Schulgeld zurückzahlen kann, aber das geht ja nicht. Stattdessen musste ich Mama und Papa auch noch die Lüge mit der Rostock-Reise auftischen. Sie haben sie zwar geschluckt, trotzdem waren sie nicht gerade begeistert, dass ich ausgerechnet mit Jenny verreise. Jenny versucht mich zu trösten, so gut sie kann. Sie meint, es sei ganz normal, dass es zu Hause Stress gibt, wenn man versucht sich abzunabeln. »Das wird schon wieder, sobald sie sehen, wie gut du alleine klarkommst.«

Doch wie sollen sie das sehen, wenn mein neuer Job so geheim ist, dass ich nicht darüber reden darf? Was werden sie sagen, wenn ich plötzlich mehr Geld verdiene als Papa und nicht erklären kann, woher es kommt? Ich habe Angst, dass ich meine Familie für immer verlassen muss wegen dieses Traums.

»Ach Quatsch«, sagt Jenny, »uns wird schon eine gute Ausrede einfallen, woher dein neues Geld kommt. Wir haben ja die ganze Reise Zeit, darüber nachzudenken.«

Ich versuche ihr zu glauben, dennoch kann ich mir nicht vorstellen, dass ich mich damit wohl fühlen kann, meine Familie auf Dauer zu belügen. Also beruhige ich mein Gewissen damit, dass ich vielleicht ja auch nur dieses eine Mal fahre und, falls es doch nichts für mich ist, anschließend wieder einen ganz normalen Job mache.

Der Abschied von zu Hause fällt mir schwerer, als ich gedacht hätte. Es ist Freitag, der 12. Januar, seit zwei Tagen bin ich achtzehn und in knapp vierundzwanzig Stunden beginnt das größte Abenteuer meines Lebens. Bei aller Vorfreude bleibt doch dieses Drücken im Bauch, ein mulmiges Gefühl. Ich glaube, es ist Wehmut, dass nun nichts mehr sein wird wie zuvor. Es geht um mehr als um einfache Reisevorbereitungen. Das hier ist das Ende meiner Kindheit. Der Abschied von der beschützten Sicherheit des Familienlebens. Ein Aufbruch ins Ungewisse.

Ari, meine kleine Schwester, macht alles noch schwerer. Sie guckt Jenny und mir beim Packen zu und stellt in einer Tour Fragen, misstrauische Fragen. Offenbar spürt sie, dass gerade etwas ganz Ungewöhnliches passiert, meine Unsicherheit überträgt sich auf sie. Sie tobt auf meinem Bett herum und fragt uns Löcher in den Bauch.

»Wo fahrt ihr hin? Kann ich so lange, wie du weg bist, deinen Rucksack haben? Wann kommst du wieder?«, bohrt sie.

Ich gebe vage Antworten und spüre, dass die sie nicht über meinen Abschied hinwegtrösten. Da steht Ari schon wieder neben mir und schlingt mir ihre kleinen Arme um die Hüfte. »Ich mag nicht, dass ihr wegfahrt!«, sagt sie.

»Ich auch nicht«, würde ich jetzt gerne antworten, denn in diesem Moment geht es mir genauso. Ich sage jedoch nichts. Erwachsensein ist ganz schön schwer. Aber Jenny ist da, deshalb nehme ich mich zusammen. Ich sitze auf meinem Bett und starre Löcher in die Luft. Mein Gehirn leistet Schwerstarbeit.

Ari tut mir so Leid. Wer wird sie vom Hort abholen, wenn ich nicht mehr da bin? Wer passt nachmittags auf sie auf und macht die Hausaufgaben mit ihr? Meine Eltern sind doch arbeiten. Mann, hat mich das oft genervt, ewig auf Ari aufpassen zu müssen. Ich konnte immer erst weg, wenn einer von meinen Eltern nach Hause kam. Jetzt bin ich froh, dass sie nachmittags nicht da sind. So können wir wenigstens halbwegs ungestört packen.

Ari verdrückt sich in ihr Zimmer. Sie sieht so traurig aus, dass es mir richtig wehtut.

Jenny merkt, dass mit mir etwas nicht stimmt. »Alles in Ordnung mit dir?«, fragt sie.

»Na ja, ich mache mir nur Sorgen um Ari und so«, erwidere ich und versuche möglichst gleichgültig zu klingen.

»Irgendwann wärst du sowieso ausgezogen von zu Hause«, versucht Jenny mich zu trösten. »Außerdem werden wir ja oft in Berlin sein. Das ist doch kein Abschied für immer.«

Ich denke daran, dass Ari ganz viele Wünsche hat, wie alle Kinder. Teure Wünsche. Bald werde ich sie ihr erfüllen können. Und das werde ich auch tun. Das unangenehme Drücken im Magen bleibt. Geschenke können meine Gegenwart nicht ersetzen. Ich habe Ari verdammt lieb. Warum spürt man seine Gefühle ausgerechnet in derart schwierigen Situationen so intensiv?

Bevor meine Eltern wiederkommen, schleppen wir die Taschen heimlich zu Verena, bei der Jenny zurzeit wohnt. Dann gehe ich zu Nicky, die zwar als Einzige weiß, dass ich nach Amsterdam fahre, aber nichts von unserer Weiterreise in die Türkei, und übernachte bei ihr. Nicky ist total traurig, weil sie nicht mitkommen kann. Sie glaubt, dass Jenny und ich meinen Achtzehnten in einem Hotel in Amsterdam groß nachfeiern, und wäre so gerne mitgefahren. Doch sie ist ja noch nicht einmal siebzehn und weiß, dass ihre Mutter es ihr niemals erlaubt hätte. Ich liege neben Nicky und würde ihr so gern die ganze Geschichte erzählen, aber ich habe Jenny versprochen, unser Geheimnis zu bewahren.

Am nächsten Morgen verkündet Nicky, dass sie sich gleich nach meiner Abreise an den Computer setzen und jeden Tag bis zu meiner geplanten Rückkehr aufschreiben werde, was sie den Tag über so gemacht hat.

»Schade, dass du nicht mitkommen darfst, Kleine«, sage ich und bin mit einem Mal ganz traurig. Wie gern würde ich ihr erzählen, dass ich nicht nur ganz normal verreise, sondern dass in meine Tasche etwas hineingepackt wird und dass mir das unheimlich ist, irgendwie.

»Es ist nicht unser Job, darüber nachzudenken, sondern Ordells«, hat Jenny gesagt, als ich auf dem Weg zu Verena noch mal vorsichtig nachgehakt habe. »Keine Sorge, glaubst du, ich würde das tun, wenn die Sache nicht in Ordnung wäre?«

»Natürlich nicht«, habe ich erwidert und mich geschämt für meine Zweifel.

So, das muss erst mal reichen für den Anwalt. Ich kann nicht mehr. Tränen strömen mir übers Gesicht, so dass ich die Zettel unter mein Kopfkissen packen muss, damit die Kulifarbe nicht verläuft. Ich weine und weine, diesmal nicht aus Verzweiflung, sondern Tränen der Wut. Jenny hat meine berechtigten Zweifel mit belanglosen Antworten erstickt. Sie hat mich belogen und betrogen, sie ist daran schuld, dass ich jetzt in diesem verdreckten Loch sitze, in das eigentlich sie gehört und nicht ich.

Als keine Tränen mehr kommen, schaue ich aus dem Fenster auf den Hof, als würden sich Gitter und Mauern in Luft auflösen, wenn man lange genug guckt. Irgendwann lasse ich mich erschöpft aufs Bett fallen und starre in die Glotze, ohne irgendetwas richtig mitzukriegen, außer dass da ein Tanzfilm läuft. Plötzlich spielen sie ein Lied von den Bangles.

Nicky, liebste Freundin, erinnerst du dich an das Lied »Eternal Flame«? »Close your eyes, give me your hand ...«, summe ich. Hätte ich mich doch wenigstens Nicky anvertraut. Vielleicht hätte sie ja meine Zweifel bestärkt.

Ich setze mich wieder hin und antworte auf Nickys Brief.

Hallo Nicky, uff. Du hast ja keine Ahnung, wie sehr du mir fehlst. Ich habe einen großen Fehler begangen. Ich bereue es total, dass ich überhaupt mit Jenny gefahren bin. Mein schlechtes Gewissen konnte sich nicht durchsetzen und meine Eltern konnten mich nicht zurückhalten. Warum? Das frage ich mich jeden Morgen, wenn ich aufwache. Warum ich und nicht Jenny?

Weißt du noch, als Steffi uns sagte, dass Bekannte meinen, Jenny handele mit Drogen? Und weißt du auch noch, was Steffi gesagt hat, als wir nachgefragt haben, ob das stimmt? Steffis Antwort war: ›Nein, das stimmt nicht.‹ Ich bin blind gewesen. Erst hier im Knast habe ich mein Augenlicht wiederbekommen. Ich habe geträumt von der Zukunft und dabei die Gegenwart vergessen.

Ein großes Dankeschön für die Sachen, doch leider habe ich bloß dein T-Shirt bekommen. Ich werde es hegen und pflegen und heil mit zurückbringen. Ich freue mich so auf den Rückflug, dich wieder in die Arme zu nehmen, so wie alle anderen auch, die mir beistehen. Nicky, versprich mir, dass du nicht in Kummer verfällst. Aber du kannst sicher sein: In Gedanken bin ich immer bei dir. Und ich bin auch stolz auf dein gutes Zeugnis. Also, Happy Birthday!

Bye, Andrea.

Ich male noch eine Sonne mit Lachgesicht drunter, ein Geschenk mit Schleife drum und eine Torte, weil Nicky am 18. Februar siebzehn geworden ist. Daneben zeichne ich mich und Nicky als Strichmännchen. Sie steht unterm Berliner Fernsehturm und ich sitze auf einer Wolke. In der einen Hand halte ich einen Blumenstrauß, mit der anderen winke ich ihr zu. Dann stecke ich den Brief in einen Umschlag und lege ihn zu den Notizen für den Anwalt unter das Kopfkissen. Ich werde ihn unserer neuen Zellenchefin Hamide mitgeben, sobald ich sie sehe.

Mein Körper ist bleischwer, mein Kopf furchtbar müde, obwohl es erst früher Nachmittag ist. Ich bleibe einfach im Bett liegen und döse vor mich hin. Ich denke an Nicky und freue mich auf den Tag, an dem wir wieder zusammen mit der S-Bahn Richtung Stadtmitte fahren werden. Meine Augen sind schon zu. Und diesmal gelingt meiner Seele die Flucht. Sie steigt zu Nicky in die Bahn, Walkman auf volle Pulle, Füße hoch. Der Zug fährt ab und nimmt mich mit in die Freiheit.

11

Andrea, das ist großartig«, sagt der Anwalt, als er fertig gelesen hat. Sorgfältig faltet er die Zettel, die ich ihm mitgebracht habe, zusammen und steckt sie in seine Aktentasche.

Ich spüre, wie mein Gesicht warm wird und jetzt vermutlich ganz rot ist. Schließlich hat mich schon lange keiner mehr gelobt. Der Text ist fertig, ich habe ihm alles aufgeschrieben, die ganze Reise, bis zu meiner Verhaftung. Wurde ja auch Zeit, dass ich damit fertig werde, schließlich haben wir schon Dienstag, den 13. März, das ist gerade noch eine Woche bis zum ersten Prozesstag.

»Meinen Sie wirklich?«, frage ich.

»Ja«, sagt er und macht dieses vergnügte Gesicht, das, wie ich mittlerweile weiß, eine gute Idee ankündigt. »Ich denke, du solltest das alles vor Gericht vorlesen, genau so, wie du es aufgeschrieben hast. Besser kann man wirklich nicht erklären, wie naiv du in diese Sache reingerasselt bist.«

Ich kriege einen Schreck. »Sie meinen, dass ich da eine Rede halten muss?«

»So ähnlich«, bestätigt Herr Caner und dann guckt er noch vergnügter: »Sag mal, was macht eigentlich dein Türkisch?«

»Geht so«, antworte ich auf Türkisch. »Immerhin kann ich jetzt das meiste verstehen.« Herr Caner sagt jetzt auch etwas auf Türkisch. »Was?«, frage ich, weil bei mir nur Wortfetzen angekommen sind, so laut ist es im Anwaltszimmer. Alle

Tische sind mal wieder besetzt mit Anwälten und Häftlingen, die aufgeregt durcheinander reden, gestikulieren. Am lautesten ist es, wenn sich jemand verabschiedet, wie die beiden am Tisch neben uns. Ich beobachte, wie der hoch gewachsene Mann im Anzug seine Aktentasche auf den Tisch wirft und den Reißverschluss mit einem lauten Ratsch zuzieht, ich höre, wie seine Jacke knistert, als er sie von der Stuhllehne nimmt und wieder anzieht. Händeschütteln, ein paar gute Ratschläge für seinen Klienten, einen finster aussehenden Mittvierziger, dann verschwinden die beiden durch die eiserne Schiebetür.

»Man kann hier wirklich kaum etwas verstehen«, sagt Herr Caner. Anschließend wiederholt er das, was ich nicht verstanden habe, noch einmal auf Deutsch. »Was hältst du davon, deine Aussage auf Türkisch vorzulesen?«, fragt er. »Es würde den Richter sicher beeindrucken, wenn er sieht, wie sehr du dich hier anstrengst. Ich kann den Text für dich übersetzen lassen.«

Ich bin mir nicht sicher, ob ich mir das zutraue. Aber ich will Herrn Caner nicht enttäuschen, deshalb schlage ich vor, dass ich Aygül fragen könnte, ob sie mir hilft, ihn einzustudieren.

»Ja, das ist eine gute Idee«, sagt der Anwalt. »Ich lasse den Text in meinem Büro schnell kopieren und übersetzen, dann schicke ich ihn dir sofort zurück.«

Mir brennt noch eine Frage auf der Seele, die wichtigste zurzeit. »Wie stehen denn meine Chancen, dass ich nach dem Prozess nach Hause darf?«, frage ich und spüre, wie ich eine Gänsehaut kriege, weil ich solche Angst habe vor seiner Antwort.

Herr Caner zögert. »Nun, sagen wir mal, dass es nicht ausgeschlossen ist. Natürlich werde ich auf Freispruch plädieren, doch ich muss dir ehrlich sagen, dass es ein Riesenglück wäre, wenn es tatsächlich klappt. Ich werde zumindest versuchen zu erreichen, dass du nach dem ersten Prozesstag für die Zeit des Verfahrens auf Kaution freikommst.«

Jetzt bin ich total verwirrt. »Bedeutet das etwa, dass ich dann nach meinem ersten Gerichtstermin mit meinen Eltern nach Hause fahren darf?«, frage ich. Mama hat mir ja geschrieben, dass sie mit Papa eigens für den Prozess anreisen werde und hoffe, mich gleich anschließend mit zurücknehmen zu können.

»Nicht ganz«, sagt Herr Caner. Er erklärt mir, dass ich dann zwar in der Türkei bleiben müsste, allerdings nicht im Gefängnis. »Du könntest bei meiner Schwester Elif wohnen. Ich habe sie schon gefragt. Sie hat eine Tochter in deinem Alter, die sich sehr freuen würde, wenn du sie besuchst.« Das Mädchen sei sogar mal in Berlin aufs Gymnasium gegangen, erzählt er mir noch.

Das klingt total nett. Trotzdem bin ich von der Aussicht, statt in Berlin noch eine Weile in der Türkei leben zu müssen, alles andere als begeistert.

»Nun lass mal nicht gleich den Kopf hängen«, entgegnet Herr Caner. »Jeder macht Fehler, wenn er jung ist. Und jeder hat die Chance, sie wieder wettzumachen, indem er hart an sich arbeitet. Ich bin sehr stolz auf dich, wie gut du dich entwickelt hast.« Nun sagt er noch, als er mich das erste Mal traf, hätte ich gewirkt wie vierzehn. »Du bist richtig erwachsen geworden in den letzten Wochen, Andrea. Alle Achtung.« Beim Abschied verspricht er, in ein paar Tagen wiederzukommen, für die letzten Prozessvorbereitungen.

In dieser Nacht schlafe ich schlecht, Herr Caners Worte geistern durch meine Gedanken, und als ich endgültig wach bin, ist es draußen noch dunkel. Ich schaue auf meine Uhr, die ich immer am Handgelenk trage, damit sie mir niemand klauen kann. Es ist erst fünf, noch eine Stunde bis zum Zählen. Ich versuche wieder einzuschlafen, aber es funktioniert nicht, weil es taghell ist, durch die Neonleuchten, die die ganze Nacht brennen. Als ich es endlich geschafft habe, etwas wegzudämmern, fängt ein Baby an zu schreien.

Da weiß ich, dass ich gleich wach bleiben kann. Wir haben jetzt mehrere Kleinkinder hier, und wenn eines wach wird, stimmen die anderen bald ein in das Geschrei. Ich ziehe mir die Decke um die Ohren und so liege ich da, bis ich den Schlüsselbund der Wärterin gegen die Zellentür knallen höre.

Nach dem Zählen schlüpfe ich sofort wieder ins Bett und bekomme im Halbschlaf entfernt mit, dass wieder eine Frau entlassen wird. Ich höre die üblichen guten Abschiedswünsche, einige weinen. Es interessiert mich nicht, ich bin viel zu erschöpft.

»Wer ist denn eigentlich vorhin gegangen?«, frage ich Flory beim Frühstück.

»Die Mutter des kleinen Ata«, antwortet sie. »Sie wurde in ein anderes Gefängnis verlegt.«

Ich werfe einen Blick auf das Bett, in dem die Frau geschlafen hat, und mustere die kahle, schmutzige Matratze. »Sie haben den Monchichi mitgenommen«, sage ich und bin ein bisschen traurig, weil ich wieder etwas verloren habe, was ich gern habe, was mich an Geborgenheit erinnert, an zu Hause.

»Na ja«, meint Flory: »die Frau hat sicher gedacht, dass du ihn dem Kleinen geschenkt hast.«

»Ist nicht so schlimm«, sage ich. »Er muss ja weiter mit seiner Mutter im Gefängnis leben. Da braucht er den Monchi sicher dringender als ich.«

Nach dem Frühstück bitte ich Aygül, mir mit dem Einstudieren des Textes zu helfen, den der Anwalt mir zurückgeschickt hat. Wir verziehen uns auf Aygüls Bett, um so ungestört wie möglich arbeiten zu können. Es dauert ewig, weil ich mit der richtigen Betonung große Schwierigkeiten habe.

»Du hast ja wirklich Pech gehabt«, sagt sie. Und dann: »Vielleicht wäre ich auch darauf reingefallen, wenn meine beste Freundin mir so ein Angebot gemacht hätte.«

»Ehrlich?«, frage ich.

»Ja«, erwidert Aygül. »Das hat sich ja wirklich verlockend angehört am Anfang, als sie dich eingeladen hat.«

Während ich mich weiter durch den Text stammele, kriegt Aygül einen Lachkrampf. »So wird das nichts«, sagt sie. Langsam liest sie mir den Satz noch einmal vor und lässt mich ihn nachsprechen.

Ich bin gerade mittendrin, da bricht in der Zelle ein Riesengeschrei aus. Es kommt von unten aus dem Flur.

»Orospu!«, höre ich nun eine schrille Stimme, das heißt Hure.

»Köpek – Hund!«, brüllt jemand zurück. Es ist eindeutig Fatoş, ich erkenne sie sofort.

Plötzlich kommt sie angerannt, das Gesicht ganz rot vor Wut, die Haare zerzaust. »Ich wollte Wäsche waschen«, erzählt sie atemlos, »aber ein paar Frauen hatten einen Schlauch an den einzigen Hahn gesteckt und nach draußen auf den Hof gelegt, um zum Spaß mit dem Wasser rumzuspritzen.« Sie habe dann den Schlauch kurz abgezogen, um ihren Wascheimer zu füllen, da seien die Frauen auf dem Hof total ausgerastet. »Eine hat mich an den Haaren gezogen«, klagt Fatoş und ihre Augen funkeln vor Wut.

»Du musst das sofort der Zellenchefin melden, geh zu Hamide«, rät Aygül ihr.

»Das hat doch keinen Sinn. Du kennst doch Hamide«, jammert Fatoş. »Die unternimmt doch sowieso nichts.«

Da hat sie Recht, der Geräuschpegel ist wirklich unerträglich, seit Nülgül weg ist. Ich nehme Fatoş in den Arm und sage, sie könne bei uns auf dem Bett sitzen, während wir weiter meine Aussage durchgehen. Es dauert ewig, bis wir die erste der sechzehn Seiten geschafft haben.

»So wird das nichts«, erklärt Aygül irgendwann. »Ich glaube, du liest das besser auf Deutsch vor, wenn du willst, dass der Richter irgendetwas versteht.«

Wir geben auf und Fatoş schlägt vor, auf den Hof zu gehen und Volleyball zu spielen. Der einzige Ball, den es hier gibt, ist zwar eine richtige Krücke, ein schmutzig blaues Gummiding, aber wenigstens haben wir so etwas Bewegung. Das ist auch dringend notwendig, weil mein Gesicht immer breiter wird und ich meine graue Hose kaum noch zukriege.

Die Sonne ist jetzt richtig warm, ich kann den Frühling schon riechen. An dem einzigen Ast, der über die Hofmauer ragt, zeigen sich erste zarte grüne Triebe. Die Zeit kriecht nicht mehr, sie rast, denke ich, während ich Fatoş den Ball zupritsche. Ich bin gar nicht so schlecht im Volleyball, obwohl ich ewig nicht gespielt habe. Hat sich wohl doch gelohnt, das Leistungsturnen, das ich als Kind gemacht habe. Damals war ich richtig gut in der Schule, das Leben war leicht.

Sport macht den Kopf frei und das ist genau das, was ich jetzt brauche, vor dem Prozess. Für einen Moment vergesse ich die Tristesse des verliesartigen Hofes, ich stehe auf einem Volleyballfeld, renne um jeden Ball wie um mein Leben, bis das Blut durch meine Adern schießt und ich mich frei fühle, glücklich, jung und voller Kraft.

Abends sitzen wir auf meinem Bett, Fatoş, Flory und ich, und trinken ein Gebräu aus Cola und Teekrümeln, das Fatoş gemixt hat.

»Ihr werdet sehen, das wirkt so ähnlich wie Alkohol«, verkündet sie stolz, als sie mir die Tassen hochreicht.

Dann sitzen wir da und warten gespannt auf die Wirkung.

»Ich glaube, ich merke was«, sagt Flory irgendwann und kichert.

»Ich auch«, sage ich, »aber nur ein bisschen.« Ja, ich bin tatsächlich ein bisschen beschwipst, aber vielleicht kommt es auch einfach davon, dass es schön ist, mit zwei lieben Menschen zusammenzusitzen und albern zu sein. Wir werden sogar so mutig, dass wir beschließen, heimlich im Bett zu rauchen, was mega-verboten ist im Schlafsaal. Fatoş hat furchtbare Angst, dass wir erwischt werden, und pustet ständig in den Rauch, damit er nicht über meinem Bett steht und auffällt. Flory und ich können gar nicht aufhören, uns darüber lustig zu machen, bis schließlich eine wütende Stimme

»Ruhe!« brüllt, weil es schon nach Mitternacht ist und wir das gar nicht mitgekriegt haben. Wir kichern weiter, diesmal leiser.

Es ist, als hätte sich der Himmel schön gemacht für den Tag, an dem Mama und Papa kommen. Ich sitze auf der verrosteten Bank im Hof und gucke in das leuchtend blaue Rechteck über mir, an dem durchsichtig-weiße Schönwetterwolken vorbeiziehen. Heute ist Montag, der 19. März, morgen muss ich vor Gericht, aber daran mag ich gar nicht denken. Ich will mir die Vorfreude auf den Besuch meiner Eltern nicht verderben. Gleich werde ich Papa wiedersehen, zum ersten Mal nach zwei Monaten. Papa, der für alles eine Lösung weiß, vor allem in kniffligen Situationen.

Ich bin total früh wach gewesen heute Morgen. Gut, dass ich mich extra bei Hamide zum Duschen hatte vormerken lassen. Sonst hat man vormittags keine Chance dranzukommen. Seit einer Stunde sitze ich jetzt auf der Bank, weil ich es kaum erwarten kann, dass mich endlich eine Wärterin abholt. Die Minuten kriechen wie lange nicht mehr. Um kurz vor elf ist es endlich so weit und die Wärterin bringt mich zum Sprechzentrum. Diesmal nehme ich die Tristesse des kahlen Flures gar nicht wahr, weil ich in Gedanken längst bei meinen Eltern bin. Es ist brechend voll in dem langen Raum mit den Kabinen.

»Deine Eltern warten schon«, sagt die Wärterin und lächelt zum ersten Mal. Als sie mich in eine der Kabinen hineinschiebt, wünscht sie mir tatsächlich noch viel Spaß.

Ich winke Mama und Papa zu, die auf der anderen Seite der Kabine auf mich gewartet haben, bin jedoch erschrocken, wie gestresst Mama wirkt. Papa sieht aus wie immer, der ruhige Fels in der Brandung. Seine Augen hellen sich auf, als er mich entdeckt, er winkt mir zu und lächelt. Ich bin ganz aufgekratzt, einfach froh, dass sie da sind.

»Ich würde euch so gern umarmen«, sage ich. Da sehe ich,

wie bei Mama schon die Tränen laufen. »Nicht weinen, Mama«, sage ich. »Vielleicht darf ich ja schon morgen mit nach Hause.«

»Ich will ja gar nicht weinen«, entgegnet sie und tupft sich die Augen mit dem Taschentuch ab, das Papa ihr hinhält. »Ich freue mich einfach so, dich zu sehen.«

Ich gehe ganz dicht an die Scheibe, weil ich sie kaum verstehen kann. Die Sprechkabinen rechts und links neben mir sind beide besetzt und an der Seite ja nur durch Gitter von meiner abgetrennt. Meine Kabinennachbarn unterhalten sich nicht mit ihrem Besuch, sie brüllen ihn an.

»Ihr müsst so laut wie möglich sprechen«, rufe ich Mama und Papa zu, »bei mir kommen sonst nur Gesprächsfetzen an!«

Mama sagt, dass sie mir ganz viele Sachen mitgebracht habe, Klamotten, damit ich etwas Ordentliches zum Anziehen habe. »Ich habe die Hose extra eine Nummer größer gekauft, weil du geschrieben hast, dass du zugenommen hättest. Steht dir übrigens nicht schlecht.«

Mama ist jetzt ganz vorn an der Scheibe. Papa hält sich im Hintergrund wie immer, vielleicht aber auch deshalb, weil die Kabine so eng ist, dass zwei Personen nicht nebeneinander passen.

Unvermittelt bricht es aus mir heraus. Ich erzähle ihnen, dass ich einen Riesenschiss habe vor morgen und wie sauer ich auf Jenny bin, weil sie mich hier einfach hängen lässt. Da sehe ich, dass Papas Augen wütend funkeln. Trotzdem ist seine Stimme ganz ruhig, als er fragt, ob ich wisse, wo sie jetzt sein könne.

»Na ja«, antworte ich, »sie hat vermutlich ihre Tasche in Neapel an dieser U-Bahn-Station abgegeben und ist dann zu David gefahren. Das ist ein Bekannter, bei dem sie immer wohnt, wenn sie in Neapel ist.«

Papa fragt mehrmals nach, quetscht alle Details aus mir heraus, die ich über Jennys letzten Aufenthaltsort weiß.

»Warum interessiert dich das denn alles so genau?«, frage ich.

»Weil ich überlege, ob ich mich selbst auf die Suche nach Jenny machen soll«, erklärt Papa, »ich verstehe einfach nicht, wie die Polizei sie entwischen lassen konnte.«

Ich bin total gerührt, dass Papa das für mich tun würde. »Aber sei vorsichtig, falls du das machst«, warne ich ihn dann. »Der Anwalt sagt, dass eine gefährliche Bande diese Geschäfte organisiert. Das macht mir Angst. Schließlich habe ich nie etwas davon gehört, ob sie die Typen in Italien geschnappt haben.«

»Das lass mal meine Sorge sein«, entgegnet Papa.

»Ihr seid tolle Eltern«, platzt es aus mir heraus. Ich bin mit einem Mal total stolz auf Mama und Papa, weil sie so für mich kämpfen.

»Du bist ja auch eine tolle Tochter«, sagt Mama, »selbst wenn du das vielleicht nicht verstehst.« Sie versichert mir, dass sie und Papa morgen im Gerichtssaal sein würden, um mir die Daumen zu drücken. Und dass sie mir noch eine Überraschung mitgebracht hätten.

»Was denn?«, will ich wissen.

»Wird nicht verraten«, sagt Mama und lacht. »Guck dich einfach im Gerichtssaal gut um, dann wirst du sie schon entdecken.«

Ich versuche weiterzubohren, doch da kommt die Wärterin schon wieder, um mich abzuholen.

»Bis morgen, Schnecke«, sagt Mama und wirft mir ein Handküsschen zu. Papa winkt und hebt die Hand, als Zeichen, dass er mir die Daumen drückt.

Die Wärterin bringt mich direkt in den Anwaltsraum, weil Herr Caner noch die letzten Details mit mir besprechen will.

Er nimmt einen Zettel und zeichnet den Gerichtssaal auf. »Du wirst hier hereingeführt, gehst an den Zuschauerreihen vorbei und setzt dich dann in die erste Reihe, so dass du die Zuschauer im Rücken hast.«

»Und wo sitzen Sie?«, frage ich.

»Ich werde mit einer Kollegin aus meiner Kanzlei an einem Tisch schräg rechts vor dir Platz nehmen, damit du uns gut sehen kannst.«

»Muss ich wirklich alle vierzehn Seiten, die ich aufgeschrieben habe, selbst vorlesen?«, frage ich.

»Unbedingt. Das ist ja Teil meiner Strategie«, sagt Herr Caner. »Schließlich ist es deine Geschichte aus der naiven Sicht, wie du sie damals hattest. Ich habe eine kurze Einleitung vorbereitet, die du vorliest, bevor du mit deiner Geschichte beginnst, und ein paar abschließende Worte, die du danach vorträgst. Der Mann, der hier sitzt«, er zeichnet einen kleinen Tisch gegenüber des Anwaltstischs, »gibt dir ein Zeichen, wann du aufstehen und mit dem Vorlesen beginnen musst.«

»Wird danach gleich das Urteil gesprochen?«, frage ich.

»Nein«, antwortet Herr Caner. Er erklärt mir, dass das Staatssicherheitsgericht, das speziell für Terrorismus, Organisierte Kriminalität und Drogen zuständig ist, zwar schneller arbeite als andere Gerichte, aber dass es sicher noch weitere Verhandlungstage geben werde. »Ich habe absichtlich keine Zeugen geladen, weil es außer Jenny ohnehin keine gibt, die dich entlasten könnten, damit sich das Verfahren nicht in die Länge zieht«, sagt er.

»Ich habe furchtbare Angst vor morgen«, gestehe ich.

»Ich kann sie dir gut nachfühlen«, sagt Herr Caner. »Erinnerst du dich noch an die Geschichte, die ich dir erzählt habe, von meinem Freund, der vier Jahre im Gefängnis war?«

»Ja«, sage ich, »was ist mit dem?«

»Nun«, sagt Herr Caner und macht eine bedeutungsvolle Pause, »diese Geschichte ist meine eigene. Ich bin wie du mit achtzehn ins Gefängnis gekommen, weil ich damals Mitglied einer kommunistischen Organisation war. Und wie du siehst, habe ich das alles gut überstanden, dazugelernt, mich verändert und bin sogar Anwalt geworden. Jeder hat eine zweite Chance. Denk morgen daran, wenn du vor dem Richter stehst!«

Ich kann gar nichts sagen, weil ich so platt bin, und nicke nur mechanisch.

Abends im Bett stelle ich mir vor, wie es wäre, wenn der Richter mich freispricht. Ich sehe mich neben Mama und Papa im Flugzeug sitzen, in Berlin-Tegel ankommen, wo Ari und Dani mit Cora, die aufgeregt hin und her rennt vor Freude, auf uns warten. Ich schmücke die Szene weiter aus, doch sie wirkt irgendwie künstlich, nicht echt. So wäre es gewesen, wenn wir ganz normal aus einem Urlaub zurückgekehrt wären, aber so kann es nie wieder sein, nach allem, was passiert ist. Andere Bilder schieben sich vor die frohe Wiedersehensszene, die ich mir so sehr wünsche und die meinem Hirn nicht gelingen will. Ich sehe mein Zimmer vor mir, leer und kahl, weil ich alles, was mir wichtig war, mit nach Amsterdam genommen habe. Ich denke daran, dass ich die Schule abgebrochen habe und jetzt irgendetwas Neues, Langweiliges lernen muss, ich denke an die Zeitungsartikel über mich und habe Angst, dass die Leute in der U-Bahn mit dem Finger auf mich zeigen. Und dann gibt es ja noch die Bande, von der Herr Caner erzählt hat. Was ist, wenn die mir auflauern, um sich zu rächen für die verpatzte Lieferung? Der Tag heute mit Aygül, Flory und Fatoş war okay, überlege ich dann. Hier drinnen bin ich sicher vor der Bande, ich muss mir keine Gedanken um meine Ausbildung machen, ich kenne die Regeln, auch wenn ich die menschenunwürdigen Zustände hier drinnen hasse.

Wie kann es sein, dass ich mich so danach sehne, frei zu sein, und mich trotzdem fürchte vor der Freiheit? Vielleicht liegt es daran, dass ich mir die Welt draußen gar nicht mehr richtig vorstellen kann. Die Bilder, die ich vor meinem inneren Auge heraufbeschwöre, sind wie Fotos, zweidimensional und starr. Meine Seele ist schon lange nicht mehr durch die Gitter nach draußen geschlüpft, ich habe sie eingesperrt, weil ich den Schmerz um das, was ich verloren habe, sonst gar nicht aushalten könnte.

12

Ich bin schon wach, als sie kommen, um uns aus dem Bett zu brüllen. Rasch öffne ich meinen schwarzen Taschenkalender und mache ein Häkchen beim 20. März. »Gericht«, habe ich in die schmale Spalte für diesen Tag eingetragen. Es gibt keinen Aufschub mehr. Ich muss da heute hin.

Ich habe Angst, eine Scheißangst, doch da muss ich jetzt durch, deshalb krieche ich auch nicht wie sonst wieder zurück ins Bett, sondern quäle mich unter die Dusche. Danach schlüpfe ich in die neue schwarze Hose, die Mama mitgebracht hat und die sitzt, als hätte ich sie selbst vor dem Kauf anprobiert. Ich schicke Mama in Gedanken einen dicken Kuss.

Wenigstens bleiben Flory und Aygül mit wach, weil sie heute ebenfalls zum Gericht müssen, nicht wegen einer Verhandlung, sondern nur zum Personalienaufnehmen. Fatoş rennt auch schon herum wie aufgezogen. Sie muss nicht zum Gericht, aber sie will uns unbedingt behilflich sein. Das ist lieb gemeint und hat damit zu tun, dass wir sie oft zum Essen einladen, weil sie weniger Geld hat als wir. Fatoş begreift einfach nicht, dass Teilen für mich eine Selbstverständlichkeit ist, dass ich nichts dafür will, und schon gar keine Dienerdienste. Total nervig, wenn es gar nichts mehr zu tun gibt. Wir sitzen also müde herum und langweilen uns. Wenigstens das ist vertraut, wie immer. Ich kriege kaum einen Bissen von der ekligen Krümeltasche runter, die Fatoş mir aufdrängt, als gäbe es demnächst eine Hungersnot, und auch am Tee nippe ich nur. Trotzdem renne ich alle zwei Minuten aufs Klo, weil ich gehört habe, dass das im Gericht nicht geht.

Dann sind die Guardians da, um uns zu holen: Flory, Aygül und mich. Sie bringen uns in einen anderen Raum, wo wir durch Glasscheiben die Soldaten beobachten können, die draußen herumstehen. Wir sitzen auf einer Bank und staunen darüber, wie viele grüne Bäume man sehen kann, ein erster Blick ins Freie. Ich werde ganz aufgeregt. Was für ein Kontrast zu der Gefängnisatmosphäre des Raumes, der nur durch eine Gitterwand davon getrennt ist. Auf der einen Seite wir und der Ofen, der ordentlich qualmt, auf der anderen Seite Stühle und Tische. Sie bringen noch eine Frau zu uns. Sie trägt einen Mundschutz, weil sie gegen den Qualm allergisch ist. Als sie versucht, mit uns zu reden, wird sie auf die andere Seite des Gitters gebracht. Wir sehen, wie sie dort unruhig auf und ab läuft, wie ein eingesperrtes Tier. »Sie ist eine Terroristin«, sagen die Wärter.

Plötzlich geht die Eisentür auf, die zum Parkplatz führt, dann eine zweite mit Gitterstäben.

»Konak«, ruft ein Mann. Konak heißt der Ort, in dem Flory zum Gericht muss. Ein Mann legt ihr Handschellen an und führt sie weg, bevor die Türen wieder zugehen. Die Frau mit dem Mundschutz auf der anderen Seite des Gitters schaut jetzt dauernd zu mir herüber. »Viel Glück, Andrea!«, sagt sie plötzlich in gebrochenem Deutsch.

Ich staune noch darüber, dass sie meinen Namen kennt, als die Tür wieder aufgeht, weil Aygül los muss.

Nun sind nur noch ich und die Terroristin in dem Raum. Sie kommt ganz nah an das Gitter, das uns trennt, schiebt den Mundschutz herunter und beginnt zu erzählen. Sie sei schon lange hier, sie habe Verwandte in Deutschland, unter anderem einen Onkel in Berlin. »Viel Glück«, wiederholt sie, bevor sie abgeführt wird.

Jetzt bin ich ganz allein. Zum Glück habe ich ein Foto von meiner Cora dabei. Das nehme ich in die Hand und schaue lange in ihre lieben Hundeaugen. Ich fühle, wie die Tränen in mir hochsteigen. Bevor ich richtig weinen kann, gehen die Türen schon wieder auf.

»Andrea Rohloff«, sagt ein Mann.

Eine nette Gefängniswärterin begleitet mich nach draußen, wo Soldaten mit Handschellen warten. Als sie mir die Dinger um die Hände legen, fühlen sie sich kalt an, schwer. Ein unbeschreibliches Gefühl. Gefängnis im Miniaturformat, aber genauso drückend, genauso lähmend, fast noch schlimmer, als drinnen eingesperrt zu sein. Drinnen sind ja alle gefangen, letztlich sogar die Wärter auf ihre Art. Draußen mit Handschellen vorgeführt zu werden, das ist wie ein Schild auf der Stirn: »Achtung, gefährlicher Verbrecher!« Das bin ich doch nicht. Das habe ich nicht verdient.

Sie führen mich zu einem großen, grauen Auto, in das ich einsteigen muss mit der Wärterin. Die Tür fällt zu. Ich höre lautes Gemurmel. Die Soldaten steigen ein, eine zweite Tür wird zugeschlagen. Es ruckt, als der Transporter anfährt. Die Wärterin und ich sitzen auf braunen Kunstledersitzen. Es gibt keine Fenster, nur drei vergitterte Luftschlitze an jeder Seite. Durch die fällt etwas Licht herein, das durch die Bewegung helle Muster in den Raum malt.

»Andrea!«, ruft ein Soldat.

Ich bejahe.

»Do you speak English?«

»Yes«, sage ich.

Dann schweigt der Soldat wieder.

»Du musst keine Angst haben«, beruhigt mich die Wärterin. Sie sitzt ganz dicht bei mir. Ich mag sie. Es tut gut, hier drinnen nicht allein zu sein. Nach etwa zwanzig Minuten Fahrt versuche ich, auf meine Uhr zu schauen.

»Sind die Handschellen zu eng?«, erkundigt sich die Wärterin besorgt.

»Nein«, erwidere ich und frage sie nach der Uhrzeit.

Es ist 9.20 Uhr. Der Wagen hält. Ich klammere mich an meine Notizen, die ich vorlesen muss, und denke an meine Eltern, die ich gleich sehen werde. Das gibt mir Kraft.

Ich werde in einen Raum geführt, zwei Sitzbänke, eine Gitterwand, vielleicht drei mal vier Quadratmeter klein. Ein Soldat versucht, mich auf Deutsch anzusprechen, ein anderer fragt auf Englisch, wie alt ich sei.

»Achtzehn«, sage ich auf Türkisch. Ganz schön hübsch, die jungen Soldaten in ihren schicken Uniformen. Ich muss ja zugeben, dass ich ihre Aufmerksamkeit ein bisschen genieße.

Derjenige, der Englisch spricht, fragt mich, ob wir in Deutschland auch diesen türkischen Tee tränken. Und ich sage, dass wir viele verschiedene Sorten Tee hätten.

»Was magst du lieber, türkischen Tee oder Apfeltee?«, will er nun wissen.

»Apfeltee«, sage ich. Stimmt ja auch.

»Willst du Tee haben?«, fragt er weiter.

»Kriege ich denn welchen?« Seine Frage erstaunt mich, weil Mithäftlinge mir gesagt haben, dass man bei Gericht nichts zu trinken bekomme, nicht rauchen dürfe und auch nicht auf die Toilette.

Klar, ich könne Tee haben, sagt der Soldat.

Aber ich lehne dann doch lieber ab. »Sonra çok tuvalet – Sonst muss ich zur Toilette.«

Bloß nicht. Dafür nehme ich gerne eine Zigarette, die der Mann mir reicht. Etwas kompliziert mit den Handschellen dran, doch ich fühle mich gleich viel normaler. Draußen vor dem Fenster sehe ich eine Menge Journalisten herumrennen wie aufgescheuchte Hühner. Ich versuche mir Mut zu machen, indem ich daran denke, was Mama gesagt hat: dass die Journalisten gut für mich seien, dass ihre Berichterstattung helfen werde, damit ich ein faires Urteil kriege.

10.10 Uhr: Sie nehmen mir die Handschellen ab. Das hat mein Anwalt also doch noch durchgesetzt. Ein gutes Zeichen, oder? Ein großes Tor geht auf. Ein Pulk Soldaten umringt mich und ich gehe mittendrin eine schmale Treppe hinauf. Oben biegen wir nach links ein und ich sehe schon wieder zwei Fotografen. Sie rennen vor uns her – bis in den holzgetäfelten Gerichtssaal, dessen Tür schon offen steht. Drinnen machen mich die vielen Blitzlichter fast blind.

»Andrea, Andrea!«, rufen sie. »Komm, lächele in die Kamera!«, »Nur noch einmal lächeln, bitte!«, »Alles wird gut«. Es ist anstrengend, aber ich schaffe es sogar, mich ein bisschen zu freuen, dass sie hier sind, wegen mir.

Wo sind bloß meine Eltern? Ich kann mir die Zuschauerreihen gar nicht so genau angucken, so schnell hetzen mich die Soldaten daran vorbei. Ich muss mich ganz vorn auf die erste Bank setzen, wie der Anwalt es mir erklärt hat. Als die Journalisten verschwinden, entdecke ich auch die Dame vom Konsulat, die für mich dolmetscht, ein paar Meter von mir entfernt am Anwaltstisch.

Sie beugt sich vor und flüstert: »Deine Eltern sitzen hinter dir.«

Hastig drehe ich mich um und da sitzen sie tatsächlich – fünf oder sechs Reihen hinter mir. Mama winkt, Papa hält wieder den Daumen hoch, und dann sehe ich die Überraschung, von der Mama gesprochen hat. Sie sitzt neben Mama und winkt mir zu: Nicky, meine liebste kleine Freundin ist da. Ich winke zurück und bin so glücklich, dass ich schon wieder feuchte Augen kriege. Stopp, jetzt muss ich durchhalten, dafür sind meine Lieben ja extra gekommen.

Ich schaue mich im Raum um. Er sieht aus, wie ich mir ein Gericht von vor vierzig Jahren vorstelle. Überall Holz, verwaschene, schwere Samtvorhänge an den Fenstern. Drei Richter in dunkelgrauen Roben mit hochgeschlagenen blutroten Kragen thronen mir direkt gegenüber erhöht auf einer Holztribüne, zu der einige Stufen hinaufführen. Ganz links am Richtertisch, etwas abseits, sitzt ein weiterer Robenmann, das muss wohl der Staatsanwalt sein. Nur die Gerichtsschreiberin verrät, dass wir uns doch im Jahr 2001 befinden. Sie klappert nämlich auf einer Computertastatur.

Mein Anwalt will mir Wasser reichen, aber die Soldaten lehnen ab. Herr Caner hat mir gesagt, dass der Hauptrichter ein gerechter Mann sei, doch er sieht ganz schön streng aus in seiner gruseligen Verkleidung. Nun eröffnet er die Verhandlung und trägt meine Personalien vor. Ich höre, wie er meinen Namen sagt, meinen Geburtstag und »Berlin«. Dann ist der Staatsanwalt dran.

Die Dolmetscherin wiederholt seine Worte auf Deutsch, aber ich kann sie kaum verstehen. Ich schicke ihr einen hilflosen Blick zu, worauf sie sofort die Stimme hebt. »Die Angeklagte Andrea Rohloff wird beschuldigt, internationalen Drogenhandel zu betreiben.« Dann nennt sie ein paar Paragraphen und das Strafmaß, das darauf steht: zehn bis dreißig Jahre. Ich bin kurz vor einer Ohnmacht. Ich betreibe keinen Drogenhandel, das haben doch sogar die Polizisten kapiert, die mich vernommen haben. Ich kann jetzt unmöglich aufstehen und die sechzehn Seiten vorlesen. Mir ist ganz schwindelig. Ich schaue zu dem Mann hinüber, der mir das Zeichen zum Aufstehen geben soll. Er winkt schon ganz ungeduldig. Mit weichen Knien erhebe ich mich, meine Hände zittern so sehr, dass ich die Worte auf dem ersten Blatt kaum entziffern kann.

Ich beginne wie verabredet mit dem Text, den Herr Caner für mich vorbereitet hat, auf Deutsch, weil mein Türkisch einfach nicht gut genug ist.

»Zunächst möchte ich betonen, dass meine bisherigen Aussagen, die ich vor der Polizei und dem Haftrichter gemacht habe, nicht im Ganzen der Wahrheit entsprechen. Nach Gesprächen mit meinem Anwalt und nach Durchsicht meiner bisherigen Aussagen habe ich gemerkt, dass nicht alles übersetzt wurde. Dies hat dazu geführt, dass die Polizeiprotokolle meine Tat nicht im ganzen Umfang widerspiegeln und teilweise der Sinn verändert wurde.

Zunächst möchte ich, dass meine vorherigen Aussagen nicht beachtet werden, sondern nur diejenige, die ich jetzt vor Gericht machen werde, als Grundlage herangezogen wird.«

Jetzt lese ich die Seiten vor, auf denen ich genau beschrieben habe, wie das mit Jenny passieren konnte.

Danach kommt noch ein Blatt, die abschließenden Worte, die ebenfalls Herr Caner formuliert hat. »Wenn ich jetzt zurückblicke, ist es ein Glück gewesen, dass ich in der Türkei verhaftet worden bin. Ich wäre sonst nämlich beinahe, ohne es zu wissen, in eine Heroinbande hineingeraten. Ich wäre nie darauf gekommen, dass Jenny einer Bande angehören könnte. Ich war jedenfalls in keiner Bande. Wenn ich in Izmir nicht verhaftet worden wäre, hätten sie mich durch Erpressung und Drohungen gezwungen, Straftaten zu begehen. Vielleicht hätte ich dabei sogar mein Leben verloren. Auch wenn es paradox klingt, bin ich der Türkei und den zuständigen Behörden sehr dankbar dafür, dass ich durch meine Verhaftung davor bewahrt wurde, ungewollt in diese Heroinbande hineinzugeraten. Ich wusste nicht, dass in der Tasche Drogen – schon gar nicht Heroin – gewesen sind. Ich habe in meinem Leben noch nie Heroin gesehen.«

Endlich darf ich mich wieder hinsetzen. Es hat ewig gedauert, weil die Dolmetscherin nach jedem Absatz alles ins Türkische übersetzen musste.

Jetzt sagt der Richter etwas. Er finde meine Aussage »aufrichtig«, höre ich. Ist das jetzt ein gutes Zeichen? Ich gucke zu Herrn Caner hinüber.

Er nickt mir beruhigend zu. »Gut gemacht«, sagen seine Augen.

Gut genug?

Herr Caner steht auf und stellt den Antrag, mich auf Kaution freizulassen.

Jetzt antwortet der Richter. »Abgelehnt!« Der Prozess wird am 19. April fortgesetzt.

»Wie ist es gelaufen?«, begrüßt mich Flory ganz aufgeregt in der Zelle.

»Ich weiß nicht«, sage ich. »Aus der Freilassung auf Kaution wird jedenfalls schon mal nichts.« Ich bitte sie, mich allein zu lassen, weil ich mich taub und leer fühle, total erschöpft. Ich habe nicht einmal die Kraft, traurig zu sein über die Sache mit der Kaution.

Ich gehe hinaus auf den Hof, lasse mich auf die Bank fallen und rauche erst mal eine. Der Anwalt hatte mir ja gesagt, dass ich lieber nicht darauf hoffen solle. Sechs Kilo Heroin mit einem Reinheitsgrad von sechzig Prozent seien nun mal verdammt viel. Und für das Gericht eben noch mehr, nämlich die 360 000 Mark, für die die Bande das Zeug hätte verkaufen können. Weil es in meiner Tasche war, sei ich für das Gericht damit automatisch Mitglied einer Bande. War ich aber nicht, denke ich trotzig. Oder war ich es doch, bloß ohne es zu wissen? Ja, ich fühle mich schuldig, weil ich meine Eltern angelogen habe, weil ich mich aus purer Abenteuerlust von Jenny auf diese Reise habe locken lassen. Klar hat mich das Geld gereizt, weil ich mir davon Unabhängigkeit versprochen habe. Aber ich wäre auch mitgefahren, wenn Jenny mir gar kein Geld in Aussicht gestellt hätte, garantiert. Trotzdem sehe ich ein, dass ich eine Strafe verdient habe. Nur, sind die Monate, die ich schon hier vor mich hin vegetiere, nicht Strafe genug für meine Dummheit?

Ich puste den Rauch in den Himmel, der wieder sein unverschämt blaues Rechteck über den Hof spannt, und wünsche Jenny, dass sie bald erwischt wird und richtig lange ins Gefängnis muss. Ich hasse dich, Jenny, ich habe noch nie jemanden wirklich gehasst in meinem Leben, wie ich noch nie einer Freundin so vertraut habe wie dir. Komisch, dass Hass und Liebe so dicht beieinander liegen, denke ich. Aber das tun sie – irgendwie.

Ein Schluchzen reißt mich aus dem Schlaf. Flory weint. Schon wieder.

Ich setze mich im Bett auf und beuge mich zu ihr hinüber.

»Mach dir keine Sorgen«, sage ich. »Du gehst heute zum Gericht und nachher wirst du deine Sachen packen und heim nach Rumänien fliegen. Ich sollte weinen, nicht du.«

Heute ist der 30. März, der Tag, an dem Florys Urteil verkündet werden soll. Seit zwei Tagen weint und betet sie ununterbrochen. Es ist das erste Mal, dass ich sie trösten muss, ein ungewohntes Gefühl, weil sie sonst immer die Stärkere ist von uns beiden, wie eine zweite große Schwester, die immer Rat und einen Ausweg weiß.

»Kreditkartenbetrug ist eine schlimme Straftat«, schluchzt Flory.

»Ja, aber nicht für Ausländer«, versuche ich sie zu beruhigen. »Das sagen alle hier. Komm, stehe auf, du hast nicht mehr viel Zeit, um dich zurechtzumachen. Du musst gut aussehen, wenn du vor den Richter trittst.«

Flory wischt sich mit der Hand über die Augen und lächelt zaghaft. »Ich habe in den letzten Wochen so viel zugenommen, dass ich nicht mehr in mein Kostüm passe.«

»Dann fragen wir eben Fatoş und Aygül, ob sie dir etwas Passendes leihen können«, schlage ich vor.

Während Flory Aygüls Hosen anprobiert, kommen einige andere Frauen dazu und wollen uns helfen. Minuten später hat Flory einen ganzen Berg Klamotten zum Probieren und zig Paar Schuhe in ihrer Größe. Sie entscheidet sich schließlich für eine elegante schwarze Hose, die fast perfekt zu ihrer Kostümjacke passt, dazu eine weiße Bluse von Aygül und ein paar flache Pumps von Hamide. Dann verzieht sie sich eine halbe Stunde vor den kleinen Spiegel im Flur. Als sie wiederkommt, um sich zu verabschieden, erkenne ich sie kaum wieder. Keine Spur mehr von den roten Flecken im Gesicht, die vom vielen Weinen stammen. Flory sieht aus wie eine elegante Geschäftsfrau.

»Viel Glück«, wünsche ich ihr zum Abschied und muss beinahe selbst weinen, weil ich jetzt schon weiß, dass Flory morgen nicht mehr hier sein wird.

Um 18 Uhr kommt sie zurück. Sie strahlt, sie lacht, sie sagt »tahliye«, das türkische Wort für »entlassen«. Ich umarme sie, freue mich ehrlich über ihre Freude und helfe ihr schnell, ihre Sachen zu packen. »Hier, den schenke ich dir, damit ich immer bei dir bin«, sagt Flory und gibt mir ihren Mantel, einen schwarzen aus feiner Wolle, der so aussieht, als ob er irre teuer gewesen sei.

»Okay«, sage ich, »dann gebe ich dir meine Adidasjacke und den schwarzen Rolli, den du so magst.«

»Schneller, schneller«, drängt die Wärterin, die uns im Nacken sitzt und penetrant mit ihrem Schlüsselbund klimpert. Dann gibt sie auf und wir schleichen uns in die Küche, um mit Aygül und Fatoş noch einen Kaffee zu trinken.

»Fatoş, du musst in mein Bett umziehen, neben Andrea«, sagt Flory und hat schon wieder Tränen in den Augen.

Da schallt die keifende Stimme der Wärterin die Treppe hinunter: »Flory, du bist frei, nun komm doch endlich.«

Flory springt auf. »Ich muss mich noch von den anderen verabschieden«, stammelt sie und rennt die Treppe hinauf.

Jetzt laufen bei mir die Tränen. Langsam folgen wir ihr nach oben. Wir sind die Letzten, die Flory umarmt, wortlos und länger als die anderen. Dennoch geht alles rasend schnell und ich bin sogar froh darum, sonst hätte ich das Ganze wohl kaum verkraftet.

»Ich werde dir schreiben«, sagt Flory, »und viel Glück für deinen Prozess. Du wirst sehen, du bist schneller in Berlin, als du glaubst.«

13

Es ist der 19. April, mein zweiter Gerichtstermin steht an. Ich habe noch mehr Angst als beim ersten, obwohl ich heute erneut ordentlich Heimatunterstützung im Gerichtssaal habe. Mama und Nicky werden wieder da sein und diesmal auch Ariane, die einzige Freundin, die mir regelmäßig schreibt und nach der Mama meine kleine Schwester benannt hat. Ariane und ich waren zusammen in der Grundschule und auf dem Gymnasium und haben damals geträumt, dass wir zusammen in eine gemeinsame Wohnung ziehen, wenn wir erwachsen sind. In den letzten Jahren haben wir uns nicht mehr so oft gesehen, weil wir auf verschiedene Schulen gingen, aber hier im Gefängnis zeigt sich, auf wen ich wirklich zählen kann. Jeder ihrer Briefe ist ein kleines Kunstwerk, liebevoll bemalt. Es tut gut zu wissen, dass sie mich nicht vergisst in diesem Loch. Sie schreibt von ihrem Alltag, vom Job und von ihrem Hund. Wir waren oft zusammen mit den Hunden draußen. Ich mit Cora und Ari mit Diva. Sie hat mir auch Fotos geschickt, von ihrem Garten zu Hause, voller Schnee. Das ist wohl schon ein bisschen her, die Post dauert ja so lange. Ich sehe Ari vor mir, so blond, so klug, zuverlässig. Hätte ich ihr doch nur von meinen Reiseplänen erzählt, sie hätte mich niemals fahren lassen!

Das Gericht hat es alles andere als eilig. Ich muss wieder in dem winzigen Raum mit der Gitterwand warten, zusammen mit meinen Bewachern. Zäh quälen sich die Stunden dahin. Zum

Glück unterhält sich wenigstens einer der Soldaten mit mir, obwohl er die Deutschen offenbar nicht besonders mag und viel über sie schimpft. Nach viereinhalb Stunden werde ich endlich in den Gerichtssaal gebracht. Und dort geht plötzlich alles ganz schnell. So schnell, dass ich gar nicht richtig kapiere, was da eigentlich läuft. Am Ende weiß ich nur, dass der Staatsanwalt sagt, er bewerte mein Vergehen nicht als richtigen Drogenschmuggel, sondern nur als Versuch. Außerdem lobt er meine Zusammenarbeit mit der Polizei und die gute Führung im Gefängnis, was die Strafe zusätzlich herabsetze.

Nun wendet sich der Richter meinem Anwalt zu und sagt etwas, das ich nicht verstehe. Ich sehe nur, dass Herr Caner überrascht guckt und zu gestikulieren beginnt. Plötzlich lächelt der strenge Richter tatsächlich und nennt einen neuen Gerichtstermin, den 10. Mai. Verwirrt schaue ich auf die Uhr, gerade mal zwanzig Minuten hat das Gericht getagt. Als die Soldaten mich hinausführen, werfe ich Mama einen fragenden Blick zu. Sie wird sich sicher heute noch mit Herrn Caner treffen, da kann sie mir ja bei ihrem morgigen Besuch erzählen, was da gerade Komisches passiert ist im Gericht.

Am nächsten Tag kommt Mama allein. »Nicky und Ariane haben leider keine Besuchsgenehmigung erhalten«, sagt sie.

Ich bin ein bisschen traurig, weil ich so darauf gehofft hatte. »Nicht so schlimm«, antworte ich trotzdem. »Das Wichtigste ist, dass du da bist. Sag mal, was war denn da gestern eigentlich los?«

Mama erklärt mir, dass der Richter eigentlich schon das Urteil sprechen wollte. »Herr Caner hat mir gestern gesagt, dass damit nicht zu rechnen war und er für die Vorbereitung des Plädoyers noch etwas Zeit brauche. Deshalb hat der Richter den Termin verschoben.«

»Das bedeutet, dass ich noch einen ganzen Monat länger hier bleiben muss!«, rufe ich empört. »Warum hat er das getan?«

»Weil er sich ausrechnet, dass du mit einem perfekt ausge-
feilten Plädoyer eine weitaus niedrigere Strafe bekommst, als
wenn der Richter gestern entschieden hätte«, sagt Mama.

Das hört sich dann doch nach einer guten Idee an, und so
bin ich gar nicht so traurig, als sie wieder fahren muss.
Schließlich kommt sie ja schon bald wieder, wenn der Prozess
fortgesetzt wird.

Der Sommer beginnt, bevor der Frühling zu Ende ist, in den
ersten Tagen im Mai. Fatoş und ich verbringen fast den ganzen Tag auf dem Hof, wir nehmen uns Decken mit hinaus und
legen uns auf den Rücken in den Schatten, den die Mauern
werfen, und zwar so, dass wir nur den Himmel sehen. Stundenlang dösen wir vor uns hin und stellen uns vor, dass unsere Decken auf einer Wiese liegen.

Ich habe den letzten Brief mitgenommen, den Mama mir
geschickt hat. Darin schreibt sie, dass die Bande, für die
Jenny gearbeitet hat, nicht nur Drogen schmuggelte, sondern
auch Mädchen nach Afrika verkaufte. Das hat ihr Brigitte erzählt, ein Mädchen, das sich telefonisch bei meinen Eltern
gemeldet hat. Brigitte hat die gleiche Reise wie ich gemacht
vor ein paar Jahren und bestätigt, dass man bei der ersten
Tour von dem Heroin nichts wissen kann. Sie will sogar bei
der Polizei eine entsprechende Aussage machen, um mir zu
helfen – voll nett. Ich würde Fatoş gern davon erzählen, aber
so gut ist mein Türkisch noch nicht.

Das mit dem Mädchenhandel geht mir einfach nicht aus
dem Kopf. Ob Jenny da mittlerweile auch mit drinsteckt? Vielleicht haben sie sie nach Afrika verkauft, weil die Sache mit
mir schief gegangen ist. Oder sie liegt bei einem der Chefs auf
der Couch, als Spielzeug fürs Bett. Mein Anwalt sagt, es sei
durchaus möglich, dass Jenny gar nicht mehr lebt. Solche
Banden bringen Leute, die zu viel wissen, manchmal um. Voll
der Horrorgedanke, dass die mich kennen und ich sie nicht.
Auch wenn Herr Caner überzeugt ist, dass ich viel zu unwich-

tig für die war und sie sich niemals ernsthaft für mich interessieren würden. Hoffentlich stimmt das.

Genau an diese Worte muss ich denken, als ich am 10. Mai um 9.15 Uhr in den Gerichtssaal gebracht werde. Heute ist der Tag der Entscheidung. Herr Caner hat mir gesagt, er gehe davon aus, dass mein Urteil heute gesprochen wird. Vielleicht sitze ich in ein paar Stunden im Flieger nach Berlin, bin frei.

»Passen dir die Sachen?«, fragt Mama auf der Treppe, als ich an ihr vorbeigeführt werde.

Sitzt alles prima. Die beige Weste, die sie mir mitgebracht hat, sieht sehr ordentlich und seriös aus. Das T-Shirt, das ich drunterziehen sollte, habe ich jedoch nicht an. »Trouble«, »Ärger« steht da drauf. Davon habe ich schon genug. Deshalb habe ich lieber das schwarze T-Shirt mit dem goldenen Stern angezogen. Ein Stern steht doch für Hoffnung, oder?

Im Gerichtssaal angekommen, drehe ich mich noch mal um und sehe, wie Mama und Papa mir aufmunternd zulächeln. Gut, dass sie da sind. Ich bemerke die Fotografen, die Kameras, und spüre, wie meine Wangen heiß werden. Das heißt, ich kriege ein knallrotes Gesicht.

Mein Blick wandert zu der mächtigen Holztribüne, auf der die Richter schon warten. Irgendwie wirkt sie dieses Mal nicht ganz so bedrohlich. Selbst der Anblick der mittelalterlich anmutenden Roben schüchtert mich diesmal nicht so ein.

Schnell winke ich Mama und Papa noch mal zu, dann ein letzter Blick nach hinten. Durch die Beine der bewaffneten Soldaten, die hinter meiner Holzbank stehen, beobachte ich, wie Mama sich an ihr Taschentuch klammert und ein paar Tränen aus den Augen wischt. Papa sieht ganz cool aus, wie immer. Ich drehe mich wieder nach vorn und sehe, wie die Frühlingssonne ihr freundlich-warmes Licht durch die beiden Fenster am Kopf des Saales schickt. Ich höre die Freiheit: das Knattern der Motorräder, Hupen, das Geschrei der fliegenden

Händler, die um Kunden werben. Mann, muss das laut sein, wenn ich erst da draußen auf der Straße stehe.

Der Ventilator schweigt heute und der Richter macht sich auf andere Weise Luft. Er hat seine Robe geöffnet, darunter trägt er ein blaues Hemd und Schlips. Lässig zurückgelehnt lauscht er dem Plädoyer meines Anwaltes. Das ist verdammt lang, vor allem, wenn man nicht alles versteht. Ich weiß, dass er sagt, ich hätte nichts wissen können von dem Heroin, genauso wenig wie von der Bande, und dass er auf Freispruch plädiert. Sollte es doch zu einer Strafe kommen, wird er Strafermäßigung fordern wegen guter Führung.

Auch ohne mich umzudrehen, kann ich die Gegenwart der Soldaten spüren, wie sie hinter mir stehen, als müssten sie einen Schwerverbrecher bewachen, stocksteif, die Hände wie immer auf dem Rücken verschränkt. Instinktiv ziehe ich die Schultern zusammen. Am liebsten wäre ich jetzt unsichtbar, und weil das nicht geht, mache ich mich so klein wie möglich. Der Richter muss sie jetzt sehen können, die Angst in meinen Augen, die Angst, durch die ein Fünkchen Hoffnung blitzt.

Jetzt bin ich dran. »Ich schließe mich meinem Anwalt an«, sage ich wie vereinbart auf Türkisch. »Ich bitte um Freispruch, ich habe noch nie in meinem Leben Heroin gesehen, ich wusste nicht, dass meine Freundin Jenny so etwas schmuggelt. Ich bin unschuldig, bitte lassen Sie mich nach Hause gehen. Ich möchte mich außerdem noch einmal bei den türkischen Behörden bedanken, dass sie mich mit der Festnahme vor dieser Bande geschützt haben.«

Dann ist Pause und das Gericht zieht sich zur Beratung zurück. Ich habe Angst, mir ist ganz schlecht. Ein paar Tränen schleichen sich in meine Augenwinkel, obwohl ich mir fest vorgenommen habe, tapfer zu sein.

Bis es weitergeht, muss ich in der Halle vor dem Gerichtssaal warten, umringt von einem Pulk Soldaten. Ich bin eigentlich ganz froh, dass sie da sind, denn sie stehen zwischen mir und den vielen Journalisten. Es ist ganz schön anstrengend, ständig angeglotzt zu werden. Ab und zu gucke ich einfach an die Decke, um den neugierigen Blicken zu entgehen. Ich fühle mich wie ein in die Enge getriebenes Tier. Zum Glück schicken die Gerichtsangestellten die Fotografen schnell weg. Nur Mama, Papa und ein paar einzelne Journalisten dürfen bleiben. Das lässt sich aushalten.

Fünf Minuten stehe ich so da, fünf Minuten, die sich anfühlen wie fünf Stunden. Dann ertönt der Gong, so eine Art Dingdong, wie eine Haustürklingel. Es geht weiter. Das Gericht hat entschieden.

Als der Richter den Saal betritt, versuche ich an seinem Gesicht abzulesen, wie er entschieden hat, doch er verzieht keine Miene. Ungerührt blickt er geradeaus, während ich mich erhebe, räuspert sich kurz und setzt dann zum Sprechen an. Meine Hände sind schweißnass und ich spüre, wie mir heiß und kalt zugleich wird.

»Hiermit verurteile ich Andrea Rohloff zu sechs Jahren und drei Monaten Gefängnis«, sagt der Richter und ich erstarre vor Schock. »Wegen Heroinschmuggels und Zugehörigkeit zu einer Bande.«

Ich bin empört. Hat der denn gar nichts verstanden? Der Richter scheint mein Entsetzen gar nicht wahrzunehmen, denn er beendet die Verhandlung, ohne mich eines Blickes zu würdigen.

Die paar Meter vom Gericht bis zum Gefangenentransporter sind die Hölle. Ein wahrer Spießrutenlauf durch die Journalisten, die vor mir herrennen, ihre Kameras auf mich richten und mir ihre Mikrofone entgegenschieben. Sie drängeln, sie schubsen, alle wollen in die erste Reihe. »Andrea, wie fühlst du dich?«

Dabei kann ich jetzt beim besten Willen nicht sprechen. Ich schluchze und schluchze, will nur eines: weg hier, mich verstecken. Damit habe ich nicht gerechnet. Ich hatte mir so gewünscht, dass dies mein letzter Gerichtstermin sei. Das ist aber auch der einzige Wunsch, der in Erfüllung gegangen ist.

Zurück in der Zelle, hört der Weinkrampf endlich auf. Ich verkrieche mich in mein Bett und versuche den Kopf wieder klar zu bekommen. Also, jetzt mal sachlich, was bedeuten die sechs Jahre und drei Monate wirklich? Hier muss man bei guter Führung nur ein Drittel der Zeit absitzen. Bleiben also noch zwei Jahre. Aber auch das ist entsetzlich viel. Ich bin jetzt achtzehn. Ich habe meinen ersten, zugegeben dummen Schritt ins Erwachsenenleben getan und bin noch voll in Jugendlichen-Stimmung. Danke, Jenny!, denke ich voller Wut. Danke für den tollen Langzeiturlaub hinter Gittern, den du mir eingebrockt hast.

Dabei hatte unsere Reise so viel versprechend begonnen, genau so, wie sie es mir ausgemalt hatte. Die Erinnerung wird lebendig, ich sehe mich und Jenny am Bahnhof Zoo in den Nachtzug nach Amsterdam steigen am Samstag, dem 13. Januar. Ich fühle die Aufregung, die Vorfreude, weil es losgeht, endlich.

14

Als wir unsere Taschen in den Zug wuchten, schlägt uns diese typische Bahnluft entgegen. Warme, leicht muffige Luft, aus der der meiste Sauerstoff schon weggeatmet ist. Ich mag das Gefühl, dass dieser Zug so viele Menschen an derart verschiedene Orte bringt. Unzählige Leben in Bewegung und Jenny und ich gehören dazu. Es ist verdammt eng mit meinen vielen Taschen in dem Sechserabteil, in dem wir zwei Betten gebucht haben, aber gemütlich.

Ich habe noch nie im Zug geschlafen. In einem richtigen Bett mit Bettwäsche drauf. Ein Minihotel, das mit mehr als zweihundert Stundenkilometern durch die Nacht rast. Hinein ins Abenteuer. Jetzt bin ich überglücklich. Ich versuche mir vorzustellen, was wir so alles erleben werden. Doch das ist schwierig, weil ich Jenny jetzt keine Fragen stellen kann. »Denk dran«, hat sie vorher extra noch mal gesagt, »unterwegs reden wir nicht über unsere Tour.« Da halte ich mich natürlich dran. Schließlich ist außer uns noch ein Mann in dem Abteil. Wann wir wohl von Amsterdam nach Antalya fliegen? Ich glaube, das weiß selbst Jenny noch nicht. »Das entscheidet sich meist kurzfristig«, hat sie mir erklärt. Was immer das heißen mag. Es ist schon spannend: Diese Reise ist wie ein Puzzle, aus dem ich zwar schon viele Teile kenne, jedoch nicht genug, um mir vom Ganzen ein Bild zu machen. Vielleicht ist es sogar noch aufregender dadurch. Wie bei einer Schnitzeljagd, wo man immer neue überraschende Aufgaben kriegt. Das ist genau das, was ich wollte: ein Leben, das alles andere als langweilig ist. Fängt doch gut an.

Eigentlich hat Jenny das Bett ganz unten und ich habe das Etagenbett in der Mitte. Dummerweise schläft der Typ, ein Ausländer Mitte vierzig, genau gegenüber. Weil ich keine Lust habe, dass der mich nachher beim Schlafen anguckt, verziehe ich mich ebenfalls nach unten. So können Jenny und ich uns auch besser unterhalten. Könnten. Wenn diese Typen im Nachbarabteil nicht so einen Lärm machen würden. Bum, bum, bum, ständig klopfen sie an die dünne Wand, die uns trennt. Den Mann oben in seinem Etagenbett stört das wohl gar nicht, wundere ich mich noch, aber da schnarcht er auch schon tief und fest.

Jenny und ich gehen noch mal auf den Gang, eine rauchen. Kurz darauf kommen die nervigen Typen aus dem Nachbarabteil auch heraus. Sie sind Mitte zwanzig und sprechen gebrochen Englisch. Vermutlich sind sie aus Polen oder aus irgendeinem anderen osteuropäischen Land. Jenny und ich finden sie ein bisschen aufdringlich und haben überhaupt keine Lust, mit ihnen zu quatschen. Also ziehen wir uns ins Abteil zurück, doch sofort geht die lästige Klopferei wieder los. Wir klopfen zurück. Und irgendwann wird es denen zum Glück langweilig. Ich bin todmüde. Wir beschließen zu schlafen, damit wir morgen fit sind für Amsterdam. Das gleichförmige Ruckeln des Zuges wiegt mich bald in den Schlaf.

Es ist gegen 9 Uhr morgens, als der Zug auf dem Bahnhof in Amsterdam einläuft. Jetzt schaffe ich es nicht einmal mehr, meinen Tee auszutrinken, und das, obwohl der ganz schön teuer war. Gut, dass ich vor Aufregung sowieso keinen Hunger habe, die Sandwiches sind nämlich unbezahlbar.

Ich bin tierisch gespannt, was Ordell wohl für ein Typ ist. Jenny hat mir nicht viel von ihm erzählt, nur, dass er dunkelhäutig sei und ein echt großzügiger Typ. Hoffentlich ist er überhaupt schon da, um uns abzuholen. »Der kommt immer zu spät, das kenne ich schon«, hat Jenny gesagt.

Wir steigen aus und ich staune, wie riesig der Bahnhof ist. So groß kam mir das gar nicht vor, als ich im letzten Sommer mit Mama und meiner Freundin Ariane von unserem holländischen Ferienort aus eine Tagestour nach Amsterdam gemacht habe.

Mann, ist das eine Schlepperei. Wir müssen in die Halle zum Treffpunkt mit meiner großen blauen Tasche und dem Rucksack. Ich hatte sogar noch eine Reisetasche gepackt, doch dann haben wir das Gepäck noch mal reduziert, weil Jenny meinte, dass das echt zu viel sei. Jetzt bin ich ganz froh darüber.

Wir stehen in dem kleinen Gang, der von der Halle abgeht. Wo ich hingucke, sind Läden, Souvenirshops, Imbisse, ein Zeitungskiosk, der Kartenverkauf. Natürlich ist Ordell zu spät dran. »Typisch Ordell, ich hab's ja gewusst«, sagt Jenny und verdreht gespielt genervt die Augen. Die Halle hat sich schon geleert. Ein paar Touristen rennen noch planlos durch die Gegend und ab und zu torkelt ein Besoffener vorbei. Dann ist Ordell endlich da. Nicht zu übersehen, ein großer, kräftiger Schwarzer mit Glatze. Er ist ziemlich schick angezogen und mir fallen sofort seine feinen Lederschuhe auf. Die waren nicht billig, das sieht man. Mein Fall sind sie trotzdem nicht.

Ordell umarmt Jenny. Dann lächelt er mich freundlich an, dass seine weißen Zähne blitzen, und streckt mir die Hand entgegen. »Du musst Andrea sein«, begrüßt er mich auf Englisch.

Ordell ist mit dem Taxi gekommen, der Fahrer wartet draußen. Während der Mann die Taschen im Kofferraum verstaut, nimmt Ordell auf dem Beifahrersitz Platz, Jenny und ich teilen uns die Rückbank. Im Zickzackkurs lotst Ordell den Taxifahrer in nuscheligem Englisch durch die Stadt und schon nach fünf Minuten habe ich jegliche Orientierung verloren.

Wir kommen in eine Wohngegend, die ich noch nie zuvor gesehen habe. Obwohl das hier noch zum Stadtzentrum gehört, wie Jenny mir versichert, und das habe ich mir ja mit Mama und Ari damals genau angeguckt. Die Häuser, vier- bis sechsstöckige Altbauten, sind grau, viele könnten einen neuen Anstrich vertragen. Ein Wohnviertel, das mich total an Berlin-Lichtenberg erinnert.

Ausgerechnet hier halten wir an. Das Haus liegt, wie Jenny erzählt hat, direkt an einer Gracht. So ein typischer holländischer Altbau. Wir gehen die enge Treppe hoch bis nach oben in den dritten Stock. Ordell nestelt seinen Schlüssel aus der Tasche und ich kann es kaum erwarten, endlich mein neues Zuhause zu sehen. Jenny hat Recht, es ist total gemütlich hier. Frisch abgeschliffener Dielenfußboden überall, der bei jedem Schritt behaglich knarrt, darauf ein paar Läufer, alles hell und sauber. Hinter der Haustür beginnt ein kleiner Flur, rechts geht das Bad ab, geradeaus ist die Küche mit einem kleinen Balkon. Daneben liegt das Schlafzimmer von Ordell. Sehr schick: Ein Doppelbett steht da drinnen mit zwei riesigen Kuscheltieren darauf, dazu ein Schrank und eine Kommode – alles in feinem hellem Holz.

Gleich links neben der Eingangstür ist noch ein Zimmer. »Hier könnt ihr schlafen, wenn es euch nichts ausmacht«, sagt Ordell höflich.

Ob Jenny ihm schon gesagt hat, dass ich vielleicht bald für immer hier einziehen werde? Das Zimmer ist ziemlich schmal. So ein Schlauch, in den das altmodische Bett aus dunklem Holz, das am Kopfende so eine Art Regalablage hat, gerade eben reinpasst. Daneben ist vielleicht noch ein halber Meter Platz. An der Wand mit der altmodischen Blümchentapete hängt ein Jesusbild mit Muschelrahmen drum herum. Ein bisschen omamäßig die Einrichtung, aber ich erkenne sofort, dass man da was draus machen kann. Gut, dass ich meine ganzen Lieblingssachen von zu Hause mitgenommen habe. Wenn da erst noch ein paar Fotos und Poster an die Wand kommen, sieht es hier schon ganz anders aus.

Zum Schluss zeigt uns Ordell noch das Wohnzimmer, das ab

jetzt ja auch unseres ist. Wow! Gegenüber des elektrischen Möchtegernkamins mit heimelig flackernder Gasflamme steht eine edle dunkelgrüne Ledercouch mit einem eckigen Glastisch davor. Es gibt einen großen Fernseher und eine erstklassige Anlage, die guten Sound verspricht. Eine echt coole Wohnung, in der man es aushalten kann. Ich sehe, dass im CD-Ständer noch Platz ist, und sortiere erst mal meine mitgebrachten Scheiben ein. Anschließend mache ich unser Schlafzimmer gemütlich. Das Kuschelkissen und der Steiff-Teddy von Mama kommen aufs Bett, der Minibeetle von Nicky in das Regal am Kopfende. Und dann sind da noch der Totenkopfaschenbecher und die Kassetten. Als ich fertig bin, weiß ich, dass ich jetzt endgültig angekommen bin in meinem neuen Zuhause.

»Feel free«, sagt Ordell immer wieder zu mir, während er uns alles zeigt. Mir alles zeigt – denn Jenny kennt sich ja hier aus. Ich nehme ihn beim Wort und inspiziere erst mal gründlich den Kühlschrank. Ordell hat Erdnussbutter eingekauft, die mit den crunchigen Stückchen: köstlich. Ich schmiere mir ein paar Brote und merke, dass ich riesigen Appetit habe. Kein Wunder, wenn man so viel erlebt ohne Frühstück im Bauch.

Ordell scheint okay zu sein, auch wenn wir noch nicht so viel geredet haben. Mit Jenny diskutiert er grade über Steffi. Die scheint er wohl nicht besonders zu mögen. So richtig verstehe ich nicht, worum es geht, weil er mit einem wirklich merkwürdigen Akzent spricht und das auch noch schnell. Aber egal, mal gucken, wie das jetzt hier weitergeht. Wann wir losfahren, in die Türkei. Ich verkneife mir irgendwelche blöden Fragen, weil ich auf keinen Fall so nervig sein möchte wie Steffi. Jenny hat ja gesagt, dass sie mir alles Wichtige im Laufe der Reise erkläre. Das hat sie bisher gemacht und das wird sie auch in Zukunft tun.

Bleibt also für mich nichts übrig, als mich zurückzulehnen und meine neue Freiheit zu genießen. Jenny verzieht sich unter die Dusche und Ordell fängt in der Küche an, etwas zu brutzeln. Allein mag ich nicht im Wohnzimmer herumsitzen, deshalb gehe ich in die Küche und frage Ordell, ob ich ihm helfen könne. »Nein, nein«, sagt er, »setz dich hin und entspann dich. Du brauchst gar nichts zu tun.«

Er hat Reis mit Hühnchen gekocht. Das Essen ist so scharf, dass mein Mund brennt wie Feuer. Zum Glück gibt es leckeren Papayasaft dazu, süß und cremig, der lindert die Schärfe ein bisschen. Trotzdem, so richtig mein Geschmack ist dieses Gericht nicht. Aber Ordell kann ja nicht wissen, dass ich das nicht gewöhnt bin. Ich lobe seine Kochkünste trotzdem, weil ich es nett finde, dass er sich so um uns kümmert.

Ordell und Jenny haben offenbar echt ein bisschen Stress. Es geht nicht nur um Steffi, sondern auch um irgendwen anders. »Sollen die doch eifersüchtig sein«, höre ich Ordell sagen. »Das ist mir egal. Wichtig ist, dass du mit niemandem darüber redest, was du machst.«

Später sagt Jenny zu mir: »Wenn Steffi weiter nervt, brauche ich Ordell nur anzurufen und schwups, ist sie von der Welt verschwunden.« Klingt ein bisschen gruselig. Als sie das Fragezeichen in meinem Gesicht sieht, lächelt sie mir aufmunternd zu. »Du weißt ja, dass ich unter seinem persönlichen Schutz stehe. Überall, wo ich bin, passen seine Leute auf mich auf. Und auf dich natürlich jetzt auch.«

Da bin ich wieder beruhigt. Ordell ist total nett zu mir, ich glaube, er mag mich wirklich.

Am Abend gehen wir in eine Videothek und leihen uns den Film »Runaway Bride – Die Braut, die sich nicht traut« aus. Ist schon ein cooles Gefühl, so eine eigene Wohnung. Ich schlafe wie ein Baby in unserem großen, kuscheligen Bett. Unser Bett, unser Zimmer, unser neues Zuhause – echt schau.

Als ich aufwache und mich umschaue, muss ich mich beinahe kneifen, um sicher zu sein, dass unser Traum wirklich wahr geworden ist. Nach dem Frühstück geht Ordell mit Jenny und mir gleich in die Stadt.

»Sag Bescheid, wenn du irgendwas brauchst«, meint er, »Klamotten oder so.«

Ich erwidere, dass ich alles mithätte. Na ja, ich könnte ja mal wieder zum Friseur gehen. Aber das werde ich machen, wenn wir aus der Türkei zurück sind.

Jetzt müssen wir erst mal dafür sorgen, dass mein Handy fürs Ausland freigeschaltet wird. Jenny hatte mir ja schon in Berlin ein neues gekauft, mit einer anderen Nummer. Das ist viel schicker als mein altes und hat außerdem auch einen D1-Vertrag, wie ihres. So können wir billiger miteinander telefonieren.

»Ich kümmere mich um die Auslandsfreischaltung«, verspricht Ordell.

Weil Ordell in der Wohnung kein Telefon hat, muss ich meine Eltern aus der Stadt anrufen. Schließlich habe ich ihnen bei meiner Abreise versprochen, dass ich mich heute melden würde. Und daran will ich mich halten, damit sie sich keine Sorgen machen. Außerdem will ich ihnen meine neue Handynummer durchgeben. Ordell bringt uns in so ein komisches Telefoncenter. Um meine Eltern anzurufen, müssen wir uns in einer Schlange vor einem Glasfenster anstellen. Als ich dran bin, soll ich die Rufnummer meiner Eltern in so einer Art Schublade unter dem Fenster durchschieben und im Voraus bezahlen.

»Kabine zwei«, sagt der Mann hinter dem Fenster.

Wir gehen hin und Ordell erklärt mir: »Jetzt musst du den Hörer abnehmen. Wenn du Glück hast, ist jemand dran.«

»Hallo«, höre ich Papas Stimme.

»Ich bin's, Andrea«, sage ich und merke, dass es so komisch hallt in der Leitung. Als Erstes gebe ich meine neue Nummer durch.

»Die Leitung hört sich aber merkwürdig an«, meint Papa, »hört da einer mit?«

»Quatsch«, erwidere ich und verspreche, mich bald wieder zu melden. Dann ist das Geld alle und das Gespräch wird unterbrochen. Schade, aber wenigstens haben sie jetzt zu Hause die Nummer.

Papas Stimme erinnert mich daran, dass ich meine Eltern belogen habe. Doch immerhin habe ich mich gemeldet, wie versprochen. Zuverlässigkeit ist ihnen sehr wichtig. Und es ist ja wirklich nicht schwer, sich daran zu halten. Hoffentlich kriegt Ordell es bald hin, dass mein neues Handy auch im Ausland funktioniert.

Viel Zeit hat er nicht dafür. Wir fliegen tatsächlich schon morgen in die Türkei, nach Antalya. Als wir nach Hause kommen, zeigt Ordell uns die Tickets. Wahnsinn! Er hat auch zwei kleine Sporttaschen gekauft, die sind noch eingeschweißt. Da sollen wir die Sachen reinpacken, die wir mitnehmen.

»Ganz schön klein«, stelle ich fest, als ich meine aus der Verpackung gepult habe. Ich drehe die Tasche hin und her und kriege plötzlich Angst, dass da vielleicht schon das drin ist, was wir transportieren sollen. Dennoch frage ich Jenny lieber nicht, weil ich ihr nicht so auf den Wecker fallen will wie Steffi.

Stattdessen beobachte ich sie und stelle fest, dass sie ganz entspannt ihre Sachen einpackt. Wird schon alles seine Richtigkeit haben, denke ich mir.

Jenny scheint meine Unsicherheit zu spüren. »Handtücher und Bettwäsche gibt es im Hotel«, sagt sie. »Nimm wirklich nur das Nötigste mit.« Also Unterwäsche, Schlaf-T-Shirt, ein Shirt zum Wechseln und einen Pullover. Mehr Klamotten bräuchte ich nicht, meint Jenny.

Abends gehen wir alle zusammen aus. Ins »Bulldog Sport«, das ist nur ein paar Straßenbahnstationen von Ordells Wohnung entfernt.

»Pass auf, wenn du flirtest«, ermahnt Jenny mich, bevor wir losgehen. »Mach das bloß unauffällig. Ordell mag das nämlich gar nicht. Das ist auch einer der Gründe, warum er sich so über Steffi aufgeregt hat.« Das finde ich nun total lächerlich. Ich lasse mir doch von niemandem das Flirten verbieten. Er wird's schon nicht mitkriegen. Ordell scheint zwar sehr hilfsbereit zu sein, aber ein wenig merkwürdig ist er schon. Und kein bisschen sexy, was ihn als Mann total uninteressant macht.

Es ist ziemlich schummerig in dem Lokal. Links stehen so ein paar Daddelautomaten, rechts mehrere kleine runde Bistrotische – alles in dunklem Holz. Wir spielen Billard, mit einem Freund von Ordell, ebenfalls ein Schwarzer. Ich kann die beiden eigentlich kaum unterscheiden, sie sehen aus wie Zwillinge. Wir spielen zwei gegen zwei, Jenny mit Ordell und ich mit dem anderen, weil Männer beim Billard ja immer besser sind als Frauen. Es ist zwar nicht mein erstes Mal, aber ich spiele eigentlich immer wie ein Volltrottel Billard. Wundert mich auch nicht, dass unser Team verliert.

Ist mir auch egal. Vielleicht liegt's am Flirten. Bis jetzt hat Ordell noch nichts gesagt. Doch vielleicht reißt er sich ja auch nur zusammen.

Ich trinke Piña-Colada und rauche mehr Zigaretten als sonst, was vermutlich daran liegt, dass die Unterhaltung nur schleppend und oberflächlich läuft. »Du bist dran«, »Danke«, »Willst du noch was trinken?«, »Feuer?« Das sind so die Gesprächsfetzen, die sich zäh durch den Abend ziehen.

An dem Stehtisch vor einem der Automaten teilen sich vier Typen etwas, was verdächtig nach einem Joint aussieht und riecht. Ist ja erlaubt in Holland. Ordell scheint das nicht zu interessieren. Er trinkt nicht, raucht nicht und besonders lustig ist er auch nicht. Ich weiß wirklich nicht viel mit ihm anzufangen.

Abends im Bett kann ich nicht einschlafen vor Aufregung. In wenigen Stunden geht es los. Ich war noch nie in der Türkei. Was werden wir da wohl alles unternehmen? Ich halte es nicht mehr aus vor Neugier.

»Was machen wir denn, wenn wir in Antalya angekommen sind?«, frage ich Jenny.

»Wir besuchen da ein paar Freunde von mir«, antwortet sie knapp.

Ja, und da ist noch eine Frage, die mich schon den ganzen Tag quält. »Warum sollen wir denn nicht so viel Gepäck mitnehmen?«, bohre ich weiter.

»Ich habe dir doch gesagt, dass in die Taschen was reingepackt wird«, erklärt Jenny und gähnt demonstrativ.

Diesmal lasse ich jedoch nicht locker. »Und du hast Ordell noch nie gefragt, was das ist?«, hake ich weiter nach.

»Nein«, sagt Jenny, »weil ich es gar nicht wissen will. Das, was da drin ist, gehört mir nicht. Ich tue Ordell ja bloß einen Gefallen, indem ich die Tasche transportiere. Wenn er es mir erzählen möchte, wird er es von alleine tun.«

Alles okay. Jenny scheint überhaupt nicht aufgeregt zu sein. Ich bin beruhigt. Dafür kriege ich langsam Schiss davor, wie das wohl ist zu fliegen. Angst und Vorfreude, eine ganz schön kribbelige Mischung. Ich höre Jennys gleichmäßiges Atmen und wünschte, ich könnte auch so einfach einschlafen.

Am nächsten Morgen begleitet uns Ordell bis zum Flughafen.

»Denkt daran, dass ihr die Taschen mit ins Flugzeug nehmt, als Handgepäck«, ermahnt er uns. »Behaltet sie immer bei euch!«

Also doch, schießt es mir durch den Kopf. Wenn ihm das so wichtig ist mit den Taschen, dann hat er garantiert schon was reingepackt. Fragen kann ich das jetzt auf keinen Fall. Vielleicht habe ich das ja nur falsch verstanden, und dann ist es richtig peinlich. Schließlich waren die Taschen eingeschweißt, nagelneu und ganz leicht. Aber wenn es Papiere sind, um die es geht? Die kann man schließlich ganz unauffällig verstecken. Am liebsten würde ich Ordell einfach fragen, doch ich darf ja nicht in der Öffentlichkeit über unsere Reise reden und ich weiß auch, dass Jenny dann furchtbar sauer wäre auf mich.

Ordell findet sich offenbar total cool mit seinem Geheimnistick. Er mag es nicht nur nicht, wenn wir mit jemandem flirten, wir dürfen in seiner Gegenwart nicht einmal mit an-

21. Januar 2001 – Andrea wird verhaftet.

Die unheimliche Tasche mit den eingenähten sechs Kilogramm Heroin

Das Buca-Cezaevi-Gefängnis von Izmir

Andrea mit einer
Mitgefangenen in Izmir

Andreas Eltern warten vor dem Haupteingang des
Buca-Cezaevi-Gefängnisses in Izmir, um ihre Tochter besuchen zu können.

Der erste Prozesstag am 20. März 2001 – Andrea klammert sich an ihre 16-seitige Aussage.

Andreas Eltern und ihre Freundin Nicky im Gerichtssaal

Andrea zusammen mit ihrem Anwalt Ülkü Caner

Nach der Urteilsverkündung wird Andrea zurück ins Gefängnis gebracht. Unzählige Journalisten bestürmen sie mit ihren Kameras und Fotoapparaten.

Die Gefängnisanlage von Bilecik

Andrea umarmt glücklich ihre Mutter bei einem kurzen Besuch
im Gefängnis.

Ein Wiedersehen mit ihrer Schäferhündin Cora nach Andreas Entlassung
aus der Haft

Andrea mit ihren Eltern und ihrer kleinen Schwester Ariane wieder glücklich
vereint in Berlin.

deren Leuten reden. Jenny meint, da sei er halt ein bisschen komisch. Ich bin ganz schön froh, dass wir ihn gleich los sind. Was für ein Langweiler, eine echte Spaßbremse ist der Typ.

Wir fahren mit der Straßenbahn zu einem S-Bahnhof und von dort noch eine Station bis zum Flughafen Schiphol. Ordell verabschiedet sich in der Flughafenhalle von uns. Er hat Jenny die Tickets und das Geld gegeben, für Verpflegung und Hotelkosten. Keine Ahnung, wie viel das ist. Es wird schon reichen, Jenny verwaltet es.

Ganz schön verwirrend so ein Flughafen. Ich lasse mich treiben, laufe einfach mit Jenny mit. Bis wir vor einem Schalter stehen.

»Jenny, was soll ich denn jetzt machen?«, frage ich und versuche, so wenig nervös wie möglich zu klingen. »Müssen wir da einfach nur die Tickets hinlegen oder auch den Ausweis?«

Hat wohl nicht geklappt, der Versuch, die Aufregung herunterzuspielen. Jenny guckt ein bisschen genervt. »Bleib mal ruhig«, sagt sie und gibt der Frau hinter dem Schalter die Tickets.

Danach kommt erst die Ausweiskontrolle, ach so. Jetzt könnten wir doch eigentlich einsteigen in das Flugzeug, denke ich. Aber bevor wir in den letzten Warteraum dürfen, müssen wir unsere Taschen noch durch so ein Gerät fahren lassen. Mist, was ist, wenn in der Tasche doch schon was drin ist? Mein Herz rast, als ich sie auf das Band stelle, meine Hände sind nass vor Angstschweiß. Ich hoffe, dass die Zollbeamtin, die mich durch so eine kleine Kabine schickt, nichts merkt davon. Sie lächelt freundlich und sagt, dass ich jetzt meine Tasche nehmen könne. Puh, bin ich erleichtert.

Im Flugzeug sitzen wir in der Mitte, gleich hinter der Tragfläche. Ich habe den Fensterplatz, ich hatte Jenny ja schon vorher gesagt, dass ich unbedingt ans Fenster will. Nun probiere ich erst mal den Sitz aus, um die gemütlichste Position zu finden. Als ich mich endlich zurücklehne, rollen wir schon.

Geil, es geht los, denke ich. Ist schon irre, dass so ein riesiges Teil tatsächlich abheben kann.

Eine Stewardess reißt mich aus meinen Träumen. »Stellen Sie bitte die Rückenlehne hoch«, sagt sie und guckt streng. Als sie sieht, wie ich unbeholfen an dem Hebel herumfummele, lächelt sie doch noch.

Wir rollen schneller und schneller, wir rasen, und dann macht das Flugzeug einen Satz, der irgendwie komisch kribbelt im Bauch. So fühlt sich also Schweben an. Die Welt, die ich aus dem Fenster sehe, wird schief, weil wir jetzt Richtung Himmel unterwegs sind. Die Häuser schrumpfen und meine Ohren fallen ein bisschen zu. Als sie wieder aufgehen, höre ich das gleichmäßige Dröhnen der Motoren, die uns durch den strahlend blauen, wolkenlosen Himmel pflügen. Ich finde es herrlich. Kurz darauf bringt die Stewardess leckere Nudeln. So muss sich Urlaub anfühlen.

Ich habe mich gerade an die Leichtigkeit des Schwebens gewöhnt, da landen wir auch schon wieder. Das ist also Istanbul. Orientalisch sieht es nicht gerade aus, hier am Flughafen. Es ist ein moderner, riesiger Bau mit vielen Geschäften, Schaltern, Rolltreppen. Ziemlich leer, es sind nur wenige Reisende unterwegs. Januar ist wohl nicht die Hauptreisezeit für Türkeiurlauber. Wir haben eine Dreiviertelstunde Aufenthalt, dann geht es weiter nach Antalya.

Diesmal bin ich beim Start schon richtig routiniert und genieße entspannt meinen Fensterplatz. Vor uns sitzen lauter hübsche Jungs. Eine Fußballmannschaft sei das, erzählt uns der Manager. Cool, dass wir endlich wieder mit Leuten reden können – ohne Ordells Aufsicht.

Als wir in Antalya landen, ist es schon dunkel. Nachdem wir die Passkontrolle hinter uns gebracht haben, lotst Jenny mich zum Taxistand.

»Hotel Basel«, sagt sie, während wir uns auf die Rückbank fallen lassen. Das ist das Hotel, das Ordell für uns ausgesucht hat.

Der Taxifahrer guckt ratlos, doch zum Glück kennt sich Jenny hier hervorragend aus. Sie erklärt ihm den Weg, sagt ihm sogar, wo er abbiegen muss. Wir fahren in eine Wohngegend mit vielen Einfamilienhäusern und kleinen Hotels. Nach einer nicht enden wollenden Tour durch die halbe Stadt sind wir endlich da.

Bevor wir das Hotel betreten, werfen wir noch unsere Flugtickets weg.

»Aber da ist doch noch ein Rückflug drauf«, protestiere ich. Es tut mir richtig weh, so etwas zu tun. Schließlich bin ich ein sparsamer Mensch.

»Ordell will das so. Wir kriegen neue Tickets, wenn er weiß, wann es weitergeht«, erklärt Jenny.

Wird schon einen triftigen Grund dafür geben, denke ich. Wenn Ordell uns schon den Hinflug bezahlt hat und jede von uns so viel Geld für die Reise kriegt, dann werden auch die Rückflugtickets kein Problem sein. Jenny kennt das alles ja schon.

Unser Zimmer ist total schön, richtig groß mit einem gemütlichen Doppelbett und Balkon.

Okay, jetzt fängt der Urlaub richtig an, denke ich. Ich gehe noch mal raus, rieche die frische Abendluft und gucke in die schwarze Nacht. Das Meer kann man von hier leider nicht sehen.

»Dafür muss man ein bisschen laufen«, sagt Jenny, als ich sie danach frage. »Ich zeige es dir morgen.«

Wir sind beide todmüde, immerhin ist es schon nach Mitternacht, und legen uns schlafen.

Als Jenny und ich aufwachen, steht die Sonne hoch am Himmel. Trotzdem bekommen wir noch ein Frühstück, auch wenn außer uns keiner mehr im Speisesaal sitzt.

Anschließend fahren wir mit dem Taxi in die Stadt. Die Luft ist angenehm lau, nicht richtig heiß, aber dennoch so mild, dass man nur einen Pulli braucht, keine Jacke. In Berlin ist es jetzt bestimmt eisig kalt. Mir fällt auf, dass die Türken hier ganz anders aussehen als bei uns in Deutschland. Sie sind weitaus schicker angezogen, es gibt viele Anzugträger, nur wenige haben Sportklamotten an.

Wir bummeln durch enge Gassen, in denen ich mich alleine sofort verirren würde, so voll gestopft sind sie mit all dem Zeug, das die Händler hier verkaufen. Ich staune, wie viele Leute Jenny auf der Straße begrüßen. Die meisten sind Männer, alle etwas älter.

»Hallo Jenny, schön, dass du wieder da bist!«, rufen ein paar Typen, die auf dem Gehweg Backgammon spielen. Sie begrüßen meine beste Freundin mit Küsschen links und rechts. Jenny stellt mich als ihre Schwester vor, als ihre Stiefschwester, weil wir uns wirklich nicht ähnlich sehen. Eilig werden zwei Plastikhocker herbeigeschafft, damit wir uns dazusetzen können. Ist schon ein komisches Gefühl, plötzlich mit ein paar alten Männern am Straßenrand zu hocken. Sie winken einen der Teehändler heran, die mit ihren Tabletts die Straße ablaufen, und wir trinken leckeren Apfeltee.

Plötzlich kommt ein unglaublich gut aussehender Typ auf uns zu.

»He, da ist Ahmet!«, ruft Jenny begeistert. »Ahmet, das ist Andrea, meine Schwester.«

Das ist also der Typ, von dem Jenny so geschwärmt hat. Sie hat nicht zu viel versprochen: Ahmet ist total gut gebaut: athletischer Körper, aber nicht so viele Muskeln, dass es lächerlich aussieht. Er hat dunkle Haare und ein schön geschnittenes Gesicht.

Ahmet, der perfektes Deutsch spricht, quatscht ein bisschen mit Jenny und ich spüre, dass es gewaltig knistert zwischen den beiden. »Ich muss los. Wir sehen uns«, sagt er nach einer Weile.

»Letztes Mal ist es ja nichts geworden mit uns«, sagt Jenny später. »Weil Steffi, die blöde Kuh, nicht allein im Hotel bleiben wollte.«

Schnell versichere ich Jenny, dass ich ihrem Glück bestimmt nicht im Wege stehen würde. »Wir können Ahmet ja morgen mal anrufen«, sagt Jenny. Sie sieht ziemlich zufrieden aus dabei.

Es dämmert schon, als ich Jenny sage, dass ich unbedingt noch mal an den Strand wolle.

Ich bin ein bisschen enttäuscht. Das ist kein Strand mit feinem weißem Sand, wie ich ihn aus Holland kenne. Dieser Strand ist grau, winterlich kalt und einsam. Wir stehen ein bisschen herum, weil es zu kalt zum Hinsetzen ist, lehnen uns an ein paar Tretboote, die mit Ketten zusammengeschlossen sind, und hoffen auf einen Sonnenuntergang. Doch der Himmel über dem Meer ist genauso diesig und grau wie der Sand. Da dringt kein Licht durch, keine Farbe. Langsam wird es immer dunkler und fröstelnd stehen wir da, bis das Licht ganz weg ist. Ich habe genug und Jenny offenbar auch.

»Ich habe Hunger«, sagt sie, »komm, wir gehen was essen.«

Es sind nur ein paar Minuten bis zu dem Restaurant, von dem Jenny schon in Berlin immer geschwärmt hat. Ein richtig feines Lokal ist das. Viel Holz, weiße Tischdecken und ordentliche Kellner in schwarzen Klamotten mit langen weißen Schürzen drüber. Es ist ziemlich leer, aber trotzdem angenehm warm, weil die Heizung bullert. Wir essen Fleisch mit leckerer Soße, gebackene Kartoffeln und Salat. Jenny hat Weißwein dazu bestellt. Ich bin total glücklich, fühle mich richtig erwachsen, weil uns der Kellner so aufmerksam bedient. Cool, denke ich, jetzt geht unser Urlaub endlich los.

Als ich aufwache, scheint die Sonne schon ins Zimmer. Ich werfe einen Blick neben mich. Da streckt und räkelt sich Jenny. Wir sind das perfekte Ferienteam, denke ich und freue mich auf die schöne Zeit, die wir hier noch haben werden. Leider verpasst Ordell meinen Glücksgefühlen prompt einen kleinen Dämpfer. Er ruft kurz nach dem Aufstehen an und sagt Jenny, dass wir auf eine Frau aufpassen sollen.

»Was für eine Frau?«, erkundige ich mich.

»Weiß ich auch nicht so genau«, sagt Jenny, »irgendeine Tussi, die uns beobachtet.«

Also eine Spionin, fährt es mir durch den Kopf. Warum in aller Welt interessiert sich eine Spionin für uns? Geht es vielleicht doch um geheime Papiere, wie ich zuerst gedacht hatte? Mir schwirrt der Kopf. Dennoch behalte ich die Gedanken für mich, weil ich keine Lust habe, Jenny mit Fragen zu verärgern, die sie mir ohnehin nicht beantworten kann.

Aber ihr ist mein entsetztes Gesicht nicht entgangen. »Wir reden einfach unterwegs nicht über diese Reise, so wie immer. Dann kann diese Frau auch nichts ausspionieren«, schlägt sie vor.

Das klingt logisch, und so bin ich erst mal beruhigt. Immerhin ist Jenny allerbester Laune, demnach kann das mit der Spionin so dramatisch nicht sein.

Wieder bummeln wir durch die Stadt und quatschen mit den Leuten, die Jenny kennt. Erneut staune ich, wie viele Leute uns grüßen und zuwinken. Ich bin wirklich stolz auf sie.

Mittags gehen wir in eine Art Imbissrestaurant und auch dort gibt es ein großes Hallo, als wir den Laden betreten.

Wir sitzen gerade gemütlich über unserem Essen, da kommt eine Frau herein, die ebenfalls alle begrüßen. Sie ist etwa Mitte zwanzig, ziemlich gut angezogen und steuert direkt unseren Tisch an. Sofort muss ich an die Spionin denken. Sieht so jemand aus, der andere aushorcht? Nervös beobachte ich Jenny, doch sie quatscht ganz normal mit der Frau, die recht gut Deutsch spricht. Sie habe früher mal in der Schweiz gearbeitet, erzählt sie. Ich klinke mich vorsichtshalber aus der Unterhaltung aus. Wer nichts sagt, kann auch nichts Falsches sagen.

15

Ein Schrei gellt durch die Nacht. Unheimlich hallt er wider von den nackten Wänden der Zelle, schwillt an, wird immer schriller, bis mir die Ohren schmerzen, und mündet schließlich in monotonem Wehklagen. Ich fahre hoch in meinem Bett. Kalte Angst kriecht mir durch alle Glieder, wie gelähmt sitze ich da, reibe mir die Augen und versuche mein Gehirn zu aktivieren, das noch nicht bereit ist für klare Gedanken. Hat eine der Irren eine Mitgefangene im Schlaf überfallen? Gibt es einen Aufstand?

Im bleichen Licht der Neonleuchten sehe ich eine Frau im Nachthemd scheinbar ziellos zwischen den Bettreihen umherstolpern, sie rauft sich die Haare, verdreht die Augen und schreit, als würde es um ihr Leben gehen. Sie hebt die Hand und deutet ins Nichts, dann verstehe ich endlich, was sie ruft: »Ein Dämon, ein Dämon, er wollte mich töten, ein Dämon.«

Fatoş sitzt jetzt auch aufrecht im Bett, und als sie nach meiner Hand greift, sehe ich Panik in ihren Augen. Wieder ein Schrei, diesmal gefolgt von einem dumpfen Knall. Von meinem Bett aus beobachte ich, wie sich eine andere Frau am Boden windet.

»Der Dämon hat mich aus dem Bett geworfen«, kreischt sie. »Diese Zelle ist verflucht. Helft mir, so helft mir doch!«

Fatoş zittert am ganzen Leib, ihre Hand ist schweißnass. Ich lege einen Arm um sie, versuche sie zu beruhigen, weil ich langsam wieder klar werde im Kopf. Ich bin die Vernünftigere von uns beiden, lasse mich nicht so leicht aus der Ruhe bringen und außerdem glaube ich nicht an Gespenster – überhaupt an gar nichts, was ich nicht mit eigenen Augen sehe oder anfassen kann.

»Es gibt keine Dämonen, Fatoş«, sage ich so ruhig wie möglich. »Die beiden sind einfach durchgedreht, kein Wunder bei den Zuständen hier.«

Wir beobachten, wie sich eine Traube von Frauen um die Gestürzte schart, ihr aufhilft und beruhigend auf sie einredet, bis sie nur noch leise vor sich hin wimmert.

»Siehst du, sie hat sich schon wieder beruhigt«, sage ich.

Ich gucke auf meine Uhr: Es ist drei, mitten in der Nacht. In der Zelle herrscht mittlerweile ein Krach wie sonst nur zur Essensausgabe. An Schlaf ist nicht zu denken.

Fatoş ist noch immer leichenblass. »Natürlich gibt es Dämonen«, entgegnet sie empört. »Und wenn wir jetzt einen in der Zelle haben, wird er keine Ruhe geben.«

»Quatsch«, sage ich, »komm, versuch wieder einzuschlafen. Es ist drei Uhr. Ich passe schon auf, dass der Dämon dich nicht holt.«

Fatoş wirft einen ängstlichen Blick in Richtung der durchgedrehten Frauen. »Können wir denn nicht wenigstens die Betten tauschen?«, fragt sie dann mit dünner Stimme.

Es braucht ein paar Sekunden, bis ich schalte. »Du meinst, weil der Dämon auf deiner Seite der Zelle sein Unwesen treibt?«, frage ich nach und verkneife mir ein Grinsen, weil ich sie nicht verletzen will.

»Ja«, erklärt Fatoş. »Für dich wäre der Tausch ja okay, weil du keine Angst hast.«

Na, wenn das die einzige Möglichkeit ist, wieder zur Ruhe zu kommen, von mir aus. Wir tauschen Schlafplätze und Decken, Fatoş rollt sich zusammen wie ein Baby und ist ein paar Minuten später schon wieder eingeschlafen.

Ich liege noch ewig wach. Die Luft ist furchtbar stickig hier oben, weil wir schon Juli haben, und es lässt sich selbst nachts kaum aushalten. Dazu kommt die Wut, die seit meinem Urteil in mir brodelt und endlich raus will. Ich habe eine unglaubliche Wut auf Jenny und auf mich, weil ich so dämlich war, ihr zu vertrauen. Ich habe meinen Anwalt gefragt, was passieren werde, falls Jenny auch in der Türkei geschnappt wird, und ob sie dann in meine Zelle komme. Da hat er gesagt, dass dies sehr wahrscheinlich sei. Irgendwie hoffe ich ein bisschen darauf, weil ich sie dann endlich zur Rede stellen könnte und weil sie verdient hat, durch die gleiche Hölle zu gehen wie ich.

Ein bisschen neue Hoffnung gibt es ja. Herr Caner hat mir erklärt, dass wir in Revision gehen würden, was bedeutet, dass mein Fall noch mal aufgerollt werden muss. Er hofft, den Richter doch noch zu überzeugen, dass ich kein Mitglied dieser Bande war. Wenn das klappt, könnte ich noch vor Weihnachten zu Hause sein. Dieser Gedanke ist das Einzige, was mich hier noch durchhalten lässt.

Eigentlich sollte ich sowieso schon längst nicht mehr hier sein, weil das hier ein Untersuchungsgefängnis ist. Verurteilte Häftlinge werden nämlich in ein anderes Gefängnis verlegt. Ich hole den Brief vom Konsulat unter meinem Kopfkissen hervor, wo ich meine wichtigsten Papiere aufbewahre, und lese ihn zum hundertsten Mal. Er ist schon vor drei Wochen gekommen, ein paar Tage nach meinem Urteil, und da steht drin, dass ich nach Bilecik verlegt würde, sobald die Abschrift meines Urteils fertig sei. Fatoş sagt, Bilecik sei furchtbar weit weg von hier, in Anatolien, ganz im Westen der Türkei. Wie wird es da wohl sein? Vielleicht noch schlimmer als hier? Dieser Brief macht mir viel mehr Angst als dieser unsinnige Dämon. Schließlich weiß ich nicht, was mich erwartet – ein neues Gefängnis, eine neue Zelle, fremde Häftlinge.

Wenn ich die Wahl hätte, würde ich lieber in dieser Hölle bleiben, als sie gegen eine zu tauschen, die mir völlig fremd ist. Fatoş ist zwar ziemlich anstrengend und auch irgendwie verrückt, doch ich habe sie ins Herz geschlossen, und selbst Aygül, die ganz schön zickig ist, hilft mir, die endlosen Tage zu ertragen. Sie ist ein bisschen wie eine große Schwester für mich, auch wenn sie nicht die Leere ausfüllen kann, die Flory hinterlassen hat. Ich stopfe den Brief wieder unter das Kopfkissen und mache die Augen zu.

Als ich aufwache, sehe ich, dass diese arrogante blonde Tussi, die links neben Fatoş und mir schläft, mit ihrer Bettnachbarin tuschelt und kichernd in unsere Richtung zeigt. Ich blicke die Lage nicht sofort, weil ich noch nicht ganz da bin, doch dann spüre ich Fatoş' schlafwarme Hand in meiner. Sie muss noch einmal voller Angst aufgewacht sein und meine Hand genommen haben. Langsam begreife ich: Die beiden Frauen machen sich über uns lustig. Vorsichtig löse ich meine Hand aus der meiner Freundin und werfe der Blonden einen vernichtenden Blick zu. Wenigstens habe ich einen Menschen hier, der mich gern hat, soll sie doch reden, wenn sie das braucht.

Aber es kommt noch schlimmer. Nach dem Frühstück ruft mich die Wärterin zu sich, die es sich heute auf dem gepolsterten Stuhl bequem gemacht hat, und händigt mir ein paar Briefe aus.

»Du bist verliebt, habe ich gehört«, sagt sie mit einem merkwürdigen Blick und zwinkert mir verschwörerisch zu.

Verwirrt schaue ich meine Briefe durch und sehe, dass einer von Kevin dabei ist. Das ist ein Häftling, der meine Geschichte in der Zeitung gelesen hat und mir seitdem schreibt, weil er ebenfalls aus Berlin kommt und auch Heroin geschmuggelt hat. Sein erster Brief klang nett, deshalb habe ich zurückgeschrieben. Das vertreibt mir etwas die Langeweile. »Nein«, sage ich zu der Wärterin, »das ist bloß ein Brieffreund.«

»Den meine ich gar nicht«, gibt sie zurück und macht eine Pause. »Fatoş«, sagt sie dann und grinst noch schleimiger. »Man hat mir zugetragen, dass ihr euch heimlich auf den Mund küsst.«

Mir fehlen die Worte. Diese ekelhafte Blonde! Nicht nur, dass sie den Wärterinnen ständig Teetassen hinterherträgt, um sich beliebt zu machen, jetzt verbreitet sie auch noch widerliche Gerüchte über uns. »Da ist nichts«, zische ich wütend. »Wir sind befreundet, aber da läuft garantiert nichts zwischen uns.«

»Na, wenn du das sagst«, gibt die Wärterin schließlich auf und nimmt einen Schluck Tee. »Ist mir sowieso egal.«

Sofort mache ich mich auf die Suche nach Fatoş, weil ich mit ihr über die miesen Gerüchte reden will, doch dann erinnere ich mich, dass sie sich um diese Zeit fürs Duschen hat vormerken lassen. Also nehme ich den Packen Briefe und verziehe mich auf den Hof. Die Temperatur ist noch angenehm, wie immer am späten Vormittag. Ich lasse mich auf die Bank vor dem Küchenfenster fallen, die ausnahmsweise mal frei ist – ein seltenes Glück, seit es so warm geworden ist.

Außer mir sind nur wenige Frauen draußen. Hamide, die Zellenchefin, sitzt mit ein paar strickenden Frauen auf einer Decke auf dem Betonboden und einige andere Häftlinge, deren Namen ich nicht kenne, drehen in kleinen Grüppchen ihre Runden.

Als Erstes mache ich den Brief von Mama auf. Sie schreibt, dass die ganze Familie die Daumen drücke, was meine Revision betrifft, und dass sie mich wieder besuchen werde, sobald ich nach Bilecik verlegt bin. Ach Mama, das ist total lieb, aber du darfst nicht so oft kommen. Der Gedanke an all die Kosten quält mich beinahe mehr als die Sehnsucht nach meiner Familie.

»Papa und ich suchen zurzeit eine neue Wohnung«, lese ich weiter, »wir haben ja schon vor deiner Abreise darüber gesprochen, dass wir unbedingt mehr Platz brauchen. Vielleicht haben wir den Umzug längst geschafft, wenn du zurückkommst. Eine neue Umgebung für einen Neustart in Berlin, das ist doch bestimmt eine gute Idee. Viele Grüße auch von Papa, Dani und Ari. Kuss, Mama.«

Ich lasse den Brief sinken. Ich werde nie mehr in mein Zimmer zurückkehren, sie lösen mein Zuhause auf. Tränen tropfen auf den Brief, bis das Wort Kuss verläuft.

Ich ziehe mein T-Shirt ein Stück hoch und wische mir mit dem Stoff das Gesicht trocken. Kopf hoch, Andrea, denke ich. Mama meint es nur gut, und vielleicht ist es ja wirklich besser, woanders zu wohnen, an einem Ort, wo die Bande mich nicht finden kann.

Ich öffne den zweiten Brief, den von meiner Freundin Ariane. Sie schreibt, dass sie gerade im Büro sitze, in der Behörde, in der sie arbeitet. Eigentlich wollte Ariane etwas mit Tieren machen, aber sie hat keinen Ausbildungsplatz bekommen. Sie erzählt, dass ihr Job mehr Spaß mache, als sie gedacht habe, dass die Kollegen total nett seien. »Man muss aus dem, was man kriegt, das Beste machen«, lese ich. »Und ob du es glaubst oder nicht, es funktioniert.«

Typisch Ariane, denke ich, immer so vernünftig, so praktisch. Ich muss ihr unbedingt zurückschreiben, dass ich genau das gerade versuche: das Beste aus meiner Situation zu machen. Mein Türkisch ist wirklich schon ganz passabel.

Ich bin so in Gedanken vertieft, dass ich gar nicht merke, wie sich Fatoş von hinten an die Bank schleicht. Ich registriere sie erst, als ich einen stechenden Schmerz in meinem Oberarm spüre, in den sie übermütig gekniffen hat.

»Aua, Fatoş!«, brülle ich. »Sei doch nicht immer so grob.«

Betreten steht sie da, die Haare noch feucht vom Duschen, und macht ihr Schmollgesicht. »Ich wollte dich doch nur überraschen«, erwidert sie.

»Na, das ist dir ja gelungen«, sage ich und muss schon wieder grinsen. Fatoş ist ganz in Ordnung, aber dass ihre Freundschaftsbeweise manchmal ein bisschen zu schmerzhaft sind, kriegt sie einfach nicht in ihren Kopf. Bei unserer letzten Kissenschlacht hat sie mich vor Übermut sogar in die Wange gebissen und hinterher überhaupt nicht kapiert, warum ich so sauer war.

»Vielleicht ist ja der Dämon in mich gefahren«, erklärt Fatoş und grinst zurück.

Wenigstens scheint sie sich erholt zu haben von den Schrecken der vergangenen Nacht. »Bloß nicht!«, stöhne ich lachend.

»Von wem ist denn der?«, fragt Fatoş und nimmt mir den letzten ungeöffneten Brief aus der Hand.

»Von Kevin«, sage ich. »Du weißt schon, das ist dieser Deutsche, der mit siebzig Kilo Heroin erwischt wurde.«

»Los, mach auf«, drängt Fatoş.

Auf den ersten Brief von Kevin habe ich gar nicht geantwortet, doch er hat nicht lockergelassen und einfach weitergeschrieben. Er hat mir von seinem Gefängnisalltag erzählt und gesagt, dass er mir Mut machen wolle für die Haftzeit, die ich noch vor mir habe. Das fand ich dann doch so sympathisch, dass ich zurückgeschrieben habe. Es tut mir gut, mich mit jemandem auf Deutsch austauschen zu können, der sich ähnlich fühlt wie ich, der meinen zähen Alltag hier versteht, ohne dass ich groß und breit etwas erklären muss, wie bei meiner Freundin Ariane zum Beispiel.

Fatoş zupft noch immer an Kevins Brief herum. Kein Wunder, dass sie so neugierig ist. Sie hat keinen Gefängnis-Brieffreund, was daran liegt, dass sie weder lesen noch schreiben kann. Also mache ich ihr die Freude und reiße den Umschlag auf.

Es sind nur ein paar Zeilen diesmal und das Foto von ihm, das er mir versprochen hatte.

»Uui!«, ruft Fatoş, die es natürlich sofort aus dem Umschlag geangelt hat. »Der sieht aber kräftig aus.«

Ich werfe einen Blick auf das Foto. »Nicht mein Typ«, sage ich nur. Auf dem Bild sehe ich einen bulligen Mann mit einem ziemlich quadratischen Gesicht und kurzen Haaren. Er guckt grimmiger, als ich ihn mir beim Lesen seiner Briefe vorgestellt habe, aber wahrscheinlich findet er das gerade besonders cool.

»Er hat mir geschrieben, dass er fünfundzwanzig sei, doch er sieht eindeutig älter aus. Liegt vielleicht daran, dass er schon drei Jahre im Gefängnis ist«, sage ich dann.

»Na und«, meint Fatoş. »Ich finde, er sieht gar nicht übel aus.«

Ich mache mir einen Spaß und behaupte, dass sie sowieso keine Ahnung habe, wo sie noch nicht einmal mit einem Jungen geschlafen hat – wenigstens behauptet sie das.

Fatoş denkt nach. »Warum bist du eigentlich nicht schwanger, obwohl du schon Sex hattest?«, fragt sie dann.

»Das meinst du doch jetzt nicht ernst, oder?«

»Doch«, erwidert sie und guckt ganz verlegen.

Also erkläre ich ihr, dass es Verhütungsmittel gebe, und versuche ihr den weiblichen Zyklus verständlich zu machen, aber Fatoş staunt nur Bauklötze und begreift gar nichts.

Fatoş ist wirklich arm dran, denke ich. Sie hat keinen blassen Schimmer von anderen Ländern und Kulturen. Sie kann weder lesen noch schreiben, weil ihre Eltern nicht wollten, dass sie zur Schule geht, und sie stattdessen zum Klauen geschickt haben. Jetzt ist sie traurig darüber, weil sie spürt, was sie alles nicht weiß. Ich habe schon versucht, ihr zu helfen, aber es scheint sinnlos zu sein. Sie hat nicht einmal die leiseste Ahnung davon, wie man unterschreibt. Wenn sie liest, klingt es wie bei meiner kleinen Schwester: stockend, langsam und ohne Betonung. Fatoş kann noch nicht einmal einen Stift richtig halten, und wenn sie malt, sieht das aus wie bei einem Kleinkind.

Obwohl wir so unterschiedlich sind, verbringt Fatos ihre Zeit lieber mit mir als mit ihren Verwandten, von denen mittlerweile fünf in unsere Zelle eingeliefert wurden – eine richtige Klau-Sippe ist das. Ich staune immer wieder darüber, dass so jemand wie Fatoş, deren Job in Freiheit Stehlen ist, hier drinnen so ordentlich und verlässlich sein kann. Irgendwie ist das nicht logisch. Ich glaube, ich werde das nie begreifen.

»Karavana«, schallt eine Stimme aus der Küche.

Ich habe inzwischen meinen Gefängniskost-Boykott aufgegeben und gehe ebenfalls zum Mittagessen. Es ist durchaus erträglich, wenn man sich erst daran gewöhnt hat. Also hole auch ich meinen Teller aus dem Spind und stelle mich in die lange Schlange der Wartenden.

»Was gibt's denn heute?«, fragt Fatoş.

»Ich glaube Bulgur, roten Reis«, sage ich und stammele ein bisschen, weil das türkische Wort für roten Reis so schwer auszusprechen ist.

Fatoş kriegt einen Lachanfall und gibt mir eine Ohrfeige. »Wieder falsch«, rügt sie mich grinsend. »Roter Reis, roter Reis – so wird das betont.«

»Lass das gefälligst! Das tut weh, Fatoş!«, schreie ich, damit sie merkt, dass sie wieder einmal zu weit gegangen ist.

Fatoş guckt wie ein Kind, dem man den Lolli weggenommen hat, und sagt gar nichts mehr. Jetzt tut sie mir fast schon wieder Leid, weil sie eben kein normales Benehmen gelernt hat in ihrer komischen Familie.

»Ich gehe schnell hoch und sage Aygül Bescheid, dass es Essen gibt«, meint sie plötzlich und drückt mir ihren Teller in die Hand. Bevor ich etwas erwidern kann, flitzt sie schon die Treppe hinauf.

Na prima, denke ich. Jetzt heult sie sich wieder bei Aygül aus und behauptet, ich sei gemein zu ihr gewesen. Aygül wird das natürlich wie immer nutzen, um uns gegeneinander auszuspielen, weil sie eifersüchtig ist, dass Fatoş mehr Zeit mit mir verbringt als mit ihr.

Ich soll Recht behalten. Als ich gerade den letzten Bissen von dem faden Reis herunterwürge, der gar kein richtiger Reis ist, sondern nur so ähnlich aussieht, sagt Aygül: »Vielleicht essen wir heute das letzte Mal zusammen.«

»Wie kommst du denn darauf?«, frage ich.

Aygül setzt ihr Oberlehrerinnengesicht auf. »Eine Wärterin hat mir erzählt, dass du noch in dieser Woche nach Bilecik verlegt wirst.«

Aha, denke ich, und warum sagt mir das die Wärterin nicht selbst? Ich bin mir sicher, dass das nur eine ihrer miesen Jetzt-mögen-wir-dich-nicht-mehr-Aktionen ist. Aygül weiß genau, wie sehr ich mich vor der Verlegung fürchte. Und jetzt sagt sie das so gleichgültig dahin, als wäre es ihr egal.

Als ich betreten gucke, setzt Aygül natürlich sofort einen drauf. »Gefängnis ist Gefängnis. Wir müssen das alle aushalten«, sagt sie und es klingt beinahe gehässig, »Fatoş weint ja auch nicht, weil sie Angst hat, irgendwann verlegt zu werden.«

Toll, denke ich. Immerhin hatte ich vorher ein Leben in Freiheit, Fatoş dagegen ist hier Stammgast und fühlt sich hinter Gittern genauso zu Hause wie auf der Straße. Natürlich weint sie nicht, weil sie hier alles hat, was sie zum Leben braucht. Gefängnis bedeutet Urlaub für Fatoş, denke ich. Aber ich sage nichts, weil ich nicht so taktlos bin wie Aygül.

Fatoş ist immer noch so beleidigt, dass sie nach dem Essen wortlos aufsteht, unsere Teller einsammelt und mit dem Abwasch beginnt.

Ich verziehe mich in den Schlafsaal und versuche, ein bisschen in Luise Rinsers »Gefängnistagebuch« zu lesen, das Mama mir mitgebracht hat. Doch ich kann mich nicht konzentrieren, weil ich traurig bin wegen Aygül und Fatoş. Ich lege den Band weg und hole meine eigenen Aufzeichnungen hervor, ein DIN-A4-Ringbuch, das schon ganz schön mitgenommen ist, weil ich es ebenfalls unter dem Kopfkissen aufbewahre.

Die ersten Seiten habe ich meinem Anwalt bereits mitgegeben, weil aus meinen Erinnerungen ein Buch werden soll. Er hat mich überzeugt, dass ich so andere Jugendliche warnen kann vor dem, was mir passiert ist. Dann ist diese Tortur wenigstens zu irgendetwas gut.

»1. Juli 2001«, schreibe ich. »Was für ein beschissener Tag. Es ist irre heiß hier drin und megavoll. Vierundsiebzig waren wir beim letzten Zählen. Man kommt kaum noch durch den Schlafsaal, weil so viele Matratzen zwischen den Etagenbetten liegen, dass man Angst kriegt, auf jemanden draufzutreten. Und jetzt haben wir auch noch einen Dämon hier. Vielleicht ist der ja schuld daran, dass Fatoş immer so beleidigt ist und Aygül so gemein.«

Ich schreibe und schreibe, und nachdem ich fertig bin, beschließe ich, dass Fatoş und ich uns so schnell wie möglich wieder vertragen müssen.

Als sie zum Durchzählen hochkommt, grinse ich sie einfach an – und sie grinst zurück.

»Alles klar?«, frage ich.

»Sowieso«, erwidert sie und kneift mich in den Arm, diesmal jedoch nur ganz leicht.

Nach dem Zählen sehe ich eine Frau mit einer der Wärterinnen diskutieren. Ich verstehe nur Wortfetzen, weil sie so aufgeregt ist und furchtbar schnell spricht. Als ich Fatoş fragend angucke, erklärt sie mir, dass der Frau offenbar fünfunddreißig Millionen Türkische Lira, also rund siebzig Mark, abhanden gekommen seien.

Die Wärterinnen verlassen die Zelle und kommen kurz darauf mit Verstärkung zurück. »Alle auf den Hof!«, brüllt eine der Uniformierten, während ihre Kolleginnen durch die Gänge rennen und trödelnde Häftlinge nach draußen scheuchen.

Vom Hof aus verfolge ich durch die Fenster, wie die Wärterinnen den Schlafsaal auf den Kopf stellen, Spinde ausleeren, Decken von den Betten reißen. Gut, dass ich mein Tagebuch mit nach draußen genommen habe, um noch ein bisschen zu schreiben, wenigstens solange es noch nicht stockdunkel ist. Irgendwann, als die Nacht das letzte Tageslicht verschluckt hat, gucke ich auf meine Uhr und es ist tatsächlich schon halb zehn. Um diese Zeit dürfen wir sonst gar nicht mehr nach draußen. Die Luft fühlt sich herrlich an, lau und trotzdem frisch, sie riecht irgendwie nach Freiheit.

Ich schließe die Augen und stelle mir vor, dass ich nachts über den friedlichen Alex laufe, und atme tief durch. Es funktioniert. Plötzlich sehe ich die Leuchtreklame des Forum-Hotels vor mir, die hoch über dem Alex thront, die beleuchteten Schaufenster des Kaufhofs, ein paar Nachtschwärmer auf der Treppe, die zur S-Bahn führt. Berlin. Ich genieße das Glück ein paar Sekunden, die sich gnädigerweise lang anfühlen. Als ich die Augen wieder öffne, spüre ich das Heimweh so intensiv wie lange nicht mehr.

Nach der Durchsuchungsaktion sieht es im Schlafsaal aus, als sei eine Bombe explodiert. Keine Ahnung, ob sie die fünfunddreißig Millionen gefunden haben. Ich darf mein Geld jedenfalls behalten und das ist das Wichtigste.

16

Das Laken klebt an meinem schweißnassen Körper, als ich am nächsten Morgen aufwache. Ich blinzele in die hellen Streifen, die die Sonne in den Schlafsaal malt, und bewundere die tanzenden Staubpartikel, die im Gegenlicht wie feiner Nebel aussehen. Minutenlang liege ich reglos da, ohne Lust aufzustehen, das Gehirn auf Sparflamme geschaltet. Im Hintergrund nehme ich gedämpft den Lärm wahr, den meine Mitgefangenen machen. Es klingt für mich nur noch wie ein monotones Rauschen, so sehr habe ich mich daran gewöhnt. Warten ist zäh, Warten bei vollem Bewusstsein ist nahezu unerträglich.

Heute ist Kantine, fällt mir ein. Das bedeutet, dass die Wärter gleich mit einem kleinen Wagen vor die Zelle fahren und in der Tür Lebensmittel verkaufen. Schnell überlege ich, was ich alles gebrauchen kann, und stelle im Kopf eine Liste zusammen. Ich schlage das Laken zurück und freue mich schon ein bisschen auf die willkommene Abwechslung, als mir ein Blick auf meine Uhr verrät, dass es schon beinahe elf ist. Zu spät, ich habe die Kantine verschlafen.

Sofort kriege ich so schlechte Laune, dass ich mich am liebsten gleich wieder im Bett verkriechen würde, weil der Tag jetzt eigentlich gelaufen ist. Ich habe das einzig Erfreuliche verpasst und mein Frühstück kann ich auch vergessen. Als ich mich langsam auf dem Bett aufsetze, höre ich, wie das Vorhängeschloss an der Zellentür aufschnappt, gefolgt von dem schweren Klacken, das der Riegel macht, wenn er zurückgeschoben wird. Mein Herz schlägt schneller, ich bin beinahe ein bisschen aufgeregt. Jetzt geht es mir schon genauso wie den anderen Häftlingen, schießt es mir durch den Kopf: Ich bin dankbar für jede Abwechslung. Gleich wird eine Wärterin hereinkommen, jeder ihrer Besuche birgt die Chance auf etwas Unvorhergesehenes, ein kleines Abenteuer. Ich schäme mich ein bisschen für meine unbezähmbare Neugier auf das, was gleich passieren wird.

Schnell schlüpfe ich in Hose und T-Shirt, gerade noch rechtzeitig, um zwei neue Häftlinge bei ihrem Einzug in den Schlafsaal zu beobachten. Sie sind mager, alle beide. Die Kleinere ist so schwach, dass sie kaum laufen kann. Ich sehe, wie ihr die Zellenchefin und eine andere Frau zu Hilfe eilen, sie unterhaken und langsam zu Hamides Bett bringen. Vorsichtig helfen sie der Neuen, sich dort hinzusetzen. Sofort schart sich eine Traube von Schaulustigen um das Bett. Ich trete auch ein paar Schritte näher, halte mich jedoch im Hintergrund, weil ich diese Gafferei eigentlich verabscheue. Das Gesicht der einen Frau ist völlig eingefallen, nur Haut und Knochen, denke ich. Ihre Augen, die angstvoll geweitet sind, wirken riesig über den hohlen Wangen. Die andere Neue hat sich zu ihr gesetzt. Sie scheint zwar etwas kräftiger zu sein und humpelt nur leicht, aber auch ihre Miene spiegelt diese Angst wider. Als sie beginnt zu erzählen, kommen die Worte nur mühsam, gestammelt, ich kann kaum etwas verstehen.

Fatoş, die plötzlich neben mir steht, sagt, die Frauen seien Terroristinnen und kämen aus einem anderen Gefängnis, wo es einen Hungerstreik gab. »Sie haben tagelang nichts gegessen«, berichtet Fatoş, »nur Zuckerwasser, sonst nichts.«

Terroristinnen, denke ich. Ich kann dieses Wort nicht mit Bedeutung füllen. Ja, ich erinnere mich an die vier Studentinnen, die sich für den Kommunismus interessiert haben, aber das ist doch kein Terrorismus, oder? Schließlich war selbst mein Anwalt als junger Mann im Gefängnis, weil er sich damals für den Kommunismus interessierte. Sind Terroristen nicht eigentlich Leute, die Bomben werfen? Ich verstehe das alles nicht. Doch es wäre sinnlos, Fatoş zu fragen, weil sie von solch komplizierten Dingen erst recht keine Ahnung hat.

»Komm, lass uns hier nicht nutzlos herumstehen und glotzen«, sage ich stattdessen, weil Hamide sich offenbar schon bestens um die beiden kümmert. »Ich muss an der Schildkröte weiterhäkeln, die meine kleine Schwester zum Geburtstag kriegen soll.«

Ich schnappe mir die Tüte mit den Häkelsachen, die ich an die Schnur zwischen den Bettpfosten gehängt habe, und mache mich auf den Weg in die Küche. Dort breite ich die Handarbeitssachen auf dem Tisch aus. Eine Schildkröte, eine kleine blaue, ist schon fertig.

»Die ist aber schön!«, ruft Fatoş aus und nimmt sie in die Hand.

»Ich schenke sie dir«, sage ich. »Dann bleibt wenigstens etwas von mir hier bei dir, wenn ich verlegt werde.«

Prompt drückt sie mir einen ihrer stürmischen Küsse auf die Wange und strahlt. »Danke.«

Ich nehme die andere Schildkröte in die Hand, sie ist viel größer und aus weicher, naturweißer Wolle. Die Hälfte habe ich schon geschafft, ich muss mich beeilen, damit sie rechtzeitig fertig wird. Es sind zwar noch ein paar Monate, bis Ari acht Jahre alt wird, doch die Post braucht furchtbar lange.

Sorgfältig ziehe ich den Faden mit der Häkelnadel durch die Maschen, ganz ruhig, ganz gleichmäßig. Das entspannt so herrlich, dass ich meine Umgebung vergesse und mich einfach auf die gleichförmige Bewegung meiner Hand konzentriere. Wenn Oma Edith mich so sehen könnte, denke ich und muss ein bisschen grinsen. Wie viel Geduld hat sie aufgebracht, um mir das Häkeln beizubringen, als ich klein war. Die Ergebnisse waren immer scheußlich, weil ich einfach keine Geduld hatte. Ich lasse die Finger über die fertige Hälfte der Schildkröte gleiten. Sie sieht total perfekt aus, ganz gleichmäßig. Man kann eine Menge lernen, wenn man sich Zeit lässt.

»Sehr gut, Andrea«, höre ich plötzlich eine Stimme. Sie gehört der Handarbeitslehrerin, die seit einigen Wochen täglich in die Zelle kommt und jeden unterrichtet, der Lust hat. Ich habe sie gar nicht kommen hören, so versunken war ich in meine Arbeit.

»Merhaba«, erwidere ich, das heißt »Hallo« auf Türkisch.

Die Lehrerin setzt sich zu mir auf die Bank. Sie sieht unglaublich schick aus, wie immer: Kostümjacke mit passendem Rock, elegante Bluse, polierte Damenschuhe, perfekte Hochsteckfrisur. »Am Anfang fiel es dir so schwer«, sagt sie und lächelt, »und jetzt bist du tatsächlich eine meiner besten Schülerinnen.«

Das Lob tut gut. »Es macht ja auch Spaß, hier drinnen etwas Sinnvolles zu tun«, entgegne ich. »Außerdem bringen Sie jedes Mal, wenn ich ein Teil fertig habe, so schöne neue Wolle mit, dass ich total viel Lust kriege weiterzumachen.«

Allmählich wird es eng an unserem Tisch. Andere Häftlinge setzen sich mit ihren Handarbeiten dazu, holen sich Rat und Anregungen.

Fatoş häkelt nicht. Sie knüpft Perlen zu »tespih«, das sind so eine Art Gebetskettchen.

»Oh, die sind aber schön, darf ich ein paar für meinen Mann und seine Mithäftlinge haben?«, fragt Aygül, die zu faul ist zum Handarbeiten, uns jedoch gerne dabei zusieht.

Da drückt Fatoş ihr einen Stapel fertige Kettchen in die Hand. Aygül verzieht sich sofort nach oben in den Schlafsaal, um einen Brief an ihren Mann zu Ende zu schreiben.

»Die ist zu faul, um selbst zu knüpfen, und dann lässt sie ihren Mann Fatoş' Arbeit an seine Kumpels verticken«, lästert ein Mädchen an unserem Tisch.

Habe ich da wirklich richtig gehört? Aygül wirft mir vor, ich würde Fatoş ausnutzen, und dann macht sie so was. Was für ein verlogenes Stück! Fatoş hat von alledem natürlich wie immer nichts mitbekommen. Sie hat schon wieder ein neues Kettchen fertig.

Nachdem die Lehrerin gegangen ist, will Fatoş Spaghetti kochen, zum Mittagessen.

»Ich mag heute nicht«, sage ich und zupfe demonstrativ an meiner Hose, die schmerzhaft an der Hüfte zwickt. »Guck mal, selbst die schwarze Hose, die Mama mir mitgebracht hat, ist schon zu eng. Ich glaube, ich muss Diät machen.«

Fatoş überlegt kurz. »Gut, ich mache auch mit«, sagt sie. »Dann ist es nicht so schwer für dich.«

Also holen wir uns ein paar Zwiebäcke aus unserem Spind, weil mein Magen trotz des Diätvorhabens furchtbar knurrt. Etwas neidisch beobachte ich, wie sich die anderen Frauen aus dem Suppentopf bedienen, den die alte Zigeunerin gerade in die Küche geschleppt hat.

»Hmmm, Auberginensuppe«, schwärmt Fatoş und stopft den dritten Zwieback in sich hinein.

Bevor ich unseren Entschluss bedauern kann, höre ich einen spitzen Schrei am Nachbartisch.

»Igitt, ein Insekt, hier in meiner Suppe.«

Ich gönne mir genüsslich einen neuen Zwieback. »Ein Tier in der Auberginensuppe«, sage ich und grinse Fatoş an, »das ist doch der beste Appetitzügler überhaupt.«

Wenige Tage später, wir haben inzwischen Mittwoch, den 8. August, ist unsere Diät auch schon wieder beendet. Fatoş und ich essen wieder, allein deshalb, weil unsere gemeinsamen Mahlzeiten zu den wenigen Tageshöhepunkten gehören.

»Andre!«, brüllt die Wärterin, die heute die Post verteilt, durch die ganze Zelle.

Als ich an ihrem gepolsterten Stuhl ankomme und erwartungsvoll die Hand ausstrecke, grinst sie bloß und sagt: »Nein, ich habe keinen Brief für dich. Ich soll dir nur vom Direktor ausrichten, dass du morgen verlegt wirst.« Dann steht sie einfach auf und lässt mich stehen mit meinem Schock. Morgen, denke ich. Wieso geht jetzt alles so schnell?

Benommen laufe ich die Treppe hinunter, zu Fatoş, die gerade einen Tee für uns bereitet. »Morgen muss ich weg«, sage ich und lasse den Kopf auf die Tischplatte sinken. Ich fühle Fatoş' Hand, wie sie sanft mein Haar streichelt, und als ich wieder hochblicke, sehe ich, dass sie Tränen in den Augen hat. Wir schauen uns an, sitzen schweigend da, keine von uns kriegt ein Wort heraus. Wir haben ja seit Wochen gewusst, dass dieser Tag irgendwann kommt, wir haben darüber gesprochen, dass wir uns dann schreiben werden, aber es war Theorie, ein Gedankenspiel ohne Schmerz. Jetzt ist die Angst wieder da, die ich so lange nicht gespürt habe, die Angst vor einer neuen Zelle, die Ungewissheit, wie es sein wird in dem anderen Gefängnis – ohne Fatoş, ja selbst ohne Aygül, die mir trotz ihrer Zicken angenehm vertraut ist, irgendwie.

Der Tag vergeht wie im Flug und irgendwann ist es Abend. »Ich muss jetzt packen«, meine ich völlig teilnahmslos zu den anderen.

Fatoş sieht mir zu, wie ich meine Klamotten und alle meine Decken, bis auf eine, in meinen Bettbezug stopfe und den improvisierten Sack oben zuknote. Meine Schreibsachen, die Handarbeiten und die ganzen Briefe verstaue ich in ein paar Tüten. Die Wärterinnen bringen sie nach dem abendlichen Zählen nach draußen.

Danach gehe ich mit Fatoş und Aygül in die Küche, um einen Abschiedstee zu trinken, weil wir wissen, dass morgen früh keine Zeit mehr dafür sein wird.

»Augen zu, Andrea«, sagt Fatoş plötzlich. »Wir haben noch ein Abschiedsgeschenk für dich.«

Ich schließe die Augen und spüre, wie sie mir etwas über den Kopf streift, etwas ganz Leichtes, Wollenes.

»So, jetzt kannst du wieder gucken«, höre ich Aygüls Stimme.

Als ich die Augen wieder öffne, baumelt ein kleines Häkeltäschchen um meinen Hals, so ein schwarzes, wie Florys.

»Danke«, sage ich gerührt. »Das ist ja total süß von euch.«

Fatoş muss es heimlich gehäkelt haben, denke ich. Ich habe jedenfalls nie gesehen, wie sie daran gearbeitet hat. Tränen steigen mir in die Augen, und als ich Fatoş und Aygül umarme, müssen sie mit mir weinen.

»Hier«, sagt Aygül, als wir uns wieder etwas beruhigt haben, und gibt mir einen Brief, dessen Umschlag nur lose eingesteckt ist. »Den darfst du aber erst lesen, wenn du in Bilecik angekommen bist.«

»Versprochen«, sage ich und verstaue den Umschlag in dem kleinen Täschchen.

Ich breite die einzige Decke, die ich behalten habe, auf der blanken Matratze aus und lege mich ohne Zudecke ins Bett. Es ist warm genug, so dass man keine braucht, und dennoch fühle ich mich schutzlos, den unbestimmten Dingen, die mich ab morgen erwarten, irgendwie ausgeliefert. Stundenlang liege ich wach, lausche Fatoş' gleichmäßigen Atemzügen und starre in die schwarze Nacht. So klein habe ich mich zuletzt gefühlt, nachdem sie mich hierher gebracht hatten. Der Morgen graut schon, als ich vor Erschöpfung einschlafe.

Es ist neun Uhr früh und der Gefangenentransporter wartet bereits. Gemeinsam mit der kräftigeren der beiden Terroristinnen, die heute auch in ein anderes Gefängnis verlegt wird, steigen wir zu vier Männern in den Wagen. Sie haben Ketten um die Handgelenke und auch wir Frauen werden jetzt mit Ketten gefesselt. Trotz der frühen Stunde steht die Luft in dem Transporter, der wieder nur an jeder Seite oben drei Luftschlitze hat. Die Soldaten, die uns begleiten, fragen, ob unser Gepäck komplett sei. Ist es natürlich nicht. Der anderen Frau fehlt noch eine Reisetasche und mein Bettwäschesack ist auch noch nicht da. Kurz darauf schleppen die Soldaten ihn rein und stellen ihn in die Mitte. Jetzt ist es richtig eng hier drin und die Männer müssen zusammenrücken.

Kaum sind wir losgefahren, wird es unerträglich heiß in unserem Abteil, in dem wir Gefangenen allein sitzen. Hinter einer Tür ist noch ein kleiner Raum für die Soldaten. Wir sind noch nicht lange unterwegs, als die Lüftungsanlage anfängt zu tropfen. Hilflos muss ich zusehen, wie das Wasser meine Sachen durchnässt – total eklig! Einer der Männer, er ist so Mitte zwanzig, schwitzt und schwitzt. Der ist bestimmt drogenabhängig, denke ich. Man sieht auf den ersten Blick, dass mit dem etwas nicht stimmt.

Ich denke an Oma Renate, die heute Geburtstag hat, am 9. August. Am Abend werden Mama und Papa sie sicher besuchen, gemütlich auf der Couch im Wohnzimmer sitzen und Torte essen. Gut, dass Oma mich so nicht sehen kann, wie ich hier in Ketten hocke. Sie würde sicher einen Herzinfarkt kriegen.

Die Fahrt ist der reinste Horror. Ich kann nicht auf meine Uhr gucken, ich kann nicht lesen und schlafen kann ich auch nicht, weil die Ketten an meinen Handgelenken scheuern. Zwar habe ich eine Wasserflasche dabei und sicher würde mir einer der Männer beim Aufschrauben helfen, doch dann würde ich mich bei dem Rumgeholper nur von oben bis unten bekleckern.

Nach unendlich langer Fahrt hält der Transporter plötzlich mit einem Ruck an. Die Türen gehen auf und ein Soldat nimmt mir die Ketten ab. Endlich darf ich aufs Klo.

Wir müssen in einem anderen Gefängnis sein. Ich erkenne ein Pförtnerhäuschen, eine Mauer, Wachsoldaten. Fünf Minuten später geht es auch schon weiter.

Die Männer im Wagen sind ganz schön raffiniert. Sie haben es tatsächlich geschafft, sich die Ketten abzustreifen, obwohl die mit einem Schloss gesichert sind. Sie haben sie wohl erst langsam gelockert und dann den Schweiß genutzt, der das Metall schön glitschig macht. Jetzt kriege ich auf gar keinen

Fall mehr ein Auge zu, schließlich muss ich auf meine Sachen aufpassen. Der Drogenabhängige zieht erst mal sein klitschnasses T-Shirt aus und tauscht es gegen ein neues. Mann, stinkt das hier drin!

Mein ganzer Körper schmerzt, vor allem der Hintern. Durch die Luftschlitze sehe ich einzelne Fetzen der Welt draußen vorbeifliegen. Am Anfang war es nur blauer Himmel, jetzt ahne ich ab und zu einen Berg, glaube Wald zu erkennen, doch meist flirrt es nur vom Lichtspiel der Sonnenstrahlen, die das Innere des Transporters jetzt auch für nicht Drogenabhängige endgültig in eine Sauna verwandelt haben.

Ich denke daran, dass mein Brieffreund Kevin ebenfalls in Bilecik sitzt. »Du wirst sehen, das Essen schmeckt ausgezeichnet hier«, hat er geschrieben. Kevin muss es ja wissen. Immerhin hatte er genug Zeit, es zu testen.

Dann sind wir endlich da. Die Sonne steht schon tief, als mich die Soldaten aus der Sauna retten. Wir müssen mindestens zehn Stunden unterwegs gewesen sein. Die Luft ist angenehm kühl, frischer als in Izmir. Aber das Merkwürdigste ist die Ruhe: Es ist total still hier. Und auch mein Blick findet keinen Halt. Alles ist weiß, kahl, staubig. Nach der Fahrt im Halbdunkel muss ich die Augen zusammenkneifen, weil sie schmerzen von der plötzlichen Helligkeit.

Der Transporter, der die Männer gleich weiter nach Istanbul fahren wird, steht in einem Innenhof, der von weißen Betonwänden umgeben ist. Gegenüber des großen Metalltors, durch das wir gekommen sein müssen, führen sie mich eine Treppe hoch. Drinnen ist es wie draußen: sauber, kahl und hell. Die Soldaten bringen mich in ein Büro, wo sie mich fragen, ob ich Türkisch spreche. Der Soldat hinter dem Schreibtisch, der ziemlich wichtig sein muss, so wie er meine Begleiter herumkommandiert, nimmt meine Personalien auf und legt eine neue Akte an.

Als wir anschließend die Treppe wieder hinuntergehen, sehe ich, dass mein Sack noch vor der Tür steht.

»Deiner?«, fragt ein Soldat. Als ich nicke, meint er: »Dann nimm ihn mit!«

Ich schaue ihn an, schüttele den Kopf und sage »Çok kilo var!«, was so viel heißt wie: »Zu schwer für mich!«

Das wirkt. Mein Begleiter winkt zwei Kollegen heran, die meine Klamotten schleppen müssen.

Nachdem wir eine weitere Treppe hinaufgegangen sind, eine breite, weiße diesmal, haben wir den richtigen Trakt erreicht. Meine Sachen fahren auf einem Band durch ein Röntgengerät wie am Flughafen. Anschließend muss ich die Schuhe ausziehen, die ebenfalls auf das Band kommen.

Zum Schluss nehmen sie noch mein Gepäck auseinander. Was soll da schon drin sein, ich komme doch aus einem anderen Gefängnis?, denke ich genervt. Ich darf nicht alles mitnehmen, muss mich entscheiden, welche Klamotten mir am wichtigsten sind. Dann folgt noch ein Schock: Ich muss meinen Walkman abgeben, die einzige Chance, mich mit der Musik ab und zu aus der Hölle in die Freiheit zu träumen. Ich frage gar nicht erst, warum. Ich weiß ja inzwischen, dass es sowieso nichts ändert. Gefangener sein bedeutet eben auch, total der Willkür des Gefängnisses ausgeliefert zu sein. Passt ja perfekt, dass ich heute das T-Shirt angezogen habe, auf dem »Trouble« vorne draufsteht.

Mit den paar Sachen, die sie mir gelassen haben, geht es nun endlich ab in die Zelle. Ich muss eine kurze Treppe hinunter, drei Stufen nur, und einen endlosen Gang entlang, bis wir irgendwann links abbiegen. Ich erkenne vier abgegrenzte Sprechkabinen, die wie in Izmir nach hinten offen sind – offensichtlich das Besucherzimmer. Wir passieren einen Raum, in dem ein paar Wärterinnen sitzen und Tee trinken. Der Fernseher läuft. Danach kommt gleich wieder eine Tür. Auf der rechten Seite, an der Wand, bemerke ich ein Telefon, so ein orangefarbenes mit silberner Tastatur.

Wieder geht es ein paar Stufen hinunter, ein paar rauf, und dann stehen wir vor der Zellentür. Sie ist aus Metall, hat oben ein verglastes Gitterfenster und unten eine kleine Klappe. Aha, denke ich, die ist bestimmt für die Wärter, damit sie da Sachen durchstecken können, wenn sie zu faul sind, hineinzugehen.

Eine Wärterin schließt auf und zwölf Augenpaare gucken mich erwartungsvoll an. Es ist gespenstisch still, bis auf das Plärren des Fernsehers, der gleich rechts neben der Tür oben auf einem der Spinde steht. Ich spüre die neugierigen Blicke, wie sie an mir hängen, mich abtasten, sich ein Bild machen von mir, der Neuen, die da verloren mit ihrem Gepäck in der Tür steht. Die Mädchen sitzen auf weißen Plastikgartenstühlen an weißen rechteckigen Plastiktischen. Insgesamt gruppieren sich fünf Tische um die Mitte des Raumes, der vielleicht dreißig Quadratmeter misst. Trotzdem wirkt er größer, weil außer den Tischen, Stühlen und ein paar Spinden neben der Tür kaum etwas drin ist. Nach meinen Erfahrungen aus Izmir vermute ich, dass es sich um die Küche der Zelle handelt. Aber wo ist dann der Herd? Ich sehe keinen, dafür entdecke ich eine Art Minitresen mit eingelassener Metallspüle, der links ganz hinten an der Wand steht. Die Platte ist aus Granit. Ein Vorhang aus einem pink gemusterten Stoff, der mir verdammt nach einem ausrangierten Bettbezug aussieht, verhüllt, was sich darunter verbirgt.

Der Fußboden ist aus dem gleichen nackten grauen Beton wie in Izmir, aber er wirkt viel sauberer, neuer. Auch die gelbe Farbe, mit der Wände und Decke gestrichen sind, sieht so frisch aus, als sei hier erst vor kurzem renoviert worden. Die Luft ist trocken, hoffentlich verzieht sich der Geruch der Mahlzeiten, die hier gegessen werden, dann möglichst schnell. Es riecht auch nicht nach Schweiß und ungewaschenen Menschen, sondern einfach steril.

Mein Blick wandert über die Frauen, die an den Tischen sitzen, grell beleuchtet von den beiden Neonröhren an der Decke. Sie sehen gepflegt aus, tragen Hosen und T-Shirts, die Haare frisiert, die Gesichter perfekt geschminkt, beinahe alle so zwischen zwanzig und dreißig. Ich entdecke nicht eine einzige in bunten Röcken, wie sie die meisten Häftlinge in Izmir trugen.

Hinter den Frauen, an der Wand gegenüber der Zellentür, sehe ich zwei vergitterte Fenster, die auf den Hof hinausgehen, der im Halbdunkel der Dämmerung nur zu erahnen ist. Ich strenge meine Augen an und meine die Mauer zu erkennen, die den Hof auf der anderen Seite begrenzt. Sie scheint nur ein paar Schritte entfernt zu sein, was für ein winziger Hof! Und wie kommt man da raus? Vermutlich durch die schwere Metalltür gleich links neben den Fenstern, die um diese Zeit natürlich geschlossen ist.

Als ich mich halbwegs orientiert habe, registriere ich, dass im Fernsehen gerade eine spanische Serie läuft. Die ist so ähnlich wie »Gute Zeiten, schlechte Zeiten« und wird ständig wiederholt im türkischen Fernsehen. Mir fällt ein, dass die Hauptdarstellerin Mercedes heißt, wie ein deutsches Auto, an den Namen der Serie kann ich mich nicht erinnern. Dazu habe ich sie in Izmir zu selten geguckt, weil ich sie einfach nur nervig finde. Aber viele Mädels stehen eben total drauf.

»Komm, ich helfe dir, deine Sachen nach oben in den Schlafsaal zu bringen«, reißt mich eine Stimme aus meinen Gedanken. Sie gehört zu einer mütterlich aussehenden Frau, die ich auf ungefähr vierzig schätze, sie wirkt eindeutig am ältesten in diesem Raum.

»Ich heiße Carmen«, stellt sie sich vor, und als sie lächelt, zeigen sich feine Lachfältchen um ihre warmen braunen Augen.

»Andrea«, sage ich. »Du bist wohl die Zellenchefin hier?«, füge ich noch hinzu.

»So etwas in der Art«, sagt sie vergnügt.

»Dahinten sind übrigens der Waschraum und die Toilette, falls du die suchst«, sagt sie und deutet auf eine Tür in der Wand gleich links neben der Hoftür. Eine ganz normale weiße Tür ist das, mit einer weißen Plastikklinke dran. Mir fällt auf, dass ich so eine Tür zuletzt auf der Polizeiwache gesehen habe, auf der ich verhört wurde. Ganze sieben Monate ist das jetzt her.

Carmen steht schon mit einer der Tüten, die sie mir abgenommen hat, auf der ersten Stufe der zur Küche offenen Betonwendeltreppe, die gleich links neben der Zellentür beginnt. Sie packt meinen Bettwäschesack mit an und geht langsam rückwärts die Stufen hinauf. Ihre dunkelrote Lockenmähne, die sie in einem Pferdeschwanz gebändigt hat, wippt im Takt ihrer Schritte. Die Treppe macht einen sanften Schwung und mündet direkt in den Schlafsaal, der genauso aussieht wie die Küche, wieder Betonfußboden und gelbe Wände.

Der Raum oben ist genauso groß wie die Küche. Ich zähle sieben doppelstöckige Etagenbetten aus Stahlrohr, die in zwei Reihen parallel zu den Fenstern angeordnet sind. Auf einem der beiden Betten, die ganz hinten an der Wand stehen, sitzt ein Mädchen ganz allein, völlig vertieft in den Brief, den sie gerade schreibt.

»Das ist Andrea aus Deutschland«, sagt Carmen auf Türkisch.

Das Mädchen guckt kurz hoch, nickt mir freundlich zu und schreibt dann weiter.

Carmen zeigt auf ein unbezogenes oberes Etagenbett, dessen Fußende direkt an der Treppe steht. »Das kannst du haben.« Sie grinst: »Die Letzte, die da geschlafen hat, ist gerade freigesprochen worden.«

Scheint ja eine positive Wirkung zu haben, das Bett, denke ich und fange gleich an, es zu beziehen. Carmen eilt wieder nach unten, um die Serie weiterzugucken. Als das Laken drauf ist, gehe ich zu dem Briefe schreibenden Mädchen.

Sie sieht nett aus. Gepflegt, blond, zierlich. Obwohl ich sie noch nicht kenne, weiß ich, dass wir etwas Wichtiges gemeinsam haben. Wir mögen beide keine dummen Fernsehserien. Ich spreche sie auf Türkisch an.

»Ich kann nur ganz schlecht Türkisch«, sagt sie.

Ich frage, woher sie komme.

»England«, sagt sie und mir fällt ein Stein vom Herzen. Da ist schon mal eine, mit der ich mich unterhalten kann. Sie heißt Jean, ist zweiunddreißig, was man ihr wirklich nicht ansieht, und ist auch wegen Drogenschmuggels hier – wie alle in dieser Zelle. »Bilecik ist so etwas wie eine Sammelstelle für Ausländer, die mit Drogen im Gepäck erwischt wurden«, sagt Jean.

Die Serie ist zu Ende und langsam trudeln die anderen Mädchen im Schlafsaal ein und stellen sich vor. Da ist Cippo, die aus Italien kommt und sogar Deutsch spricht. Außerdem Anouk aus Holland, die ebenfalls etwas Deutsch kann.

»Und das ist Dila, die kommt aus China«, rufen welche, als ein dunkelhaariges Mädchen mit schrägen Augen die Treppe hochkommt. Gelächter.

»Ha, ha, sehr lustig«, sagt Dila und klärt mich auf, dass sie in Wirklichkeit aus Kasachstan komme. Ich sage lieber nicht, dass ich mir das jetzt sicher nicht merken kann und froh bin, wenn ich mich morgen früh wenigstens noch an ein paar Namen erinnere. Ja, es ist beruhigend, dass ich so freundlich begrüßt werde, aber es war ein anstrengender Tag, es wird mir alles ein bisschen viel.

Also sortiere ich weiter meine Sachen, meine einzige Chance, mich aus dem aufgeregten Gequassel im Schlafsaal auszuklinken und neugierigen Fragen zu entkommen. Als ich fix und fertig ins Bett falle, ist es schon Mitternacht. Wenigstens ist es nachts nicht so hell hier. Jemand hat Zeitungspapier über die Neonleuchte schräg gegenüber meinem Bett gehängt. Ich schlafe ohne Decke ein, weil ich die heißen Izmir-Nächte gewöhnt bin.

17

Warum habe ich mich bloß nicht zugedeckt? Als ich aufwache, fühlen sich meine Füße an wie Eisklumpen und auch sonst ist mir ganz schön fröstelig. Wie kann das sein in der Türkei mitten im Hochsommer? Aygül und Fatoş schwitzen jetzt bestimmt schon in Izmir. Ich krame den Brief heraus, den sie mir zum Abschied mitgegeben haben. »Wir lieben dich. Du bist etwas ganz Besonderes für uns«, steht darin. Ich lese den Satz wieder und wieder. Wenn ihr wüsstet, wie sehr ich euch vermisse, jetzt schon, gerade mal vierundzwanzig Stunden nach meiner Abreise!

Solche Freunde werde ich hier niemals finden, denke ich und werde ein bisschen traurig. Ich sehe mich in der Zelle um. Die Wände strahlen in makellosem Hellgelb, wie in der Küche. Überhaupt ist es furchtbar kahl hier. Hell, kalt und so penibel ordentlich, dass der Raum wirkt, als würde hier niemand wohnen. In Izmir standen überall Betten, auf jedem Quadratmeter, den man nutzen konnte, mit bunten Bettbezügen. Und dann die vielen Menschen, die da durcheinander wimmelten. Es war immer etwas los.

Hier ist es still. Gruselig still. Die anderen Mädchen schlafen noch. Alles, was ich höre, ist ihr gleichmäßiges Atmen. Trotzdem fühle ich mich unendlich allein. Ich sitze auf meinem Bett und starre aus dem Fenster auf die hohe Mauer im Hof. Direkt dahinter ragt ein stacheldrahtbewehrter Wachturm auf. Oben steht ein Soldat mit einem großen Gewehr, ich kann ihn gut sehen von hier. Doch dann muss ich lachen. Dem sackt ja immer der Kopf nach vorne, als würde er gleich einschlafen. Ist ja 'ne schöne Bewachung hier.

Ich klettere aus meinem Bett und gehe zum Fenster, um mir den Hof genauer anzugucken. Er ist noch winziger, als ich gestern im Dämmerlicht vermutet habe. Eigentlich fängt die gegenüberliegende Mauer gleich hinter dem Fenster an. Dafür geht es extrem tief hinunter, ein Loch über drei Etagen. Die Küchentür führt nämlich nicht direkt auf den Hof, sondern auf eine schmale Treppe, eine Art Hühnerleiter aus Beton, über die man ins Kellergeschoss auf den Hof gelangt. Sogar die Hofwände sind in dem unvermeidlichen Gelbton verputzt, offensichtlich die Standardfarbe in türkischen Gefängnissen. Darüber spannt sich ein Stück Himmel, kein Grün, kein Horizont, nichts. Ich kann es nicht länger ertragen, da hinauszusehen.

Der Tag geht gleich richtig stressig los. Als Erstes bringen die Wärter einen Spind für mich. Er ist aus Metall und natürlich total verdreckt.

»Komm, ich helfe dir beim Schrubben«, bietet mir das Mädchen an, das sich gestern als Cippo vorgestellt hat. Sie hat dunkle Locken und wache braune Augen, die lebhaft funkeln.

Als wir fertig sind, tragen wir das Ding gemeinsam die Treppe hoch in den Schlafsaal. Cippo erzählt, dass sie Heroin in der Jacke gehabt habe, als sie erwischt worden sei. Sie hätte von der Verhaftung kaum was mitgekriegt, weil sie so zugedröhnt gewesen sei. Cippo war abhängig und hatte sich von dem Stoff vorher bedient. Sie hat ihre Sucht wohl so finanziert. Jedenfalls war es nicht das erste Mal, dass sie eine solche Tour gemacht hat. Ich mustere sie eingehend und wundere mich, dass jemand, der heroinabhängig war, derart normal aussieht. Nur wenn sie lacht, bemerkt man die Spuren der Sucht. Viele ihrer Zähne sind nur noch gelbliche Stummel, ein Schneidezahn fehlt.

Ich würde gern mehr wissen über ihr Leben und wie es dazu kam mit der Sucht. Aber ich frage nicht. Schließlich mag ich auch nicht ausgefragt werden. Das ist so polizeimäßig. Cippo wird es schon erzählen, wenn sie meint, dass die Zeit dafür gekommen sei.

Cippo schläft neben Anouk, der Holländerin, die das Bett unter mir hat. »Anouk ist meistens gut gelaunt, aber manchmal ein bisschen schwer von Begriff«, erzählt mir die Italienerin.

Sie habe Heroin in den Sohlen ihrer Plateauschuhe gehabt, als sie geschnappt wurde – vermutlich auch nicht zum ersten Mal. Ich merke schnell, dass ich hier wieder eine der Normalsten bin.

Trotzdem ist es wichtig, sich drinnen anzupassen, sich die Lebenslänglichen anzugucken und von ihnen zu lernen, wie die Regeln der Zelle lauten. Egal welche Tat sie begangen haben: Du sitzt da mittendrin, die Tür ist zu und du musst mit allen auskommen. Ich bin mir noch nicht so sicher, wie das hier klappen wird. Vor allem die Russinnen, die hier die Mehrheit stellen, gucken immer so komisch und tuscheln. Ich spüre, dass sie über mich reden, und sie sagen bestimmt nichts Nettes.

Zu Jean, der Engländerin, habe ich gleich einen guten Draht. »Ich bin schon fast zwei Jahre hier«, berichtet sie mir, als ich meinen frisch geputzten Spind einräume. Zwei Jahre, Wahnsinn! Sie habe als Prostituierte gearbeitet und musste dann irgendwie weg aus England, weil sie Morddrohungen bekam. Ein Kumpel habe sie dann gefragt, ob sie nicht in die Türkei wolle und dabei auch noch Geld verdienen. So sei sie an das Heroin gekommen – und ins Gefängnis. Mit Heroin habe sie vorher nichts zu tun gehabt, sagt sie. Sie habe bloß ab und zu mal Kokain genommen, das wolle sie jedoch nie wieder. Jean will ein ganz normales Leben anfangen, wenn sie wieder draußen ist. In Istanbul im Gefängnis hat sie einen ihrer Freier geheiratet, einen Schriftsteller. Der wollte nie Sex, wenn er bei ihr war, sondern nur ihre Hand halten und reden.

Bezahlt hat er trotzdem. Und gesagt, dass sie da nicht hingehöre, dass er sie rausholen wolle aus der Szene. Jean glaubt fest daran, dass es klappt.

Sie sitzt schon wieder auf ihrem Bett und schreibt an einem Brief.

»Für deinen Mann?«, frage ich.

»Nein«, sagt sie. »Ich schreibe mir außerdem noch mit einem Häftling hier. Das vertreibt die Langeweile.« Sie faltet den Brief und steckt ihn in einen Umschlag. »Du kannst hier freitags Briefe für Gefangene in anderen Zellen abgeben. Die Antworten kommen dann montags zurück«, erläutert sie. »Und weil heute Freitag ist, muss ich mich beeilen.«

»Ich habe auch einen Brieffreund, der in Bilecik sitzt«, sage ich. »Er heißt Kevin.«

Jean grinst. »Ja, die meisten Mädchen hier haben männliche Brieffreunde, ist ja auch für viele die einzige Chance, an Geld und Geschenke zu kommen. Die Männer dürfen uns nämlich etwas schicken.«

Ich erkläre Jean, dass ich das nicht nötig hätte, weil meine Eltern mich bestens versorgen.

»Da hast du aber Glück«, sagt Jean.

Ich hole mir mein Briefpapier und schreibe Kevin ein paar Zeilen, dass ich gut in Bilecik angekommen sei und dass die Mädchen in meiner Zelle auf den ersten Blick ganz okay seien. Jean steckt den Brief zu ihren und verspricht, ihn der Wärterin mitzugeben, die die Post abholt.

»Karavana«, schallt es zu uns herauf. Das Mittagessen.

Jean nimmt mich mit in die Küche und deutet auf einen der Plastiktische, an denen ein dunkelhaariges Mädchen sitzt. »Du kannst dich zu Natascha setzen«, sagt sie. »Leider ist an meinem Tisch kein Platz mehr frei.«

»Hallo, ich bin Andrea«, sage ich auf Türkisch und lasse mich auf einen Stuhl fallen.

Natascha stellt sich vor und isst dann schweigend weiter.

Carmen, die rothaarige Spanierin, die heute mit Essenholen

dran ist, wuchtet zwei riesige Henkeltöpfe in die Zelle und stellt sie auf dem Boden ab. »Es gibt Reis und Bohneneintopf«, verkündet sie mit fröhlicher Stimme.

Bohnen, igitt. Die habe ich schon in Izmir kaum herunterbekommen, weil sie immer in einer schleimigen Soße schwimmen und meistens noch Kraut dran ist, da sie so schlampig geputzt werden. Ich lade mir also Reis pur auf den Teller und schaufele ihn lustlos in mich hinein.

Natascha sagt immer noch nichts und spielt an einem kleinen Radio herum. »Keine Musik«, brummt sie dann auf Türkisch. »Coole englische Songs spielen sie meist erst ab 14 Uhr.«

Ich erzähle ihr, dass ich total traurig sei, weil die Soldaten meinen Walkman einkassiert haben.

»Du kannst dir so ein Radio im Einkauf bestellen«, sagt Natascha. »Das hier hat mein Brieffreund mir geschickt.«

Nach dem Essen geht Cippo mit mir auf den Hof. Vorsichtig klettere ich die steile Treppe hinunter, was ganz schön gefährlich ist, weil sie nicht einmal ein Geländer hat. Cippo flitzt nach unten, während ich vorsichtig von Stufe zu Stufe balanciere, so schwindelig ist mir. Endlich unten angekommen, fühle ich mich eingesperrter als in der Zelle. Wir versuchen Volleyball zu spielen, allerdings ist es so eng hier unten, dass es keinen Spaß macht. Der Hof hat eher das Format eines Squash-Courts, aber da machen die hohen Wände wenigstens Sinn.

Abends im Bett leihe ich mir Nataschas Radio. Sie spielen irgendeins dieser melancholischen Lieder von Queen. Ich kriege furchtbares Heimweh und weine in mein Kopfkissen, so leise wie möglich. Vor den anderen ist es mir dann doch etwas peinlich, schließlich kenne ich sie ja noch nicht richtig.

Bum, bum, bum, donnert es an die Tür. Bum, bum, bum. Es donnert gewaltig, wenn eine Faust auf Metall schlägt. Die müssen ja vom Wecken blaue Flecke kriegen, denke ich nicht zum ersten Mal und ziehe die schlafwarme Decke noch einmal kurz ganz fest um mich. 7.30 Uhr, was für eine unmenschliche Zeit. Die Ersten klettern noch völlig benommen und mit kleinen Augen aus ihren Betten. Mann, ist das kalt hier! Schnell ziehe ich mir einen Pulli über, suche die Badelatschen und stürze die Treppe hinunter in die Küche.

Die Zellentür geht auf. »Moment noch«, sagt die Wärterin und knallt sie gleich wieder zu. Die lassen uns da einfach bibbernd rumstehen und warten. Das gibt's doch gar nicht! Ein paar Minuten später, als sich meine Füße schon längst in Eisklumpen verwandelt haben, dürfen wir endlich auf den Flur.

»Alle in eine Reihe an die Wand«, kommandiert die Wärterin. Das kenne ich ja mittlerweile, ich bin jetzt den fünften Tag hier und weiß, dass es sich so am einfachsten zählen lässt.

Ich freue mich schon darauf, wieder in mein warmes Bett zu schlüpfen, na ja, vielleicht ist es noch lauwarm, als die Wärterin ein grimmiges Gesicht macht. »Eine fehlt«, sagt sie.

Diesmal trommeln wir an die Tür. Supergenervt. Superlaut. »Cippo«, brüllen wir, »Mann, beweg dich, wir wollen wieder ins Bett.«

Es ist immer das Gleiche mit Cippo. Minuten vergehen. Dann hören wir ihre unbeholfenen Schritte auf der Treppe. »Schlapp, schlapp, schlapp«, machen die Badelatschen. Zwölf wütende Augenpaare blicken in ein zerknirschtes, verschlafenes Gesicht.

»Sorry«, murmelt Cippo, als sie auf der letzten Treppenstufe angekommen ist.

Die Wärterin wirft ihr einen strengen Blick zu. »Okay, alle wieder rein«, befiehlt sie.

Mein Bett ist natürlich längst kalt. Bevor es wieder halbwegs gemütlich ist, bin ich eingeschlafen.

Als ich Stunden später aufwache, fällt mir ein, dass heute Montag ist, Briefetag. Ich bin gespannt, ob Kevin mir schon zurückgeschrieben hat. Schnell klettere ich aus dem Bett und schlüpfe in meine Klamotten. Dummerweise sehe ich beim Anziehen ausgerechnet in dem Moment hoch, als Dila aus Kasachstan sich in ihre Hose quetscht. Ihre schrägen Augen funkeln böse und sie wirft mir einen verächtlichen Blick zu, ganz so, als würde ich mich tatsächlich für ihren dicken Hintern interessieren. Sofort fängt sie wieder an, mit den anderen Russinnen über mich zu lästern. Was für ein Biest sie ist, immer zickig, eine, die sofort ausrastet, wenn nicht alles nach ihrem Plan läuft.

»Mach dir nichts daraus«, sagt Cippo, die die Szene beobachtet hat. »Dila ist notorisch schlecht gelaunt. Das liegt wohl daran, dass sie hier drinnen auf Drogen verzichten muss.«

Nach dem Frühstück wird der Tag dann doch noch gut. Kevin hat tatsächlich geschrieben.

Die Wärterin, die mir seinen Brief aushändigt, hat gleich noch eine andere gute Nachricht. »Du darfst hier jede Woche zehn Minuten mit deiner Familie telefonieren«, sagt sie.

»Geht das gleich heute?«, will ich wissen.

»Wir werden sehen«, sagt die Frau, was immer das heißen mag.

Ich setze mich wieder an meinen Tisch und reiße den Brief von Kevin auf. Schwerer After-Shave-Duft schlägt mir entgegen. Der muss das Blatt ja darin gebadet haben, denke ich. Mein Fall ist dieser Geruch nicht, mir wird beinahe ein bisschen übel. Trotzdem freue ich mich über seine Zeilen.

»Willkommen in Bilecik«, schreibt er. »Vielleicht können wir uns ja schon bald einmal persönlich kennen lernen. Es gibt hier nämlich die Möglichkeit, dass sich Häftlinge im Besuchertrakt treffen.«

Das klingt nach einer spannenden Abwechslung, ich muss die anderen Mädchen unbedingt mal fragen, wie das geht.

Bum, bum, bum, schon wieder steht eine Wärterin an der Tür. Ich höre, wie sich der Schlüssel im Schloss dreht, dann steckt sie den Kopf zur Tür hinein. »Zwei von euch bitte mitkommen. Ich habe einen Einkauf, der abgeholt werden muss.«

Cippo steht auf.

»Ich helfe dir«, sage ich schnell.

Wir folgen der Wärterin durch den Gang, durch den ich hergekommen bin, bis in das Wärterzimmer, einen kahlen Raum, in dem lediglich ein Tisch, zwei Stühle und der ewig laufende Fernseher stehen. Die Wärterin deutet auf zwei große Tüten. »Die da«, sagt sie. Cippo und ich schleppen die Tüten in die Zelle.

»Für wen sind die eigentlich?«, frage ich und öffne eine Tüte.

Gleich obenauf liegt ein Zettel, auf dem »Olga« steht. Wir finden Olga im Schlafsaal, ein dünnes, blondes Mädchen, das nur gut aussieht, wenn es sich die Mühe macht, sich zu schminken. Heute hatte Olga offenbar keine Lust. Sie nimmt uns die Tüten ab, ohne sich zu bedanken. Die haben wirklich kein Benehmen, die Russinnen.

Nur wenig später kommt es noch dicker.

»Wo sind meine Kugelschreiber?«, kreischt Olga in ihrem schlechten Englisch, als sie sich durch die Tüten gewühlt hat. Sie kommt auf mich zu. »Wo hast du meine Kugelschreiber?«

Ich bringe ihr so ruhig wie möglich bei, dass ich ganz sicher keine Kugelschreiber klaue, da ich selbst mehr besitze, als ich während meiner gesamten Haftzeit benötige. Olga guckt nur böse, dreht sich weg und tuschelt mit Dila auf Russisch. Sie glaubt mir nicht, denke ich und bin inzwischen richtig sauer, dass ich mir die Mühe gemacht habe, die Tüten hierher zu schleppen. Diese Russinnen sind wirklich die schlimmsten Zicken.

Ich komme gar nicht dazu, mich weiter zu ärgern, weil ich aus den Augenwinkeln eine blau uniformierte Person sehe, eine Wärterin, die sich leise in den Schlafsaal geschlichen hat. »Wer möchte telefonieren?«, fragt sie.

»Jetzt sofort?«, erkundige ich mich überrascht und meine schlechte Laune ist wie weggeblasen.

Ich folge der Wärterin auf den Gang zu dem orangefarbenen Telefon mit den silbernen Tasten. Erst gebe ich den Code für Deutschland ein, dann wähle ich unsere Nummer zu Hause. »Tuut, tuut«, erklingt das Freizeichen in der hallenden Leitung.

»Hallo«, piepst plötzlich eine leise Stimme am anderen Ende. Sie hört sich weit weg an, so als könne man die Distanz der vielen Kilometer hören, die uns trennen.

»Wer ist da?«, frage ich verwirrt, weil ich die Stimme nicht sofort erkenne.

»Hier ist Ari«, piepst es. »Bist du das, Andrea?«

»Ja«, sage ich, und dann fehlen mir erst mal die Worte, weil ich mich so schäme, dass ich nicht einmal mehr meine kleine Schwester sofort erkenne. Zum Glück hat Ari das gar nicht mitgekriegt. Sie plappert einfach drauflos, wie ein Wasserfall, so wie immer. »Ich war mit Mama bei H&M«, erzählt sie. »Sie hat mir eine neue Jeans gekauft mit Blumenstickerei. Und für dich haben wir auch eine Überraschung ausgesucht. Die hat Mama schon losgeschickt.«

Ich frage, was das sei.

Aber Ari kichert nur. »Verrate ich nicht, ist doch eine Überraschung.«

»Ist Mama da?«, frage ich.

»Nein«, erwidert Ari. »Es ist doch erst fünf. Da ist sie noch bei der Arbeit.«

Stimmt, das habe ich ganz vergessen. Ich kriege wirklich gar nichts mehr mit von dem, was zu Hause los ist. Ich versuche mir Ari vorzustellen, wie sie am Telefon sitzt, mit dem Hörer in der Hand, doch es gelingt mir nicht. Kinder verändern sich so schnell, denke ich. Sie ist bestimmt ein riesiges Stück gewachsen und sieht längst ganz anders aus, als ich sie in Erinnerung habe.

»Ich habe wieder Silber geholt beim Judo«, höre ich Aris Stimme.

»Super«, lobe ich. »Wenn ich wiederkomme, muss ich mir unbedingt mal einen deiner Wettkämpfe ansehen.«

»Wann kommst du denn?«, will Ari wissen und die Hoffnung, die in ihrer Stimme mitschwingt, tut irgendwie weh.

»Bald«, antworte ich und versuche optimistisch zu klingen. Die Wärterin bedeutet mir, dass meine Telefonzeit um ist. »Grüße Mama, Papa und Dani und gib Cora einen dicken Kuss von mir«, sage ich.

Dann ist die Leitung tot. Benommen kehre ich in die Zelle zurück. Ich häkele ein bisschen, anschließend verkrieche ich mich in mein Tagebuch. Seit meiner Verlegung habe ich keine Zeile geschrieben, weil ich alle Kraft gebraucht habe, die neuen Eindrücke zu verarbeiten.

Der Abend endet mit einem Drama, das eigentlich ganz harmlos beginnt.

»Andrea, kannst du mir den Rücken richtig zudecken?«, bittet Cippo, die in dem Bett schräg unter mir schläft, als ich vom Zähneputzen zurück bin.

»Klar«, sage ich und stopfe ihre Decke richtig schön fest.

Ich habe es mir gerade mit einem Buch in meinem Bett gemütlich gemacht, als Jean plötzlich angeschossen kommt, Cippo die Decke wegzieht und meint: »Komm mal mit!«

Die beiden gehen runter ins Bad. Ich kann ihre Stimmen hören, schrill und aufgeregt. Die Wände dieser Zelle haben Ohren, das liegt an der offenen Treppe. Jean schluchzt laut und anhaltend, dann geht der Fernseher in der Küche an. Jean muss ihn eingeschaltet haben, denn Cippo kommt schon wieder die Treppe hinauf.

Sie ist so aufgewühlt, dass sie nicht schlafen kann. »Jean ist eifersüchtig auf unsere Freundschaft«, sagt Cippo. »Sie ist total traurig, dass wir immer Deutsch sprechen.«

Ich kenne dieses Gefühl gut, von den Russinnen, daher weiß ich, wie schrecklich es sich anfühlt, wenn man nichts versteht. Wir nehmen uns vor, ab jetzt viel mehr Englisch zu sprechen, weil wir Jean beide sehr gern haben.

18

Seit Tagen habe ich kaum ein Auge zugemacht, weil ich so aufgeregt bin. Mama kommt. Heute, am 28. August, ist es endlich so weit. Ob der Direktor hält, was er angedeutet hat? Vielleicht sei diesmal ein offener Besuch erlaubt, hat er gesagt. Das bedeutet, dass wir nicht durch die Glasscheibe miteinander reden müssen, sondern uns im Besucherraum treffen dürfen. Dann kann ich Mama umarmen, zum ersten Mal seit acht Monaten. Ich stehe im weiß gefliesten Duschraum und seife mich mit der Kokosseife, die Mama mir geschickt hat, großzügig von oben bis unten ein. Eilig spüle ich den Schaum mit ein paar Eimerladungen Wasser ab. Es gibt zwar sogar eine Brause, doch die benutze ich nicht mehr, seit ich herausgefunden habe, dass sie nur noch tröpfelt, wenn einer in der Küche das Wasser aufdreht.

Meine Haare sind noch feucht, als mich die Wärterin abholt. »Klappt es nun mit dem offenen Besuch?«, frage ich gespannt.

Sie zuckt nur die Achseln und bringt mich in eine der Sprechzellen.

Mama steht schon da. Sie sieht noch schlechter aus als beim letzten Mal, fährt es mir durch den Kopf. Ich nehme den weißen Telefonhörer auf meiner Seite und gebe ihr ein Zeichen, dass sie ihren abheben soll. Die Scheibe hat nämlich keine Sprechlöcher wie die in Izmir.

»Hallo Schnecke«, höre ich Mamas Stimme. »Wie geht es dir?«

»Ich bin so traurig, dass ich dich nicht umarmen kann«, entfährt es mir.

»Ich war gerade beim Direktor. Er hat gesagt, dass es nachher vielleicht doch ein paar Minuten mit dem offenen Besuch klappt«, tröstet Mama mich. »Kopf hoch.«

Plötzlich ist die Wärterin wieder da. »Okay«, sagt sie. »Der Direktor hat es erlaubt. Du musst nur schnell zwei Stühle aus der Zelle holen, für deine Mutter und dich.«

»Bin gleich wieder da«, rufe ich in den Hörer, weil ich keine kostbare Zeit mit Erklärungen vergeuden will.

Eilig folge ich der Wärterin in die Zelle, staple zwei der weißen Gartenstühle übereinander und lege noch ein paar Kekse aus meinem Spind auf einen Teller, damit ich Mama wenigstens etwas anbieten kann.

Die Wärterin schließt die Tür auf, die auf die andere Seite der Sprechzellen führt, die üblichen gelben Wände, der graue Betonfußboden und ein paar Quadratmeter freier Raum. Mittendrin steht Mama. Ich lasse die Stühle einfach los und falle ihr um den Hals. Sie riecht so gut, denke ich, nach Sicherheit, nach Zuhause. Ich fühle mich ganz klein, wie ein Kind. Der triste Raum ist verschwunden, in diesem Moment gibt es nur noch Mama und mich, unsere Umarmung, unsere Tränen, die in Strömen fließen. Wir können uns gar nicht wieder trennen.

»Lass dich mal anschauen, Schnecke«, sagt Mama irgendwann, geht einen Schritt zurück und legt mir die Hände auf die Schultern. »Du siehst besser aus als in Izmir«, stellt sie fest.

Ich hole die Stühle und nehme den Teller mit den Keksen auf den Schoß, weil es keinen Tisch gibt. »Hier, für dich«, sage ich.

»Es gibt aufregende Neuigkeiten«, beginnt Mama und nimmt einen Keks, »du wirst Tante.«

»Was? Dani ist schwanger?«, frage ich fassungslos, weil das jetzt wirklich ein Schock ist. Ich versuche mir die lange, dünne Dani mit Bauch vorzustellen, mit Kinderwagen, mit einem Baby auf dem Arm. Es funktioniert nicht. »So früh«, stammele ich. »Sie ist doch nur ein Jahr älter als ich.«

»Dani und Mirko freuen sich sehr«, sagt Mama. »Sie suchen schon nach einer größeren Wohnung, dabei ist Dani erst in der vierten Woche.«

Ich rechne nach. »Hoffentlich bin ich schon wieder in Deutschland, wenn meine kleine Nichte oder mein kleiner Neffe geboren wird.«

»Wenn es mit der Revision klappt, bist du schon viel früher zurück«, versucht Mama mich zu beruhigen. »Falls nicht, werden wir eben beantragen, dass du von der Türkei nach Deutschland überstellt wirst. Dann bist du zwar immer noch nicht frei, aber wenigstens ganz dicht bei uns.«

Als Mama sieht, dass ich schon wieder weinen muss, nimmt sie sanft meine Hand.

»Ich wünsche mir so sehr, dass ich Weihnachten wieder zu Hause bin«, schluchze ich.

»Dafür kämpfen wir«, sagt Mama, »jeden Tag.«

Die Wärterin unterbricht uns, weil die Sprechzeit vorbei ist. Ich nehme Mama noch mal in den Arm und will sie gar nicht loslassen.

»Komm jetzt endlich, Andrea«, höre ich die Stimme der Wärterin.

Ich gebe Mama noch einen Kuss, dann gehe ich ganz schnell weg, weil ich den Abschied nicht ertragen kann.

»Deine Familie ist ja wie eine türkische Familie«, sagt die Wärterin, als sie die Zellentür aufschließt.

»Wieso?«, frage ich verwundert.

»Ich hätte nie gedacht, dass Deutsche so offen ihre Gefühle zeigen«, brummt die Frau, schiebt mich in die Zelle und schließt hinter mir ab. Ich brauche ein paar Minuten, um zu begreifen, dass das jetzt wohl ein Kompliment gewesen sein soll.

Sofort verkrieche ich mich in mein Bett, weil ich jetzt mit

niemandem reden mag. Es ist mir einfach alles zu viel. Eben habe ich mich wieder so klein gefühlt, wie ein Kind in Mamas Arm, und Dani, die kaum älter ist als ich, wird einfach Mutter. Das passt nicht zusammen. Was ist nur alles passiert zu Hause, in den paar Monaten, die ich jetzt weg bin? Ich erinnere mich, wie ich mit meiner Schwester und Mirko in ihrer Wohnung Videos geguckt habe, jede Menge Freunde da, die Aschenbecher voll, Partystimmung. Dann versuche ich mir ein Baby in diesem lustigen Chaos vorzustellen, doch es will mir einfach nicht gelingen. Dani muss sich sehr verändert haben, denke ich. Sie ist erwachsen geworden in meiner Abwesenheit und ich fühle mich jünger und schutzloser als vor meiner Abreise. In dieser Nacht träume ich, dass ich Danis Baby im Arm halte. Es hat blonde Locken, wie ich als Kind. Ein neues Leben, unschuldig, ohne Fehler. Das Baby lächelt und ich lächele zurück.

In Deutschland sind die Blätter jetzt schon bunt, denke ich wehmütig, als ich den 3. Oktober in meinem Kalender ausstreiche. Keine Ahnung, wie die Blätter jetzt in Bilecik aussehen, ich habe schon seit zwei Monaten keinen Baum mehr gesehen.

Dann fällt mir ein, dass ich heute meinen Brieffreund Kevin treffen werde – mein erstes Date seit elf Monaten. Grund genug, mich ausnahmsweise mal richtig schön zu machen. Ich schlüpfe in die schwarze Hose und ziehe das dunkelblaue Bikini-Top an, das ich mir gehäkelt habe. Jetzt noch die graue Jacke, die ich offen lasse.

»Wow, der wird Augen machen«, bewundert Anouk mein Outfit.

Sie ist von uns allen die Beste im Häkeln.

»Alles dein Verdienst«, sage ich. »Wenn du mir nicht geholfen hättest, wäre es niemals rechtzeitig fertig geworden. Meinst du wirklich, dass ich die Jacke so weit offen lassen kann?«

»Klar«, erwidert Anouk. »Du musst ihn schön heiß machen, damit er dir Geschenke schickt.«

»Ich will ja gar keine«, entgegne ich.

»Egal«, sagt Anouk, »es tut auch so gut, bewundert zu werden.«

Ich habe mich wohl ein bisschen mit der Temperatur verschätzt, auf dem Weg ins Sprechzimmer ist mir sehr kalt. Und dann habe ich auch noch Pech: Weil so ein Durcheinander ist in dem Raum und so viele sich treffen wollen, muss ich von der halben Stunde Sprechzeit, die wir eigentlich haben, dreiundzwanzig Minuten warten. Endlich weist eine Wärterin mir eine Kabine zu.

Ich erkenne Kevin erst gar nicht, weil ich nach dem Mann auf dem Foto suche, das er mir geschickt hat. Er hat offenbar ordentlich zugenommen seitdem, ist ein richtiger Brocken mit Pausbacken. Überhaupt nicht mein Typ. Am liebsten würde ich den Reißverschluss der Jacke schnell ganz bis nach oben ziehen, aber das ist mir dann doch zu peinlich.

»Mir fehlen die Worte«, sagt das Pausbackengesicht und grinst so anzüglich, dass ich zum ersten Mal dankbar für die Glasscheibe bin, die uns trennt.

»Tja, drei Jahre Knast sind eine lange Zeit«, entgegne ich frech.

»Du hast ja auch ein paar Jahre abgesahnt«, kommt es zurück. »Wie viel Kohle hat man dir denn versprochen, damit du diese Tour machst?«

»Sechstausend Mark«, antworte ich wahrheitsgemäß. Da kriegt Kevin doch tatsächlich einen Lachkrampf, dass die Pausbacken vibrieren. »Mann, bist du abgezockt worden. Andere kriegen 60 000 für die gleiche Menge. Für so'n paar Kröten schmuggelt doch niemand Heroin!«

Ich versuche ihm zu erklären, dass ich diese Tasche nicht einmal für 60 000 Mark mitgenommen hätte, wenn ich von dem Heroin gewusst hätte. Aber das scheint Kevin nicht sonderlich zu interessieren.

»Es gibt sicher Dinge, die du besser kannst, als Heroin schmuggeln«, sagt er und saugt sich mit seinem Blick an meinem Bikinitop fest.

Da ist die Sprechzeit auch schon vorüber und ich bin beinahe ein bisschen erleichtert.

»Es gibt so viele Idioten«, tröstet mich Jean, als wir am Nachmittag im Schlafsaal Gymnastik machen.

»Kevins Briefe sind ganz anders«, sage ich, »sie passen einfach nicht zu dem Menschen, den ich gerade getroffen habe.«

»Vergiss ihn«, entgegnet Jean atemlos und setzt zur nächsten Kniebeuge an.

Ich bewundere ihr wunderschönes Delfin-Tattoo auf der Wade, das in der Bewegung beinahe lebendig aussieht. Jean ist ein Gesamtkunstwerk: ein Stacheldraht ziert ihr Dekolletee und eine Spinne ihre Hand.

»Kannst du mir nicht auch ein Tattoo stechen?«, frage ich.

»An was hattest du denn gedacht?«, will Jean wissen.

Ich denke kurz nach. »Ein Tattoo ist doch eine Herzenssache. Da kommt nur eines in Frage. Cora, der Name meiner Schäferhündin. Du könntest ihn mir in der schönen Schrift, in der du immer deine Briefe schreibst, auf den Knöchel tätowieren.«

Jean zögert ein bisschen, weil sie Angst hat, dass Carmen, die mehr ist als eine Zellenchefin, eher eine Zellenmama, strikt dagegen ist. Wir beschließen deshalb zu warten, bis die anderen sich abends in der Küche vor dem Fernseher versammeln.

Als die Luft rein ist, treffen wir auf meinem Bett heimlich die Vorbereitungen. Jean gießt schwarze Tinte in eine Tablettenverpackung, aus der eine Pille herausgedrückt ist. Anschließend umwickelt sie zwei Nähnadeln, die sie parallel nebeneinander legt, straff mit Wolle. Ich liege mit dem Kopf am

Fußende des Bettes und lehne mich gegen die Wand an der Längsseite. Ich ziehe das rechte Bein ein wenig an und drehe den Fuß seitlich, so dass er bequem auf Jeans Schoß liegt, die am Kopfende sitzt. Ich bin aufgeregt und gleichzeitig seltsam zufrieden. Vielleicht liegt es daran, dass ich endlich einmal wieder eine eigene Entscheidung getroffen habe, eine Entscheidung für die Ewigkeit.

Als Jean den Schriftzug mit dem Kuli vorzeichnet, muss ich kichern, weil es so kitzelt.

»Gut so?«, fragt Jean.

»Nein, ruhig noch etwas größer«, befinde ich nach kritischer Prüfung.

Jetzt wird es ernst. Jean taucht die umwickelten Nadeln in die Tinte. »Nur der erste Stich tut weh. Dann ist die Haut etwas betäubt, ich werde mehrmals in dieselbe Stelle stechen«, kündigt sie an. Ich spüre den Schmerz, kurz und scharf, danach kribbelt es nur noch und manchmal zuckt mein Fuß. »Das passiert, wenn ich einen Nerv erwische«, erklärt Jean.

Nach dem ersten Durchgang nimmt sie ein Stück Watte, taucht es in das Wasser, das sie in einem Plastikbecher bereitgestellt hat, und wischt die Haut sauber. Danach rauchen wir erst mal eine. Ich spüre das Nikotin des ersten Zuges nicht wie sonst, weil ich so aufgeregt bin. Mit zitternden Händen streife ich die Asche in dem Nescafé-Glasdeckel ab, den wir mit Zigarettensilberpapier ausgeschlagen haben. Der Cora-Schriftzug sieht schon richtig cool aus, aber wir müssen noch dreimal nachstechen, damit er nicht zu blass wird.

Wir haben es fast geschafft, als Natascha uns erwischt, die sich ihre Zigaretten holen will.

»What are you doing? – Was macht ihr denn da?«, fragt sie in ihrem komischen Englisch. »Seid ihr denn wahnsinnig?«

Ich grinse nur und denke, dass sich hier alle irren, die in mir nur das Zellen-Nesthäkchen sehen. Okay, ich bin die Jüngste, aber wenigstens achtzehn und damit alt genug für

Tattoos. Als wir endlich fertig sind, bin ich voller Stolz, ich fühle mich tatsächlich irgendwie reifer. Jetzt bist du immer bei mir, Cora, denke ich und schicke ihr einen dicken Kuss mit der Gedankenpost.

19

Es ist Freitag und ich schreibe gerade meine Tattoo-Erlebnisse in mein Tagebuch, als der nächste Brief von Kevin eintrifft. Dieser Brief ist anders als die anderen und ich frage mich, ob das mit dem Häkeltop wirklich eine gute Idee war.

»Liebe Andrea«, steht da, »ich glaube, du bist doch eine kleine Hexe, aber eine sehr hübsche und reizende. Mir fehlen die Worte, um dich zu beschreiben. Göttin, das wäre wohl der richtige Ausdruck für dich. Wie klingt das, kleine Göttin? Bist du damit einverstanden? Ich bitte dich, nein, ich flehe dich von ganzem Herzen an, zieh die gleichen Sachen beim nächsten Date noch einmal an.«

Niemals, denke ich. Ist mir schon ein bisschen viel, diese Schwärmerei.

Aber es wird noch schlimmer: »Nach dem Besuch, der leider sehr kurz war, musste ich erst einmal duschen gehen. Sonst wäre ich hier noch durchgedreht. Wäre die Scheibe nicht gewesen, ich hätte dich glatt vernascht, ganz langsam von oben bis unten. Ich wette, du schmeckst wie süßer Honig, hoffentlich komme ich einmal in den Genuss, dich zu kosten.«

Was fällt dem eigentlich ein? Kann ja wohl nicht sein. Doch Kevin wird noch deutlicher. »Wenn ich daran denke, dass ich noch zwei Jahre vor mir habe, ohne zu ..., weiß ich nicht, wie ich das aushalten soll.«

Kann ich jetzt nicht nachvollziehen. Sex ist wirklich nicht das, was mir hier am meisten fehlt. Und schon gar nicht mit

Kevin. Als Brieffreund ist er okay, aber ich muss ihm wohl mal vorsichtig klar machen, dass da sonst nichts laufen wird. Trotzdem tut mir Kevin Leid mit seinen eingesperrten Gefühlen. Ich will nicht, dass er sich falsche Hoffnungen macht, aber er soll wissen, dass ich ihn als Kumpel durchaus mag. Vielleicht schreibt er dann ja auch wieder normale lustige Briefe, so wie vor unserem Treffen.

Nachmittags drehe ich ein paar Runden im Hof und erwische mich dabei, dass ich leise anfange zu beten. Ich bitte darum, dass es meiner Familie gut geht, solange ich im Knast sitze, und dass sie sich nicht zu viele Sorgen und Gedanken über mich machen müssen. Ich bete auch für Nicky, damit Gott gut auf sie aufpasst und sie nicht auf dumme Gedanken kommt, solange ich nicht für sie da sein kann. Ich bete und bete, schließlich auch für alle meine Freunde in Deutschland. Tränen strömen mir übers Gesicht, so geweint habe ich zuletzt bei meinem Urteil am 19. Mai.

Nachdem ich mich wieder beruhigt habe, setze ich mich zu Cippo und Jean in die Küche. Gemeinsam sehen wir uns die Fotos an, die Mama mir geschickt hat. Sie zeigen die Gegend, in der sie uns gefangen halten und die keine von uns je zu Gesicht bekommen hat. Wir staunen, wie idyllisch es aussieht in Bilecik. Auf den Fotos sind hohe Berge mit zerklüfteten Felsen, so wild, als hätte ein Riese Gesteinsbrocken in die Gegend geschleudert. Hier ganz in der Nähe muss die schöne Moschee sein, von der Mama so geschwärmt hat, die mit den herrlichen Blumengärten. Es sei selten, dass Ausländer nach Bilecik kommen, schreibt Mama. Weil es eigentlich kein touristischer Ort sei, sondern eine Garnisonsstadt. Knapp 18 000 Soldaten seien hier stationiert und das sehe man auch am Stadtbild: alles voll mit Männern in Tarnklamotten und Militärpolizei in Uniform.

»Sie haben uns wirklich an den bestbewachten Ort in der ganzen Türkei gebracht«, sage ich kopfschüttelnd.

»Als ob eine von uns hier rausklettern könnte«, meint Jean

und starrt ausdruckslos durch die vergitterten Fenster auf die Hofmauer.

Meine Depression hält an. Ich habe es aufgegeben, die Tage zu zählen, die mit Tränen beginnen. Heute tropfen sie auf den Brief, der gerade vom Gericht aus Ankara gekommen ist. Meine Revision ist abgelehnt worden, das Urteil bestätigt – und diese Nachricht erreicht mich ausgerechnet heute, am 24. Oktober, Mamas Geburtstag. Ich wollte Weihnachten zu Hause feiern, das war das Ziel, der Strohhalm, an den ich mich die vergangenen sechs Monate geklammert habe. Was für ein furchtbarer Tag! Wie gelähmt liege ich auf meinem Bett, unfähig zu denken, unfähig aufzustehen. Völlig benommen grüble ich vor mich hin. Wie soll ich das bloß aushalten? Hier passiert gar nichts, mein Leben steht still.

Es ist so eintönig hier, dass ich mich sogar zu einem zweiten Treffen mit Kevin durchgerungen habe, einfach um etwas Abwechslung zu haben. Diesmal ist er noch schmieriger als beim ersten Treffen, denke ich. Obwohl er schon fünfzehn Jahre gekriegt hat, hat er immer noch krumme Geschäfte im Kopf. Da erzählt er mir doch tatsächlich, dass er eine Deutsche mit einem Albaner verheiraten wolle, für 20 000 Mark. Denn nur so könne der Albaner in Deutschland bleiben. Bei unserem letzten Treffen hatte ich ihm von Nicky erzählt, meiner liebsten Freundin. Jetzt hat er doch tatsächlich die fixe Idee, dass Nicky den Albaner heiraten könne. Der spinnt ja wohl! Ich würde niemanden, den ich kenne, in seine zwielichtigen Geschäfte mit hineinreiten.

Kevin sagt, er wolle nicht, dass ich deshalb schlecht über ihn denke. Aber wie soll mir das gelingen? Er ist schon ein seltsamer Mensch. Sein Lieblingsspruch lautet: »Geld regiert die Welt«. Okay, es ist gut, Geld zu haben. Doch käuflich bin ich nicht.

Die Mädchen in meiner Zelle sagen, Kevin sei nicht der richtige Umgang für mich. Ich bin hin- und hergerissen: Einerseits finde ich seine Ansichten unmöglich, andererseits ist er hier der einzige Deutsche, mit dem ich mich unterhalten kann. Und es tut gut, endlich mal auf Deutsch ein paar blöde Witze reißen zu können. Ich bin froh über alles, was mir einen Grund zum Lachen gibt.

Heute habe ich allerdings keinen. Selbst die Aussicht, dass nachher mein Anwalt kommt, ist wenig tröstlich. Was soll er schon machen? Das Urteil steht fest.

Ich quäle mich aus dem Bett und schlüpfe in meine weiße Jogginghose, die mittlerweile eher beige aussieht, weil ich sie schon seit Tagen trage. Die Wärterin, die mich abholt, mustert mich missbilligend.

»In diesem Aufzug nehme ich dich nicht mit«, sagt sie, »du musst wenigstens deine Arme bedecken.«

»Okay«, gebe ich gleichgültig zurück, weil ich weiß, dass Widerspruch zwecklos ist. Ich gehe noch mal hoch, ziehe eine Jacke über das T-Shirt und tausche die Jogginghose gegen eine Jeans.

Die Wärterin führt mich durch den Gang mit dem orangefarbenen Telefon in ein Zimmer, das sich direkt neben dem Besucherraum befindet. Der Raum ist winzig, eher eine Kabine als ein Zimmer. In der Mitte steht ein Tisch, der so breit ist, dass man an den Seiten nicht vorbeikommt, sonst nichts. Langsam fahre ich mit dem Finger über die dicke Staubschicht, die den Tisch bedeckt. Es scheint lange her zu sein, dass sich ein Anwalt nach Bilecik verirrt hat.

Die Wärterin muss den gleichen Gedanken gehabt haben. »Komm, wir gehen noch mal in die Zelle und holen einen Lappen, damit du den Tisch sauber machen kannst«, sagt sie. »Und zwei Stühle wären sicher auch nicht schlecht.«

Als wir zurückkommen, tritt mein Anwalt gerade durch die vergitterte Tür am anderen Ende des Besucherraums.

»Das ist ja ein Service«, ruft er gut gelaunt, als ich schnell den Tisch vom Staub befreie.

Ich erzähle ihm von dem Brief, der heute aus Ankara gekommen ist.

»Ja, ich weiß«, sagt Herr Caner und sieht plötzlich wieder
ganz ernst aus. »Das ist sehr bedauerlich, wir mussten es einfach versuchen.« Er zieht ein paar Papiere aus seiner Aktentasche und legt sie auf den Tisch. »Sei nicht traurig, Andrea«,
fügt er hinzu. »Wir kämpfen ja weiter.«

Dann erklärt er mir, meine Eltern drängten massiv darauf,
dass ich endlich nach Deutschland überstellt werde. Deshalb
müsse ich auch diesen Antrag hier unterschreiben, wenn ich
einverstanden sei.

»Was bedeutet das denn für mich?«, will ich wissen.

Herr Caner sagt, er wolle mir keine allzu große Hoffnungen
machen, weil es bis zu einem Jahr dauern könne, bis dem Antrag stattgegeben werde.

»Dann kann ich ja auch gleich hier bleiben, bis ich vierzig
Prozent von meiner Strafe abgesessen habe«, entgegne ich
trotzig.

Mein Anwalt wiegt nachdenklich den Kopf. »Nun, deine
Eltern haben alle juristischen Möglichkeiten in Deutschland
überprüft und denken, dass eine Überstellung das Beste für
dich sei.«

Ich sage, dass mir das alles egal sei und viel zu kompliziert, dass ich nicht schon wieder in eine neue Zelle wolle,
nicht einmal in Deutschland. Schließlich unterschreibe ich
das Papier doch, weil ich Mama und Papa nicht enttäuschen
will.

Zum Abschied drückt Herr Caner meine Hand ganz fest.
»Alles Gute, Andrea«, sagt er. »Denk daran, du darfst nicht
aufgeben, du musst kämpfen. Versprich mir, dass du dich
nicht hängen lässt, gerade jetzt, nachdem du schon so viele
Schwierigkeiten gut bewältigt hast. Versprich mir, dass du
dein Abitur nachmachst, sobald du die Möglichkeit dazu hast.
Was ich geschafft habe, das kannst du auch.«

»Okay, versprochen«, sage ich. »Aber es gibt einfach Tage,

an denen es schwer ist, an eine Zukunft zu glauben. Sie sind der Einzige, der es schafft, mich immer wieder aufzubauen.«

Der Besuch von Herrn Caner hat gut getan. Ich habe plötzlich sogar wieder Lust auf die abendliche Gymnastik mit Jean, als ich in die Zelle zurückkehre.

Wir liegen auf meinem Bett und machen Bauchmuskeltraining, als Jean sich plötzlich aufsetzt und aus dem Fenster starrt.

»Guck mal, der Soldat auf dem Wachturm spielt mit seinem Feuerzeug.«

Tatsächlich, jetzt sehe ich es auch, das kleine Licht, das immer wieder in der Dunkelheit aufflammt. »Komm, wir machen uns einen Spaß und antworten ihm«, sage ich und suche mein Feuerzeug. Blink, blink, blink morsen wir in die Nacht. Die Antwort kommt prompt, der Soldat schickt uns ein dreifaches Blinkzeichen zurück.

»Los, wir machen ihn ein bisschen heiß«, kichert Jean, als uns das Spiel langweilig wird.

Ich hole meine Bodylotion, und dann cremen wir uns genüsslich die Beine ein. Der Soldat quittiert das Schauspiel mit aufgeregten Blinkzeichen. Der Flirt beginnt uns richtig Spaß zu machen – wann darf man sich schon mal sexy fühlen im Gefängnis? Wir beschließen den Abend, indem wir einmal kurz unsere T-Shirts lüpfen und unsere BHs zeigen. Der Soldat schickt uns ein »Wow«, indem er die Flamme so lange brennen lässt, bis sie ausgeht. Im flackernden Schein können wir kurz sein Profil sehen.

»Der hat ja ganz schöne Segelohren«, bemerkt Jean.

Wir taufen unseren Verehrer Charles, nach dem britischen Thronfolger, der das gleiche Ohrenproblem hat. War doch gar nicht so übel, der Tag, denke ich, als ich mit einem Grinsen im Gesicht einschlafe.

Immer gleich reihen sich die Tage aneinander, und dann ist auch schon Weihnachten. Kevin schreibt, er habe ein Geschenk für mich besorgt, und ich antworte ihm, dass ich keines haben wolle von ihm. Er schickt mir trotzdem eine gelbe Seidenrose, die furchtbar stinkt, weil er sie offenbar in seinem grässlichen Parfum ertränkt hat. Ich schreibe ihm, dass er sich die Mühe sparen könne, dass er mich niemals kriegen werde, was immer er sich einfallen lasse, und dass dies mein letzter Brief sei, endgültig.

Als ich den Umschlag zuklebe, sehe ich, wie zarte weiße Flocken auf den Hof rieseln. Schnee. Der erste, den ich in der Türkei zu Gesicht bekomme. Fasziniert schaue ich den tanzenden Kristallen zu und spüre, wie mir mit einem Mal ganz feierlich zu Mute ist. Der Himmel schickt mir ein Weihnachtsgeschenk, als Trost für das Fest, das in diesem Jahr ausfällt.

Am Abend darf ich kurz mit Mama und Papa telefonieren.

»Wir feiern auch nicht groß«, meint Mama. »Es macht einfach keinen Spaß ohne dich.«

Ich sage ihr, dass sie auf mich keine Rücksicht nehmen dürfe, schon wegen Ari, die sich immer so auf Weihnachten freut, und dass es mir gar nicht so schlecht gehe. »Ich habe Papas dunkelblaue Steppweste an, die ihr mir geschickt habt«, füge ich hinzu, »die ist so kuschelig wie eine Umarmung.«

Traurig verkrieche ich mich nach dem Telefonat in mein Bett. Ich stelle mir unseren Tannenbaum vor, mit dem bunten Lametta, von dem Mama mir erzählt hat, Aris vor Aufregung glühendes Gesicht, wie sie sich über die Geschenke hermacht, und wie die ganze Familie mit Oma und Opa Mamas leckeren Kartoffelsalat mit Würstchen isst. Leise weine ich mich in den Schlaf.

Silvester bin ich wieder etwas besser drauf. Carmen, die Zellenmama, hat vorgeschlagen, dass wir wenigstens die Jahreswende angemessen feiern sollten, und jetzt stecken wir mitten in den Vorbereitungen. Ich bin ja skeptisch, ob das funktioniert im Gefängnis. So einige hier bleiben unberechenbar.

Dila ist gestern mal wieder mit extrem schlechter Laune aufgewacht und hatte einen ihrer legendären Wutanfälle. Der Wasserkocher wollte wie schon so oft nicht anspringen, woraufhin sie ihn kurzerhand gegen die Tür geworfen hat. Nun muss sie sich nie mehr über das Ding ärgern, es geht jetzt nämlich gar nicht mehr.

Mittlerweile ist Dila jedoch wieder richtig gut drauf. Es sieht ja auch super aus in unserer Zelle. Wir haben alles mit Girlanden geschmückt für unsere kleine Party. Die vier Kuchen, die wir, pardon, die anderen, gestern gebacken haben, sind aufgebaut. Ich kann immer noch nicht kochen und habe lieber zugeguckt. Ein fünfter Kuchen ist von draußen gekommen. Dazu die anderen Sachen, die wir bestellt haben: Salami, Wurst, Schwarzbrot und Hühnchen. Aus den gekochten Kartoffeln, die uns die Küche geliefert hat, haben wir Kartoffelsalat gemacht – mit selbst gerührter Mayonnaise.

Es ist kurz vor 23 Uhr, als wir mit dem Festmahl beginnen. Minuten später müssen wir das erste Mal anstoßen – mit Fanta und Cola. Für die Russinnen beginnt das neue Jahr bereits jetzt. Dila erzählt, dass sie hier schon mal Alkohol aus gegorenen Früchten hergestellt habe. Einmal sei es gut gegangen, beim zweiten Mal hätten die Wärterinnen sie erwischt, doch sie habe sich mit Schlafstörungen herausgeredet.

Ich finde Fanta zum Anstoßen total okay, das schmeckt sowieso besser als Sekt. Um 1 Uhr ist Deutschland dran. Im Fernseher, der die ganze Zeit läuft, sehe ich jubelnde Menschen vor dem Brandenburger Tor und das bunte Feuerwerk. Ich will nicht weinen, aber dann kullern doch ein paar Tränen. Macht nichts, den anderen geht es genauso, wenn ihre Zeit gekommen ist. Wir müssen insgesamt viermal anstoßen.

Es wird noch eine richtig wilde Party, mit Disko und allem. Irgendwie macht es überhaupt nichts, dass keine Jungs da sind. Dafür überreden wir Mina, die nette Wärterin, dass die drei Frauen aus der Nachbarzelle mitfeiern dürfen. Mina macht zwar mit, doch man kann ihr ansehen, wie viel Angst sie hat, dass es herauskommt.

Ich bin gespannt auf Michaela, ebenfalls eine Deutsche, die seit ein paar Wochen in der Nachbarzelle sitzt, wie man mir erzählt hat. Cippo kennt sie schon aus der U-Haft in Istanbul und meint, dass sie total nett sei. Michaela hat ihren türkischen Ehemann umgebracht, zusammen mit ihrem Geliebten, und dreißig Jahre gekriegt dafür. Sie hat ein kleines Kind, das fünf Jahre alt ist und bei den Großeltern in Passau lebt.

Ich erkenne Michaela sofort. Sie sieht genauso aus, wie Cippo sie beschrieben hat: eine zarte blonde Frau mit einem freundlichen Gesicht. Sie wirkt sofort sympathisch und ist eigentlich sogar ganz hübsch, auch wenn sie schon über dreißig ist. Wir kommen gleich ins Gespräch und sie erzählt von ihrer schlimmen Migräne, die sie ständig quält. Ich denke, dass einem das schlechte Gewissen nach so einer Tat schon ziemliche Kopfschmerzen bereiten kann. Doch seit ich im Knast bin, habe ich noch niemanden nach seiner Tat beurteilt. Michaela ist wirklich ganz okay.

Wir lassen vier der kleinen Radios gleichzeitig laufen und haben Glück, dass hauptsächlich coole englische Musik gespielt wird. Unten in der Küche ist Platz zum Tanzen, weil wir die Tische für unser Festmahl zusammengeschoben haben. Wir haben eine der Neonröhren herausgedreht und mit Kerzen gemütliches Licht gemacht. Unsere kleine Disko ist total witzig, auch wenn ich mir ein bisschen blöd vorkomme beim Tanzen, weil ich darin ja wirklich keine Übung habe. Dafür unterhalte ich mich fast den ganzen Abend mit Michaela. Sie ist wirklich viel netter, als ich dachte.

Als ich nach unserer Feier ins Bett falle, bin ich so glücklich wie noch nie, seit ich im Gefängnis bin.

Die Feierlichkeiten nehmen kein Ende. Nun werde ich bereits neunzehn und bin fast schon ein Jahr lang eingesperrt. Trotzdem habe ich keine Zeit für Traurigkeit, wegen der lieben Überraschungen, die sich meine Zellenkameradinnen für meinen Geburtstag am 10. Januar ausgedacht haben. Es ist schon merkwürdig. Hier sitzen nur Exjunkies und Drogenkuriere und es gibt trotzdem so viel Menschlichkeit. Wir haben so einen Brauch, dass das Geburtstagskind oben im Schlafsaal warten muss, bis es in die Küche geführt wird, wo die Geschenke warten.

Ausnahmsweise mache ich mich mal richtig schön, ziehe die schwarze Jeans an und die Strickjacke drüber. Dann holt Cippo mich ab. Als wir auf der letzten Stufe sind, stimmen alle »Happy Birthday« an. Ich blase die Kerze auf der doppelstöckigen Torte aus, die sie für mich gebacken haben, und schicke meinen dringendsten Wunsch in Richtung Himmel. Niemand fragt, was ich mir gewünscht habe. Ich denke, es ist bei uns allen das Gleiche. Ich darf den ersten Schnitt machen, dann teilt Dila den Kuchen auf.

Unser improvisiertes Messer versinkt bis zum Griff in der Creme. Wir dürfen ja eigentlich keine Messer hier haben. Also haben wir einen der Alulöffel genommen, die Löffelschale abgebrochen und den Stiel am Treppengeländer geschärft. Es funktioniert hervorragend.

Die vielen Geschenke sind wirklich süß. Am meisten freue ich mich über die silbernen Ohrringe, die Carmen mir ansteckt. Über Anouks halb fertig gehäkeltes Bikinitop muss ich richtig lachen. Es ist bis jetzt nur ein hellblaues Dreieck, das ich mir zur Freude der anderen erst mal wie eine Mütze auf den Kopf setze.

»Ist eben nicht fertig geworden«, entschuldigt sich Anouk.

Jean schenkt mir ein paar schwarze Socken, Dila eine Feinstrumpfhose und Cippo hat mir ein kleines Täschchen aus rotem Samt genäht, mit einem passenden Säckchen, in dem die Ohrringe versteckt waren, und zwei samtumhüllte Zopfgummis. Es gibt noch mehr: zweimal Seife, einen Schlüpfer und ein schwarzes Halstuch. Ich bin so gerührt, dass ich aus dem

Strahlen gar nicht mehr herauskomme. Was für ein schöner Geburtstag!

Abends sind Jean und ich so aufgekratzt, dass wir wieder das Spiel mit dem Soldaten spielen. Nach unseren ersten Blinkzeichen sehen wir im Schein seines Feuerzeuges, dass er immer wieder seine Mütze lüpft.

»Ah, er will die T-Shirt-Nummer«, sagt Jean und kichernd tun wir ihm den Gefallen. Zum Abschluss drehen wir uns beide um und zeigen ihm kurz unsere nackten Hintern, frei nach Robbie Williams. Als wir uns umdrehen, sehen wir, wie der Soldat sich an seiner Hose zu schaffen macht. Plötzlich steht er in Boxershorts da, eine Hand an seiner Mitte, die andere morst weiter Lichtzeichen.

»Er ist süchtig geworden!«, ruft Jean fassungslos, bevor wir in einem furchtbaren Lachkrampf kollabieren.

20

Ich liege auf einer Decke auf dem Hof und blinzele träge in die warme Frühjahrssonne. Das ist der einzige Vorteil an der Türkei, denke ich, dass es im April tagsüber wenigstens so warm ist wie in Deutschland im Sommer.

»Andrea, der Direktor ist da«, höre ich plötzlich Carmens Stimme. Ich drehe mich um und sehe Carmen, wie sie oben auf der Treppe steht und aufgeregt winkt.

Plötzlich fröstele ich in der Sonne, der Direktor kommt nur, wenn etwas besonders Wichtiges ansteht. Eine Entlassung zum Beispiel oder eine Verlegung. Dass er mich sehen will, bedeutet, es ist so weit, ich darf zurück nach Deutschland. Mein sonnenträges Hirn ist schlagartig hellwach. Eine unbeschreibliche Vorfreude durchflutet mich, wenn auch gemischt mit einer unbestimmten Angst vor dem, was da auf mich zukommt.

Ich renne die steile Treppe hinauf, nehme gleich zwei Stufen auf einmal. In der Küche wartet ein strahlender Direktor auf mich.

»Herzlichen Glückwunsch!«, ruft er und streckt mir die Hand entgegen. »Du wirst am 10. April nach Istanbul verlegt. Und von dort aus in ein Berliner Gefängnis.«

»Am 10. April«, sage ich, »das ist ja schon morgen!«

»Ja«, bestätigt der Direktor und ich sehe, dass seine braunen Augen blitzen vor Freude über diese gute Nachricht. Ich mag ihn, diesen hochgewachsenen Mann, der einen fein gestutzten Schnauzer unter seiner gepflegten Seitenscheitelfrisur trägt. Es ist komisch, denke ich, er ist wohl wirklich gern im Gefängnis, er liebt seinen Job. Der Gefängnisdirektor ist ein väterlicher Typ, kein Paragraphenreiter, einer, der sich ehrlich mit seinen Häftlingen freut, wenn er sie endlich zurück ins Leben schicken darf.

»Vielleicht bist du Ende der Woche schon in Berlin«, meint der Direktor noch, wünscht mir höflich eine gute Heimreise und geht.

Ich stehe mitten in der Küche, unfähig, mich zu bewegen. Da kommt Carmen, die draußen auf mich gewartet hat, herein und fällt mir um den Hals. »He, du musst dich jetzt freuen, was für eine Nachricht!«

»Ich freue mich ja auch«, sage ich langsam, unfähig, ihr zu erklären, dass mir das jetzt alles zu schnell geht und ich es noch gar nicht verarbeiten kann.

Abends im Bett schieben sich immer neue Sorgen über meine Vorfreude. Ich bin misstrauischer geworden, vorsichtiger. Wird es noch funktionieren, einfach unbeschwert Spaß zu haben? Und was ist mit der Bande? Bin ich in Gefahr in Berlin? Es ist weit nach Mitternacht, als ich endlich in traumlosen Schlaf falle.

Am nächsten Morgen bin ich so spät dran, dass ich es gerade noch schaffe, meine restlichen Sachen zu packen. Carmen, ganz Ersatzmama, macht mir derweil schnell einen Kaffee und legt einen Keks bereit.

»Das Kind muss doch was im Magen haben!«, ruft sie, als die Wärter drängeln. »Warte«, fügt sie dann hinzu und zieht einen goldenen Ring von ihrem Finger. »Hier, der ist für dich, als Erinnerung an mich.« Sie nimmt meine Hand und schiebt mir den Ring über den Mittelfinger.

»Danke«, flüstere ich gerührt und spüre, wie meine Augen feucht werden.

Schnell nehme einen Schluck Kaffee, schiebe mir den Keks in den Mund, und dann muss ich auch schon los. Völlig unnötig diese Eile, wie sich gleich herausstellt. Die Wärter nehmen erst mal in aller Seelenruhe mein Gepäck auseinander und ich muss noch eine halbe Stunde herumsitzen und warten. Durch ein Fenster gucke ich den Soldaten zu. Was machen die denn da für merkwürdige Bewegungen? Ach ja, klar, die Morgengymnastik.

»Bir, iki, üç – Eins, zwei, drei«, brüllen sie dazu im Chor. Wie oft bin ich von dieser Zählerei wach geworden. Jetzt verfolge ich zum ersten Mal, wie sie dazu herumzappeln. Sieht ganz schön lächerlich aus, zumal immer wieder einer aus dem Takt kommt. Manchen kann man die Bewegungsunlust richtig ansehen.

Eine halbe Stunde später sitze ich mal wieder im Gefangenentransporter, die Hände in Ketten.

Der Wagen rast über die Landstraße, als hätten wir heute noch einen wichtigen Termin. Ich werde ordentlich durchgeschüttelt, weil ich mich wegen der Ketten nicht richtig festhalten kann. Trotz der Fesseln fummele ich an meinem kleinen Radio herum und versuche einen Sender einzustellen, so gut es eben geht, aber es funktioniert nicht – vermutlich wegen der Berge.

»Kann ich meinen Walkman haben?«, frage ich die Soldaten.

Natürlich lautet die Antwort »Nein«.

Bald darauf halten wir an einer Tankstelle und ich kann gar nicht fassen, was ich durch die schmalen vergitterten Schlitze an der Seitenwand des Transporters sehen kann: ein knallgelbes »M«, das »M« von McDonald's. Jetzt ein Chickenburger, denke ich und mir läuft sofort das Wasser im Mund zusammen.

Die Aussicht, bald in Berlin zu sein, macht mich plötzlich froh und mutig.

»Kann ich einen Burger haben?«, rufe ich den Soldaten zu. »Ich zahl ihn auch!«

»Nein«, kommt es streng durch die Metalltür zurück.

»He, ich lade euch alle ein!«, versuche ich es noch einmal, obwohl mir klar ist, dass es nichts wird mit dem Burger.

Es ist nachmittags, als wir in Istanbul ankommen. Die Soldaten bringen mich in eine schmutzige Festung, in der es außer Grau keine Farben gibt. »Betonia« müsste dieses Gefängnis heißen, denke ich, als sie mich durch düstere Gänge führen, an Besuchern vorbei, Frauen mit Kindern, die herumstehen und darauf warten, aufgerufen zu werden. Ich spüre, wie sie mich anstarren, mich mit den Augen verfolgen.

»Guck mal, da kommt eine neue Gefangene. Was die wohl verbrochen hat?«, sagen ihre Blicke.

Kurz darauf geht die Schikane los. Ich muss mit einer Wärterin in eine Kabine und mich bis aufs Höschen ausziehen. In dem Raum stehen noch andere Wärterinnen herum, die sich erst mal über mich lustig machen. Ich muss mich bücken und wieder aufstehen, bücken und aufstehen. Schließlich soll ich das Höschen ausziehen und das Gleiche geht noch mal von vorne los.

Die Wärterinnen haben ihren Spaß, so als sei das alles ein Theater zu ihrer persönlichen Unterhaltung. Ich verstehe nicht, was das Ganze soll. Immerhin komme ich doch aus einem anderen Gefängnis, einem strengen Gefängnis. Wie sollte ich da wohl etwas dabeihaben? Vor ein paar Monaten noch hätte mich die Prozedur verletzt, traurig gemacht. Jetzt bin ich einfach nur genervt. Unappetitlich ist das, was die hier abziehen. Ich ekele mich vor diesen Menschen, vor diesem Raum, vor dieser ganzen Situation.

Nach der Körperkontrolle sind meine Sachen dran. Die Wärter, die für die Taschenkontrolle zuständig sind, fragen mich, warum ich hier sei. Und als ich »Drogen« sage, bemerke ich das Glitzern in ihren Augen, frei nach dem Motto: »Die filzen wir jetzt mal richtig, die hat bestimmt was dabei.« Dann lassen sie aber meine Tasche doch in Ruhe und interessieren sich nur für einen Sticker mit meinem Namen, den sie mir bei der Körperkontrolle aus der Hosentasche gefischt haben.

»Den dürfen Sie aber nicht mitnehmen«, sagt eine der Frauen.

Ich bin so genervt, dass ich gleich ausflippe. »Dann behaltet ihn doch«, entgegne ich so beherrscht wie möglich.

Noch ein paar Tage und ich darf nach Deutschland. Das will ich mir jetzt nicht mit unbedachten Äußerungen verderben.

Da entdeckt eine Wärterin Carmens Ring an meinem Finger. »Bist du verheiratet?«, fragt sie.

Ich verheiratet? Da muss ich beinahe lachen. »Nein, den hat mir eine Freundin geschenkt«, sage ich.

»Wenn du nicht verheiratet bist, kannst du ja meinen Sohn nehmen«, schlägt die Wärterin vor. »Der sucht eine Frau.«

Das verschmitzte Blitzen in ihren Augen entgeht mir nicht und ich kapiere, dass das jetzt witzig sein soll. Die haben schon einen komischen Humor, diese Wärter. Das muss daran liegen, dass sie einfach zu viel Zeit hinter Gittern verbringen. Davon kriegt eben jeder einen Schaden, wenn er zu lange dableibt, und am längsten bleiben schließlich die Wärter. Furchtbarer Job, wie kann man das bloß freiwillig machen?

Irgendwie tut mir die Frau beinahe Leid. Also gebe ich mich betont höflich und sage, dass ich derzeit keinen Heiratsbedarf hätte, obwohl ihr Sohn sicher ein netter Typ sei.

Nun bringen sie mich in eine Quarantänezelle zu den Neuankömmlingen. Ich darf nur die Klamotten mit hineinnehmen, die ich in meine Bettdecke geknotet habe. Mein Schminkzeug, das Zahnputzzeug und der Proviant werden erst mal einbehalten – zur Kontrolle.

Die Zelle ist eine Betonruine, total verdreckt, an der Decke hängt eine nackte Glühbirne. Zehn Frauen sitzen hier ein, die meisten von ihnen mal wieder aus Russland. Eine Dicke fragt mich gleich, ob ich Englisch spreche. Ich schon, denke ich, aber ihres ist wirklich kaum zu verstehen.

Am nächsten Morgen kommt eine Wärterin, die mich und ein paar andere mitnehmen will, in eine andere Zelle.

Ich sage ihr, dass ich keine Lust hätte, vor meiner Abreise nach Deutschland noch mal umzuziehen, und dass ich lieber die letzte Nacht noch in der Quarantäne bleiben wolle.

Am Nachmittag stellt sich heraus, dass dies ein Fehler war. Die Frau, die das Konsulat vorbeigeschickt hat, holt mich schnell wieder auf den Boden zurück.

»Ich fliege morgen nach Deutschland«, erzähle ich ihr freudestrahlend. Da guckt sie ernst und ich weiß, dass schon wieder etwas schief gegangen ist.

»Das wird nichts mit morgen«, sagt sie langsam. »Ich denke, es wird noch ein paar Wochen dauern, bis du nach Deutschland kannst, mindestens zwei. Dein Fall muss ja erst mal bearbeitet werden.«

Das ist vielleicht ein Schock. Wieder warten, wieder hoffen. Ich kann nicht mehr. Als sie geht, sagt die Frau noch, dass mich Mama am Montag besuchen wolle, also in nicht einmal einer Woche – wenigstens ein kleiner Trost.

Am folgenden Tag muss ich umziehen, in eine Zelle, in der nur Ausländer sitzen. »tuurist koĝuş – Touristenzelle«, sagt die Wärterin, als wir vor einer schweren Metalltür ankommen, in die oben ein unverglastes Gitter eingelassen ist, durch das unbeschreiblicher Lärm dringt. Sie schließt die Tür auf und ich blicke in ein furchtbares Chaos. In dem winzigen, völlig heruntergekommenen Raum, in dem die gelbe Farbe in Streifen von der Wand blättert, stehen neun doppelstöckige Etagenbetten dicht an dicht. Einzig unter der schmalen vergitterten Fensterfront direkt gegenüber der Tür ist ein bisschen Platz. Dort stehen zwei lange Holztische, flankiert von weißen Plastikgartenstühlen. Eine zweite Etage gibt es hier nicht, daher beginnt die improvisierte Küchenzeile aus Herd, Kühlschrank und gemauerter Ablage gleich links neben der Zellentür.

So schlimm sah es nicht einmal in Izmir aus, denke ich. Der Betonboden ist voller Sand und überall sind dicke Staubflocken, die wild umhertanzen, sobald sich jemand bewegt.

Zu meinem Entsetzen entdecke ich zwei dicke Kakerlaken, die am Fuß des Herdes umherkriechen.

Während ich so dastehe und versuche, mich halbwegs zu orientieren, kommen die ersten Neugierigen angelaufen. Ich versuche ein Lächeln und lasse den Blick über die vielen fremden Gesichter gleiten. Eine Frau aus meiner Zelle in Bilecik hat mir nämlich zwei Briefe mitgegeben für ihre Freundinnen Rita und Mariana, die sie in U-Haft kennen gelernt hat.

Die hier könnte Rita aus Albanien sein, überlege ich, als mein Blick an einer molligen Dunkelhaarigen mit fröhlichen Augen hängen bleibt.

Als ob sie Gedanken lesen könnte, kommt sie schon auf mich zu. »Hi, ich bin Rita«, stellt sie sich vor. »Ich habe schon viel von dir gehört.«

»Hoffentlich nur Gutes«, erwidere ich und muss ein bisschen grinsen, weil der Empfang so entspannt und locker ist. Ich krame den Brief heraus. »Hier, ehe ich es vergesse, der ist für dich.«

Rita reißt ihn auf, lacht und ruft dann in den Raum: »He, das ist Andrea, eine ganz Süße, die ist total lieb. Passt bloß auf, dass es ihr gut geht hier.«

Rita ist die Chefin der Zelle, weil sie am längsten hier ist. Was für ein Glück, dass sie mich mag und sich so für mich einsetzt. Bei einem derartigen Empfang lässt sich sogar der ganze Dreck hier ertragen, denke ich. Ganz so sicher bin ich mir kurz darauf jedoch nicht mehr, als mir Rita mein Bett zeigt und ich prompt auf eine Kakerlake trete. Das Knacken ist selbst in dem Lärm deutlich zu hören. Absolut widerlich ist das.

»Der Standard hier ist leider ziemlich dürftig«, sagt Rita, die meinen Blick bemerkt hat.

»Warm duschen kannst du übrigens lediglich sonntags und mittwochs, weil es nur dann heißes Wasser gibt.«

Mir fällt ein, dass ich noch einen Brief dabeihabe, den für Mariana aus Ungarn. »Wer ist denn Mariana?«, frage ich.

Rita winkt ein Mädchen mit fedrig geschnittenen blonden Haaren heran, die ein seltsam melancholisches Gesicht umrahmen.

»Willkommen in Istanbul, Andrea«, sagt sie. Als ich ihr den Brief gebe, hellt sich ihre Miene auf.

»Mariana lebt für ihre Briefe«, erklärt Rita. »Sie schreibt fast den ganzen Tag. Ich glaube, das ist ihre Überlebensstrategie.«

»Mir hilft das Schreiben auch sehr«, sage ich zu Mariana, die ich auf der Stelle mag, wegen ihrer angenehmen zurückhaltenden Art.

Ich beziehe gerade mein Bett, das gleich rechts neben der Zellentür steht, als ich höre, wie eine vertraute Stimme meinen Namen ruft. Sie kommt von draußen, vom Gang. Als ich durch das vergitterte Fenster oben in der Zellentür spähe, sehe ich Michaela, die Deutsche, die ihren Ehemann umgebracht hat. Stimmt ja, sie ist auch nach Istanbul verlegt worden, weil ihr Verfahren neu aufgerollt wird.

»Wir können uns morgen auf dem Hof treffen«, schlägt Michaela vor, nachdem wir uns begrüßt haben.

Ich bin ein bisschen verwirrt, wie sie draußen auf dem Gang unterwegs sein kann, während unsere Zellentür abgeschlossen ist, und frage sie, wie das möglich sei.

»Die Wärterin hat mir aufgeschlossen, weil ich ein paar Sachen aus der Kantine brauchte«, erklärt sie. »Also, wie sieht's aus mit einem Hofausflug morgen?«

»Cool«, sage ich und fühle mich schon ein bisschen weniger fremd.

Am nächsten Morgen löst Michaela ihr Versprechen ein. Fünf Minuten, nachdem eine Wärterin die Zelle aufgeschlossen hat, kommt sie vorbei, um mich abzuholen. Sie zeigt mir ihre Zelle, die gleich neben meiner liegt, wenn man den Gang nach rechts hinuntergeht.

»Schau mal«, sagt Michaela und zeigt auf einen Karton,

der gleich vor ihrer Zellentür auf dem Gang steht. »Wir haben ein Katzenbaby, es ist erst vor ein paar Tagen geboren.«

Ich werfe einen Blick in die Kiste und tatsächlich: Da liegt ein winziges Kätzchen, das die Augen noch geschlossen hat. »Darf ich es hochnehmen?«, frage ich Michaela.

»Klar«, sagt sie. »Die Katzen hier sind für alle da. Sie streunen auf dem Gefängnisgelände herum und manchmal schlüpfen sie durch ein geöffnetes Fenster nach drinnen. Wir hatten sogar schon welche in der Zelle.«

Das Kätzchen, das ich vorsichtig hochgenommen habe, fühlt sich herrlich weich an in meiner Hand. Ich spüre, wie sein kleines Herz pocht, und streiche sanft über das warme Fell. Eine Welle der Zärtlichkeit durchflutet mich. Dann sehe ich, wie eine große gestreifte Katze mit wachsamem Mutterblick auf die Kiste zuläuft, und setze das Kätzchen schnell wieder hinein.

»Schön, dass es außer Kakerlaken auch noch liebenswerte Haustiere hier gibt«, sage ich und Michaela lacht.

Wir laufen weiter und biegen nach rechts in einen Gang ein, an dessen Ende die Hoftür offen steht. Die Luft draußen ist herrlich, noch ein bisschen frisch und feucht von der Nacht. Der Hof ist vielleicht sechsmal so groß wie der in Bilecik. An der Außenwand unseres Gebäudes führt eine Treppe hoch in den zweiten Stock.

»Dort oben ist eine weitere Zellenetage«, sagt Michaela, während wir die Treppe hinaufklettern. »Die meisten, die dort einsitzen, sind Zigeuner. Man hat sie beim Klauen erwischt.«

Als wir oben auf dem Treppenabsatz ankommen, begreife ich, warum Michaela mich hergebracht hat. Von hier kann man über die grauen Mauern gucken, die nicht so hoch sind wie in den anderen Gefängnissen, in denen ich gewesen bin. Man kann einen Wachturm sehen von da, eine Absperrung, einen Weg. Ein Stück weiter hinten beginnt ein Meer von Hausdächern, aus dem eine Moschee herausragt, eine richtig schöne Moschee.

»Sieht aus wie aus einem Urlaubskatalog, oder?«, sagt Michaela und guckt ein bisschen traurig. »Du hast es wirklich gut, dass du bald nach Hause darfst. Ich werde wohl noch ewig hier sitzen.«

Ich schaue Michaela an, ihr zartes Gesicht, und frage mich wieder einmal, wie das geht: seinen Mann umzubringen und trotzdem eine total sympathische Person zu sein.

»Vielleicht wird deine Strafe reduziert, sobald dein neues Verfahren durch ist«, tröste ich sie, während wir die Betontreppe wieder hinuntergehen.

Michaela antwortet nicht. Wir drehen ein paar schweigsame Runden im Hof, der wirklich trostlos ist, weil man von hier unten nur graue Mauern und den Himmel darüber sieht, sonst nichts.

Plötzlich beginnt Michaela zu erzählen, wie sie ihren kleinen Sohn Christopher im Kinderwagen den Bosporus entlanggeschoben hat, wie glücklich sie damals war in der Türkei. Warum sie unglücklich wurde und ihren Mann zu hassen begann, erwähnt sie jedoch nicht.

Ich frage sie, wie alt Christopher jetzt sei.

»Fünf«, antwortet sie. »Als ich ins Gefängnis kam, war er erst ein Jahr alt.« Sie schildert, dass ihre Mutter ihr regelmäßig Tonbänder schicke, damit sie nicht total verpasst, wie er sich entwickelt, wie er plappert und redet. Sie erzählt das ganz ruhig, ohne ihre Gefühle zu offenbaren.

Ich denke daran, dass ich sicher die ganze Zeit heulen müsste, wenn ich mir solche Tonbänder anhören würde. Wie schafft Michaela das nur, so ruhig darüber zu sprechen? Vielleicht hatte sie schon alle Tränen geweint, die sie für ein Leben hatte, als der Mord geschah.

Wieder zurück in der Zelle, wartet ein Fax von meiner Freundin Ariane auf mich. Darin steht, wie sehr sie sich freue, mich bald in Berlin besuchen zu können.

Ja, ich freue mich auch, Ari. Wieder verspüre ich dieses

Glücksgefühl, das sich von Tag zu Tag steigert, das alle schwarzen Gedanken aus meinem Kopf vertreibt. Es ist, als löse sich eine unsichtbare Fessel, die sich in den letzten Monaten immer enger um meine Seele gewickelt hat. Ich habe ausgehalten, ertragen, bin abgestumpft. Immer seltener ist es meiner Seele gelungen, durch die Gitter ins Freie zu schlüpfen, Kraft zu tanken und an eine Zukunft zu glauben. Stattdessen habe ich sie in meinem gefangenen Körper eingesperrt. Jede gedankliche Flucht in die Freiheit bedeutet eine umso schmerzhaftere Rückkehr in die Realität des Gefängnisalltages. Ich hatte einfach nicht mehr die Kraft dazu in den letzten Monaten.

Jetzt ist mein Kampfgeist wieder erwacht. Ich bin noch immer geschwächt, aber optimistisch. Ja, ins Gefängnis zu kommen war furchtbar, meine erste Verlegung unangenehm. Doch ich spüre, dass es mir diesmal wesentlich leichter fällt, mich einzugewöhnen und durchzuhalten. Vielleicht habe ich ja doch etwas gelernt fürs Leben. Dann war das alles wenigstens nicht total umsonst. Als ich einschlafe an diesem Abend, bin ich zum ersten Mal seit langer Zeit mit mir im Reinen.

21

Ich habe Mama zwar geschrieben, dass ich mir Sorgen mache, weil ihr Besuch schon wieder Extrakosten verursacht, aber sie hat sich von meinen Bedenken nicht abhalten lassen. Und als sie endlich vor mir steht, bin ich froh, dass sie da ist. Sie sieht so glücklich aus, weil sie sich freut, dass ich endlich nach Deutschland verlegt werde. Während ich ihre Freude spüre, merke ich, dass ich mit einem Mal total zuversichtlich bin.

Mama sagt, ich würde mit einer normalen Linienmaschine nach Deutschland gebracht. Tatsächlich freue ich mich sogar schon ein bisschen aufs Fliegen.

»In dem Gefängnis, in das du erst mal kommst, hast du eine eigene Zelle für dich«, erklärt Mama. »Tagsüber sind die Türen offen, so dass man andere Gefangene treffen kann. Und keine Sorge: Gefängnisklamotten musst du da auch nicht tragen.«

Der Abschied fällt uns beiden leicht, dieses Mal. Bald werden wir uns wieder regelmäßig sehen können, meine Tage hier sind gezählt.

Als ich in die Zelle zurückkehre, hat Mariana schon den Tisch gedeckt. Sie hat mit dem Frühstück gewartet, weil sie nicht alleine essen mag, genau wie ich. Wir schmieren uns richtig dick Schokocreme auf das frische Weißbrot, so eine Art Nutellaersatz, nach dem wir richtig süchtig sind.

Wie ähnlich wir uns sind, Mariana und ich, denke ich. Okay,

sie ist ein bisschen älter als ich, zweiundzwanzig schon, ernster, erwachsener. Doch sie ist die erste Gefangene, die ebenso als Drogenkurier missbraucht worden ist wie ich. Wenigstens behauptet sie, dass sie ebenfalls nichts gewusst habe von dem Heroin in ihrer Tasche. Über Details hat sie bisher nicht gesprochen. Ich kann das gut verstehen, schließlich rede ich auch nicht gerne über meine Tat, weil ich mich so dafür schäme.

»Ich habe solche Angst vor meinem Prozess«, meint Mariana unvermittelt. »Der Mann, der zusammen mit mir verhaftet wurde, hat mir sogar schon Geld geboten, damit ich die alleinige Schuld auf mich nehme. Natürlich habe ich abgelehnt. Was für eine Unverschämtheit! Ich soll hier jahrelang sitzen, während der seine schmutzigen Geschäfte in Ruhe weitermachen kann.«

Jetzt ist der Zeitpunkt, Genaueres zu erfahren, denke ich. »Sag mal«, frage ich und nehme einen Schluck Tee, »wie war das denn eigentlich bei dir? Wie bist du an diesen Job gekommen?«

»Ich war verliebt«, erklärt Mariana und ich sehe, wie eine zarte Röte ihr Gesicht überzieht. »Ich war blind, vor Liebe.« Sie erzählt, dass sie in Wien als Kellnerin gearbeitet habe und gerade so über die Runden gekommen sei, als sie sich in einen Schwarzen verliebte. Der habe sie irgendwann gebeten, in die Türkei zu fahren und für ihn ein paar Papiere abzuholen.

»Er hat gesagt, dass ich dafür zweihundert Dollar bekomme«, fährt Mariana fort und schiebt mit der Hand nervös die Krümel hin und her, die vor ihr auf dem Tisch liegen. In Istanbul habe sie dann die Tasche gekriegt und sei anschließend mit dem Taxi zurück ins Hotel gefahren. »Die Tasche stank furchtbar nach Klebstoff, also habe ich eine neue gekauft, um die Papiere umzupacken. Tja, und dabei habe ich das Heroin entdeckt ...« Mariana, die jetzt die Ellenbogen auf den Tisch gestützt hat, lässt den Kopf in die Hände sinken.

»Ja und dann?«, frage ich.

»Nachdem ich den ersten Schock verdaut hatte, war mir klar, dass ich mit dieser Tasche nicht zurückreisen würde. Also habe ich den Mann angerufen, der mir die Tasche gebracht hat, und ihm gesagt, dass ich das nicht mache.« Er habe sie daraufhin zu McDonald's bestellt und vorgeschlagen, erst mal zu ihm nach Hause zu gehen, um nachzuprüfen, ob das wirklich Heroin ist in der Tasche. »Ja, und anschließend sind wir raus. Ich trug die Tasche. Plötzlich kamen zwei Polizisten und nahmen uns fest. Ich habe erst auf der Wache erfahren, dass die mich schon länger observiert hatten.«

»Das ist wirklich total mies«, entfährt es mir. »Du hattest schon beschlossen, es nicht zu tun, und wirst trotzdem bestraft. Ich habe mich ja nicht einmal getraut, in die Tasche zu sehen.«

Nun erzähle ich Mariana, was geschah, an dem Tag, an dem aus meinem schönen Urlaub mit Jenny ein Horrortrip wurde. Während ich rede, wird die Vergangenheit lebendig, spult sich ab wie ein Film in meinem Kopf:

»War echt cool mit den Jungs, oder?«, sagt Jenny zufrieden, als wir nach unserem gemeinsamen Abend mit ihrem Schwarm Ahmet und seinem Freund Çem beim Frühstück sitzen. Diesmal hat es endlich geklappt mit den beiden.

Muss ich jetzt nicht unbedingt noch mal haben, denke ich mir, aber lustig war der Abend trotzdem. »Hmm«, sage ich also, »war echt in Ordnung.«

Wir kichern und lästern noch ein bisschen, und dann kommt mir der Gedanke, dass ich nichts dagegen hätte, wenn wir unsere Reise bald fortsetzten. »Jenny, wie geht es denn jetzt weiter?«, frage ich.

»Sobald wir die Taschen haben, fahren wir mit dem Bus nach Izmir«, erklärt Jenny.

»Welche Taschen?«, frage ich verwirrt, weil ich mir immer noch nicht sicher bin, ob in den Sporttaschen, die uns Ordell gegeben hat, nun schon etwas drin ist.

»Jemand wird uns die Taschen hierher bringen«, erklärt Jenny geduldig.

»Wann denn?«, will ich wissen.

»Keine Ahnung«, erwidert sie. »Ordell wird uns dann schon Bescheid sagen.«

»Und danach?«, bohre ich weiter, obwohl ich schon wieder merke, dass Jenny überhaupt keine Lust mehr hat, darüber zu reden.

»Anschließend fliegen wir nach Genua, rufen von dort aus Ordell an, fahren danach weiter mit dem Zug bis nach Neapel und melden uns wieder bei ihm. Er schickt dann jemanden vorbei, der die Taschen abholt«, sagt Jenny.

Mehr ist ihr nicht zu entlocken. Stattdessen schwärmt sie ununterbrochen von Enzo, einem Kumpel von ihr, den ich in Neapel kennen lernen soll.

Gleich nach dem Frühstück ruft Jenny Ordell an, wie vereinbart. Und der hat tatsächlich aufregende Neuigkeiten für uns. »Heute geht es weiter nach Izmir«, verkündet Jenny. »Ice-Cream wartet schon in unserem Hotel.«

Was für ein merkwürdiger Name, denke ich. Jenny kennt diese Ice-Cream schon von ihren letzten Touren. »Und, wie ist sie so?«, will ich wissen.

»Ach, so eine Schwarze«, sagt Jenny, »wir reden nie viel. Sie liefert die Taschen hier ab und Ende.« Sobald Ice-Cream weg sei, würden wir aufbrechen zum Busbahnhof. »Hätte nicht gedacht, dass es diesmal so schnell geht«, murmelt Jenny.

Noch bevor ich mir darüber groß Gedanken machen kann, klingelt das Telefon.

»Geh mal ran«, bittet Jenny.

Ich nehme den Hörer ab. »Hallo?« Keine Antwort, nur ein Rauschen, dann bricht die Verbindung ab. »Keiner dran«, sage ich und lege auf.

Nur wenige Sekunden später klingelt es wieder. Diesmal höre ich eine Frauenstimme: »I'm coming!«, sagt sie. Dann ist die Leitung tot. »Das muss Ice-Cream gewesen sein«, meine ich zu Jenny. »Sie kommt jetzt zu uns.«

Mann, das ist ja so spannend wie in einem Krimi. Aber gleichzeitig auch etwas unheimlich. Wie sie wohl aussieht, diese Ice-Cream? Ich kann mir das Rätseln sparen, denn Minuten später klopft es auch schon an der Tür. Jenny macht auf und bittet die Frau herein. Sie ist groß, kräftig und leger gekleidet, ziemlich bunt für meinen Geschmack. Die vollen schwarzen Haare trägt sie hochgesteckt. Aber wo sind die Taschen? Jenny und Ice-Cream unterhalten sich kurz, leider sprechen sie so schnell, dass ich nichts verstehe. Dann öffnet die Fremde die Tür, wirft einen prüfenden Blick auf den Gang und verlässt unser Zimmer.

Zwei Minuten später klopft es wieder: die Taschen. Ice-Cream wuchtet sie aufs Bett. Scheußlich sehen sie aus, total unförmig und dazu ein furchtbar spießiges Muster. Die Taschen sind vollkommen identisch, bis auf die Farbe. Bei der einen ist das Muster hauptsächlich in Gelb, bei der anderen in Blau. Jenny findet die Dinger offenbar auch ziemlich hässlich. »Die passen doch überhaupt nicht zu so jungen Leuten wie uns«, nörgelt sie.

Ice-Cream sieht das ein. Sie verspricht uns, zwei modernere Exemplare zu besorgen, und verschwindet wieder.

Jenny packt eine der Taschen am Griff. »Puh, ganz schön schwer«, sagt sie und hält mir das Ding hin, »hier, heb mal an!«

Wirklich erstaunlich, wie viel diese Tasche wiegt, bestimmt so viel wie eine voll gestopfte große Einkaufstüte. Wenn da noch meine Sachen hineinkommen, muss ich mich ganz schön abschleppen. Ob das, was sie da reingepackt haben, so viel wiegt? Müssen ja 'ne Menge Papiere drin versteckt sein, wenn es überhaupt welche sind. Aber vielleicht ist auch dieser altmodische Arztkoffer selbst leer einfach schwer. Schließlich gibt es unglaublich unpraktische Reisetaschen.

Jenny liegt auf dem Bett und guckt sich die Flugtickets an,

die Ice-Cream uns dagelassen hat. »Schade«, sagt sie. »Wir fliegen ja gar nicht zusammen nach Genua. Ich muss einen Tag früher los als du.«

Was? Ich muss alleine fliegen. Damit habe ich nicht gerechnet, das ist ein Schock. Ich spüre, wie mir ein kalter Schauer über den Rücken läuft bei dem Gedanken, dass ich mit der hässlichen Tasche alleine über fremde Flughäfen irren muss. Wie soll ich in Genua zum Bahnhof kommen und in den richtigen Zug steigen, der nach Neapel fährt? Wie werde ich die Tasche los? Ich bin verzweifelt.

Jenny versucht, mich zu beruhigen. »So, ich schreibe dir jetzt ganz genau auf, was du machen musst. Und wenn unterwegs neue Fragen auftauchen, kannst du jederzeit Ordell anrufen. Du musst dich sowieso regelmäßig bei ihm melden.«

Ich gebe zu bedenken, dass ich ihn immer so schlecht verstehe, da er so nuschelt. Aber Jenny antwortet nicht, weil sie gerade etwas zu schreiben sucht. Ich reiche ihr mein kariertes kleines Ringheft.

»Also, du fliegst am Sonntag, das heißt übermorgen, um 6.25 Uhr in Izmir los, und zwar nach Zürich. Dort musst du umsteigen, in die Maschine nach Genua.« Jenny schreibt anderthalb Seiten voll in meinem Notizbuch. Ich bin so verwirrt, dass ich nicht einmal Fragen stellen kann dazu.

Es klopft wieder: Ice-Cream, die Taschenfrau. Diesmal hat sie nagelneue Sporttaschen dabei, in denen wir die scheußlichen Arztkoffer verstauen sollen. Dummerweise passen die aber nicht hinein.

»Kann man nichts machen«, meint die Frau. Sie hat es jetzt eilig.

Jenny sagt, ich solle Ice-Cream die Tasche, die Ordell mir in Holland gekauft hat, mitgeben. Jenny behält ihre, weil wir eine Tasche wieder mit zurückbringen sollen. Ich packe noch schnell mein Zeug aus und gebe der Schwarzen die leere Tasche.

»Gute Reise«, wünscht sie uns und lächelt, als sie geht.

Ich sitze im Schneidersitz auf dem Bett und versuche mich mit dem Anblick der Taschen anzufreunden, die am Fußende stehen.

»Na, welche willst du nehmen?«, fragt Jenny.

»Die«, erwidere ich spontan und deute auf die mit dem gelblichen Muster, einfach, weil sie direkt vor mir steht. Als ich meine paar Sachen hineinpacke, registriere ich, dass sie tatsächlich leer aussieht und dass sie drinnen genauso hässlich ist wie draußen. Die Tasche ist mit einem bräunlichen Futter ausgeschlagen, das ebenfalls ziemlich mitgenommen aussieht.

Dann geht alles ganz schnell. Wir müssen sofort los, zum Busbahnhof, das Taxi wartet schon. Die Reise nach Izmir dauert neun Stunden und Jenny fliegt ja schon morgen früh weiter. Als der Fahrer vor dem großen, modernen Gebäude hält, von dem die Busse abfahren, kriege ich einen Riesenschreck. Überall stehen uniformierte Sicherheitskräfte herum. Sie sind bewaffnet und machen ziemlich grimmige Gesichter.

»Was sind das für Typen?«, frage ich Jenny leicht besorgt.

Sie lacht nur. »Das sind die Security-Leute. Es ist gut, dass sie da sind. Sie passen auf, dass es beim Einsteigen nicht das totale Chaos gibt, und sorgen dafür, dass sich die Leute nicht prügeln.«

Ach so. Später sehe ich die Typen dann wirklich in Aktion und staune, wie aufgeregt die Reisenden alle sind. So was würde es am Busbahnhof in Berlin niemals geben. Ich bin ganz froh, als der Fahrer unsere Taschen endlich im Bauch des Wagens zwischen den anderen Gepäckstücken verschwinden lässt.

Nun geht es los. Ich habe natürlich wieder einen Fensterplatz ergattert und genieße die Fahrt. Jenny ist mal wieder nicht besonders gesprächig, wirkt nachdenklich. Ob sie auch nicht so gern alleine reist?, frage ich mich. Sie hat das doch schon so oft gemacht.

Es ist bereits dunkel, als wir in Izmir ankommen, so gegen 23 Uhr. Wir steigen in ein Taxi und Jenny bittet den Fahrer, uns in ein günstiges Hotel in der Nähe des Flughafens zu fahren.

»Es gibt keine billigen Hotels in Izmir«, sagt der Taxifahrer in gebrochenem Englisch.

Doch Jenny lässt nicht locker und hat schließlich Erfolg. Wir müssen schon ein wenig aufs Geld achten. Ice-Cream hat neben Bus- und Flugtickets zwar auch noch dreihundertfünfzig Mark für jeden von uns mitgebracht. Doch davon sollen wir Hotel, Verpflegung und die Telefonkarten bezahlen, die wir brauchen, um Ordell anzurufen.

Um Mitternacht halten wir schließlich vor dem Hotel »Ömer«. Es liegt in einer engen, lauten Gasse. Die Autos, die sich Stoßstange an Stoßstange hier durchquälen, hinterlassen einen intensiven Benzingeruch in der staubigen Luft. Wir müssen in einem Viertel sein, in dem das Nachtleben tobt. Schräg gegenüber des Hotels wirbt der »Star-Gazino«-Nightclub mit Fotos leicht bekleideter Damen um Kundschaft.

In der Hotelhalle riecht es genauso nach Benzin wie auf der Straße, aber die Halle sieht sehr ordentlich aus: dunkle Holztäfelung an den Wänden, auf dem Boden grau gesprenkelte Fliesen, die ein bisschen an Marmor erinnern. Der Zimmerpreis ist ein Schock: Hundertdreißig Mark wollen die pro Nacht von uns haben. Das wird vor allem für mich teuer, weil ich ja noch eine Nacht alleine bleiben muss. Ich rechne schnell nach – da bleibt nicht viel übrig von dem Geld. Der freundliche Mann am Tresen gibt uns den Schlüssel für das Zimmer 609.

Das Hotel wurde offensichtlich erst vor kurzem renoviert und das Zimmer ist recht schön eingerichtet, aber so richtig freuen kann ich mich nicht darüber. Ich habe einfach noch zu viele Fragen im Kopf, die mir auf der Seele brennen. Wie soll ich das nur schaffen, alleine durch halb Europa zu reisen? Noch dazu mit dieser komischen Tasche.

Jenny sieht grau aus, gestresst. Erschöpft lässt sie ihr Gepäck fallen, kramt ihr Schlaf-T-Shirt heraus und zieht sich aus. »Ich muss mich sofort aufs Ohr legen«, sagt sie. »Ich habe ja nur noch ein paar Stunden, bis ich los muss.«

Sie kriecht schon mal unter die Decke, während ich noch mal hinunter in die Halle muss, um Ordell anzurufen. Ich sage ihm, dass alles okay sei und wir in dem Hotel eingetroffen seien.

»Wir müssen endlich genau über die Reise reden«, sage ich zu Jenny, als ich wieder oben bin.

»Hmmm«, kommt aus dem Bett, aus dem oben nur noch ein Büschel schwarzer Haare herausguckt. »Was denn jetzt noch?«, murmelt sie dann und es ist klar, dass sie überhaupt keine Lust mehr auf Unterhaltung hat.

Ich lasse nicht locker. »Wovon soll ich eigentlich die Zugfahrkarte nach Neapel bezahlen?«, frage ich.

Jenny erklärt, dass ich nur Ordell anrufen müsse und er mir das Geld überweisen würde.

Das hilft mir nicht wirklich weiter. Zu welcher Bank muss ich denn? Und was muss ich da machen, um an das Geld zu kommen? Geht das überhaupt so schnell? Jenny erklärt und erklärt, während ich das alles immer verwirrender finde. Wenigstens habe ich die Telefonnummer von Enzo, diesem Typen, den Jenny in Neapel kennt und bei dem wir uns treffen wollen, wenn alles vorbei ist. »Denk dran, Ordell weiß nichts von Enzo. Du darfst seinen Namen auf keinen Fall erwähnen«, schärft Jenny mir ein. Richtig, Ordell hat ja etwas gegen Flirts.

Offiziell, so viel habe ich jetzt kapiert, sollen wir uns in Neapel ein Hotel suchen. Da kommt dann einer hin, der uns meine Tasche zurückbringt und das Geld – für uns und für Ordell. Aber wie soll das gehen, wenn wir bei Enzo sind, den Ordell offenbar nicht kennt und auch nicht kennen darf?

»Also, das ist doch ganz einfach. Wenn du unterwegs nicht weiterweißt, rufst du einfach Ordell an. Sobald du die Tasche

los bist, meldest du dich bei Enzo, damit wir uns treffen können«, beendet Jenny ihre Erklärungen. »Stellst du jetzt bitte
den Handywecker auf 4 Uhr? Ich darf den Flieger auf keinen
Fall verpassen.«

Wie kann sie jetzt so einfach einschlafen? Ich fühle mich
plötzlich allein, obwohl Jenny ja noch da ist. Wie soll ich das
bloß alles schaffen? Zum Glück bin ich so erschöpft, dass ich
nicht mehr lange nachdenken kann.

22

Das Klingeln des Handys reißt mich aus traumlosem Schlaf. Doch es ist kein Anruf, sondern der Wecker, es muss 4 Uhr morgens sein. Izmir schläft noch, das Zimmer ist dunkel, schwarze Nacht da draußen.

»Jenny, du musst aufstehen«, sage ich.

Sie quält sich aus dem Bett, mürrisch, wortkarg.

Während meine Freundin im Bad verschwindet, bleibe ich noch liegen. Gleich ist es so weit. Gleich bin ich allein. Ich fürchte mich vor diesem Tag. Noch vierundzwanzig Stunden und der Handywecker wird wieder klingeln. Dann muss ich los zum Flughafen, mit der unheimlichen Tasche, die neben meinem Bett steht. Wenn es Jenny nur halb so schlecht geht wie mir jetzt, so geht es ihr verdammt schlecht.

Als sie aus dem Bad kommt, sieht sie zwar nicht mehr ganz so grau aus, aber das macht das Make-up. Im Gegensatz zu mir versteht es Jenny, sich zurechtzumachen. Trotzdem gibt es keine Schminke, hinter der sich Nervosität verbergen lässt. So darf man nicht aussehen, wenn man im Urlaub ist, denke ich. Im Urlaub ist man aufgeregt vor Freude, jedoch nicht vor Angst.

Ich kann gar nicht bestimmen, wovor ich mich genau fürchte. Klar, vor dem Alleinsein im Ausland und davor, wie ich die ganze Fliegerei und Umsteigerei bewältigen soll. Ob das klappt mit der Übergabe der Tasche? Ich denke daran, dass Jenny gesagt hat, Ordells Leute würden uns überall beschützen. Beschützen oder kontrollieren? Der Gedanke, dass jeder Schritt, den ich mache, überwacht wird, ohne dass ich weiß, von wem, ist mir plötzlich gar nicht mehr so geheuer.

Es gibt so viele Dinge, die ich noch immer nicht verstehe. Das ist jetzt meine letzte Chance, Jenny zu fragen. Auch wenn sie immer noch nicht gerade gesprächig aussieht, wie sie da ihr Schlaf-T-Shirt und die Schminksachen in die hässliche Tasche stopft.

»Jenny, wie soll uns denn derjenige finden, der uns das Geld bringt, wenn wir bei Enzo sind und nicht im Hotel?«, setze ich an und spüre schon, dass es keine befriedigende Antwort geben wird.

»Ich habe dir doch wirklich alles genau erklärt«, erwidert sie leicht genervt.

Das ist nicht die Jenny, mit der man stundenlang ablachen kann, die meinen Humor teilt, die das Leben nicht so ernst nimmt wie die anderen Spießer. Diese Jenny klingt streng und gestresst. »Ich muss jetzt los«, beendet sie unser Gespräch.

Das Letzte, was ich jetzt brauche, ist ein schlecht gelaunter, hektischer Abschied. »Ich bringe dich runter«, sage ich schnell.

»Ist schon gut«, meint Jenny, während sie die Jacke zumacht. Meine Jacke. So eine dicke, silbergraue Daunenjacke, die ich gegen ihre Adidasjacke getauscht habe, weil die besser zu meiner Mütze passt. Jenny wuchtet die Tasche hoch. »Ganz schön schwer.«

Ich bestehe darauf, sie zu begleiten. »Dann kann ich gleich das Zimmer für die nächste Nacht bezahlen«, sage ich.

Der winzige Fahrstuhl ruckelt uns nach unten. Wir stehen so dicht nebeneinander, dass sich unsere Ellenbogen berühren. Quälendes Schweigen. Jenny starrt reglos auf ihre Füße, während mein Blick rastlos durch die Kabine wandert. Die Fahrt dauert ewig.

Ich bin noch viel zu müde, um die Rechnung zu begreifen,

die dieser komische Typ hinter der Rezeption aufmacht. Und das, obwohl er deutsch spricht. Wir buchen ein Zimmer für zwei Nächte und er will Kohle für drei Nächte haben. Er erklärt, dass Jenny eine Nacht bezahlen müsse und ich zwei, weil ich insgesamt zwei Nächte bliebe. Irgendwie fühle ich mich total hintergangen, weil wir das Zimmer nur zwei Nächte belegen, egal mit wie vielen Personen.

Ich bin ziemlich sauer, weil ich sowieso schon viel zu wenig Reisegeld habe und mich hier nicht abzocken lassen will, so dringend, wie ich jede Mark brauche. Aber der Typ lenkt einfach nicht ein.

»Komm, lass doch«, sagt Jenny schließlich. »Wird schon irgendwie stimmen.«

Jetzt haben wir nicht einmal mehr Zeit für einen richtigen Abschied, den ich so dringend brauche, um den heutigen Tag durchzustehen. Das Taxi wartet schon, es ist derselbe Fahrer, der uns vor ein paar Stunden hergebracht hat.

»Okay, bis bald«, sagt Jenny und will sich aufmachen Richtung Tür. Wir umarmen uns noch einmal zum Abschied, und als wir uns loslassen, kann ich die Tränen nicht mehr unterdrücken.

»Wird schon alles gut gehen«, meint Jenny und ringt sich ein gequältes Lächeln ab, bevor sie durch die Tür eilt. Ich höre den Motor des Taxis aufheulen und starre ihr hinterher, bis ich die Rücklichter nicht mehr sehen kann. Als ich den Lift betrete, steigt mir der beißende Benzingeruch in die Nase, den Jennys Taxi bei der Abfahrt hinterlassen hat.

Sie hat unseren Traum mitgenommen und mich mit der unheimlichen Tasche und meiner Angst allein gelassen. Urlaub, Abenteuer, eigenes Geld, das alles bedeutet mir plötzlich nichts mehr. Erwachsensein ist schwerer, als ich gedacht habe. Das alles ist eine Nummer zu groß für mich, denke ich. Wenn ich doch jetzt nur nach Hause könnte, Augen zu und einfach da sein. Ohne Flüge, ohne umsteigen, ohne Tasche. Ich weiß, dass es jetzt zu spät ist. Wenn ich jetzt »Nein«

sage, wird es keiner hören. Ich habe versprochen, die Tasche an ihr Ziel zu bringen. Dieses Versprechen darf ich nicht brechen. Erst danach kann ich wieder frei entscheiden. Eines ist mir jedenfalls sonnenklar: Nie wieder will ich mich so furchtbar fühlen, nie wieder werde ich eine solche Reise machen. Es war ein Fehler, aus dem ich jetzt schon gelernt habe. Es tröstet ein bisschen, zu wissen, dass damit wenigstens nicht alles ganz umsonst war.

Irgendwie werde ich diesen grässlichen Tag schon hinter mich bringen. Dennoch bleibt mir viel Zeit, die ich ganz alleine totschlagen muss. Ich beschließe, mich erst mal mit etwas Vertrautem abzulenken: Frühstück. Als ich vor dem Restaurant stehe, wird mir klar, dass 4 Uhr morgens nicht die Zeit ist, zu der Touristen ihren Tag beginnen. Natürlich gibt es noch nichts. Also verziehe ich mich in mein Zimmer, krieche wieder ins Bett und stelle den Handywecker auf 9 Uhr.

Als er klingelt, fühle ich mich genauso erschlagen wie beim ersten Aufwachen. Diesmal ist der Frühstücksraum voller Leute. Ich habe das Gefühl, dass alle Augen auf mich gerichtet sind, als ich den Raum betrete, obwohl ich weiß, dass das Quatsch ist. Trotzdem spare ich es mir, den ganzen Saal zu durchqueren, und setze mich auf den ersten freien Platz, den ich entdecke. An der Wand sind über Eck zwei große Tische aufgebaut. Mit leicht gesenktem Kopf husche ich ans Büfett, bloß keinen Blickkontakt mit irgendjemandem, und klatsche mir ein paar Sachen auf den Teller. Hauptsache, ich muss mich jetzt mit niemandem unterhalten, das ist das Letzte, wonach mir zu Mute ist.

Obwohl ich nicht viel gegessen habe, ist mir ein bisschen schlecht. Ich muss unbedingt raus aus diesem Raum, wo die anderen Touristen gut gelaunt ihren Urlaubstag planen. Die normalen Touristen, die mit ihren eigenen Reisetaschen unterwegs sind, voll gestopft mit ihren schönsten Klamotten.

Ich gehöre nicht dazu mit meiner unmöglichen Tasche. Ich bin eine Touristin, die nicht einmal weiß, was in ihrer Tasche drin ist, außer dass es was Verbotenes sein muss. Das ist nicht Urlaub, das ist Horror. Aber jetzt gibt es keinen Weg zurück mehr. Ich werde die Sache zu Ende bringen, da muss ich durch. Ich versuche mir Mut zu machen mit dem Gedanken, dass es ja nicht mehr lange dauert, bis es vorbei ist. Egal, wie ich mich fühle, die Zeit tickt weiter in ihrem unbeirrbaren Takt. Irgendwann ist es vorbei. Morgen Abend bin ich die Tasche los. Dann kann ich endlich nach Hause.

Ich fühle mich unendlich erschöpft, bleischwer vor Müdigkeit, vom Nachdenken. Ich fahre mit dem Fahrstuhl nach oben und lege mich wieder ins Bett. Wenn ich schlafe, wird die Zeit schneller vergehen. Ich wälze mich hin und her, bis der Schlaf mich noch einmal für ein paar Stunden erlöst.

Als ich hochschrecke, scheint mir die Sonne ins Gesicht. Noch im Halbschlaf habe ich ein Piepen gehört. Ich angle mir das Handy von der Kommode und sehe, dass eine SMS angekommen ist, die erste auf der ganzen Reise. Komisch, mein Handy geht doch gar nicht, denke ich. Als Jenny es mir in Berlin gekauft hat, war ein Guthaben von dreißig Mark darauf, doch das ist längst aufgebraucht. Nachrichten kann ich offenbar trotzdem empfangen. Ich klicke auf »Lesen« und auf dem Display erscheint: »Bitte melde dich! Mama«.

Ich kann die Tränen nicht aufhalten, ich will es auch gar nicht. Mama, wenn du wüsstest, wie gern ich mich melden würde. Wenn du wüsstest, wie gern ich jetzt zu Hause wäre! Am liebsten würde ich sie sofort anrufen. Alles beichten, so wie damals beim Schuleschwänzen, als Mama mich so cool bei den Lehrern in Schutz genommen hat. Aber Mama kann nicht bei Jenny anrufen oder bei Ordell und sagen: »Tut mir Leid, meine Tochter hat sich das anders überlegt. Sie macht das doch nicht mit der Tasche.« Mama kann nicht herkommen und mich hier abholen, das kostet ein Vermögen. Und wie stünde ich dann da? Gerade achtzehn, aber unmündig wie ein kleines Kind. Nein, das geht nicht.

Ich kann Mama jetzt nicht mal anrufen und sagen, dass

alles okay ist. Zum einen, weil ja wirklich nichts okay ist, zum anderen, weil ich das wenige Geld, das ich jetzt noch habe, auf keinen Fall für ungeplante Telefonate verplempern darf. Jetzt habe ich nicht nur Angst vor der weiteren Reise, sondern es macht sich auch noch das schlechte Gewissen wieder breit. Nein, Mama würde zu viele Fragen stellen, die ich ihr nicht beantworten kann, weil mir das meiste selbst ein Rätsel ist. Ich kann sie erst anrufen, wenn ich in Italien bin und das alles vorbei ist. Ja, das werde ich machen. Ich muss meinen Auftrag erst ordentlich zu Ende bringen.

Mit einem Mal muss ich unter dem Schleier der Tränen beinahe lächeln, weil ich das wohl von Mama habe, dass man Sachen ordentlich zu Ende bringt. Obwohl ich natürlich weiß, dass sie von dieser Aktion überhaupt nichts halten würde.

Ein Klopfen an der Tür reißt mich aus meinen Gedanken, da, noch mal. Richtig ungeduldig klingt das. Instinktiv verkrieche ich mich unter der Bettdecke. Ich erwarte keinen Besuch. So was steht nicht auf meinem Zettel. Keine Ice-Cream, keine Jenny. Die sollen mich in Ruhe lassen. Ich bin eigentlich offiziell gar nicht hier, denke ich. Also ist es am besten, wenn ich mich nicht draußen blicken lasse. Einfach hier bleiben in diesem Zimmer, das bezahlt ist, bis es losgeht zum Flughafen. In diesem Moment wird das Zimmer zu meinem Gefängnis. Zum Glück hat wenigstens das Klopfen aufgehört. Ich stehe auf, gehe zum Fenster und lasse mich auf das einzelne Bett fallen, das dort steht. Draußen läuft das Leben weiter wie immer. Nur heute ohne mich. Ich kann weit über das Meer von Hausdächern gucken und beobachte das Leben hinter den schön verputzten Fassaden: abgebröckelte Brandmauern, unordentliche Hinterhöfe, Leinen, auf denen die Wäsche im Wind flattert. Weit hinten erhebt sich ein Riesenrad über die Dächer, ich sehe Wimpel – die haben wohl gerade ein Volksfest hier.

Ich betrachte die Welt hinter der Scheibe und mag nicht einmal das Fenster öffnen, obwohl die Luft ganz schön stickig ist. Verbraucht man mehr Sauerstoff, wenn man Angst hat? Nein, ich mag das Fenster nicht aufmachen, das mich von der Welt draußen trennt, von der Welt, in der ich gar nicht offiziell sein darf. Ich krieche lieber wieder ins Bett und wünsche mir einfach durchzuschlafen bis morgen früh. Ich mache die Augen zu und bin hellwach.

Um mich abzulenken schalte ich den Fernseher ein und eine halbe Stunde später wieder aus, als ich merke, dass ich nichts mitkriege. Ich erinnere mich an das Buch, das Jenny mir geliehen hat und das sie unheimlich spannend fand. »Enigma« heißt es. Da geht es um einen Entschlüsselungscode im Krieg. Dummerweise ist es in der hässlichen Tasche. Ich angle es heraus und versuche die Tasche dabei so wenig wie möglich zu berühren, als sei etwas Ansteckendes darin verborgen. Angespannt beginne ich zu lesen. Was heißt lesen? Ich starre auf die Seite, bis die Buchstaben verschwimmen, versuche sie in eine Ordnung zu bringen und kapituliere schließlich vor einem Brei aus Worten, die keinen Sinn ergeben.

Mir ist immer noch kalt, obwohl ich mich klebrig und schwitzig fühle. Duschen! Eine gute Idee. Als mir das heiße Wasser über den Körper läuft, fühle ich mich tatsächlich etwas besser. Wenig später klopft es erneut. Ich zucke zusammen. Da ist es wieder, dieses Gefühl, dass ich nicht hier sein darf, die absurde Angst, entdeckt zu werden. So ein Quatsch, sage ich mir. Andrea, reiß dich zusammen, du denkst ja total wirres Zeug. Seit Jenny weg ist, habe ich nicht ein Wort gesprochen, kein Wunder, dass man davon komisch wird.

Ich habe keine Lust, mich anzuziehen – wofür, wenn ich sowieso nicht rausgehen werde? Deshalb schlüpfe ich wieder in mein Schlaf-T-Shirt und gehe Jennys Notizen noch mal durch. Hört sich alles ganz logisch an. Aber wie man richtig eincheckt, steht da zum Beispiel nicht drauf. Und auch nicht, was passiert, wenn ich den Treffpunkt nicht finde, wo ich die Tasche abgeben soll. »Wenn du ein Problem hast, rufst du einfach Ordell an«, höre ich Jenny sagen. Super. Und wenn ich beim Telefonieren mit Ordell einen Fehler mache, den ich selbst nicht einmal bemerke, was dann? Wenn er total sauer wird und mich plötzlich anschnauzt? Dass er wütend werden kann, habe ich ja gesehen, als er mit Jenny über Steffi gestritten hat. Also, was ist, wenn Ordell mich sitzen lässt?

Dann habe ich niemanden mehr, den ich anrufen kann: »He du, ich habe hier ein Problem.« Ich glaube, davor habe ich am meisten Angst, dass ich mit dieser Tasche plötzlich ohne Geld alleine dasitze und mir niemand hilft. Ich halte die Notizen in der Hand, zweidimensionales Gekritzel auf kariertem Papier. Sosehr ich mich auch bemühe, ich schaffe es einfach nicht, sie lebendig zu machen, weil mir der Ablauf nicht logisch erscheint. Ich packe die Notizen beiseite, weil sie eben nicht mehr oder klarer werden durch wiederholtes Lesen, und rauche eine. Das beruhigt ein bisschen. Doch das Drücken im Magen bleibt. Vielleicht sollte ich etwas essen. Rausgehen und etwas kaufen kommt nicht in Frage, ich muss mit meinem Geld haushalten, und außerdem will ich nicht, dass mich jemand sieht.

Lustlos knabbere ich ein paar von den Sonnenblumenkernen, die Jenny dagelassen hat. Für einen Moment bin ich die schrecklichen Gedanken los und konzentriere mich nur auf den salzigen Geschmack, der im Mund brennt. Verstehe gar nicht, was Jenny an diesen Kernen findet. Sie schmecken wirklich nur nach Salz und hinterher bleiben so kratzige Späne, die man ausspucken muss. Nicht wirklich lecker.

Jetzt klopft es doch tatsächlich schon wieder. Ich nehme all meinen Mut zusammen und mache auf. Draußen steht eine kleine, dunkelhaarige Frau, die etwas sagt, das ich nicht verstehe. Ich schüttele nur den Kopf und mache die Tür einfach wieder zu. Als sich mein Herzschlag wieder beruhigt hat, wird mir klar, dass das wohl die Putzfrau gewesen sein muss. Was die sich wohl denken in dem Hotel, warum ich den ganzen Tag im Zimmer sitze und die Frau nicht mal putzen lasse? Ist ja nicht gerade normales Touristenbenehmen.

Wieder ins Bett. Augen zu. Vielleicht muss ich die Tasche ja gar nicht ans Ziel bringen. Vielleicht stürzt das Flugzeug ab und ich bin alle Sorgen los. Bevor wir losgefahren sind, Jenny und ich, war das Fliegen, obwohl ich mich wahnsinnig darauf gefreut habe, das Unheimlichste an der ganzen Reise. Jetzt würde ich am liebsten schon im Flugzeug sitzen. Ich habe zwar immer noch Angst, abzustürzen, aber das wäre doch gleichzeitig auch eine Lösung. Alle wären traurig und keiner wäre mehr sauer auf mich. Ich habe schon wieder Tränen in den Augen, als ich endlich einschlafe.

Ich bin vielleicht eineinhalb Stunden weg. Als ich aufwache, hat sich die Sonne schon gesenkt und die Hausdächer in goldenes Licht getaucht. Es sieht wunderschön aus, doch ich habe es nicht einmal verdient, diesen Anblick zu genießen, und ich kann es auch nicht. Vom Schlafen fühle ich mich noch geräderter. Ich sitze wieder auf dem Bett am Fenster und denke, wie es wäre, jetzt diese Scheibe einzuschlagen und einfach hinauszuspringen. Das wäre doch eine Entscheidung. Noch nie in meinem Leben habe ich mich so elend gefühlt.

Wie kann es sein, dass man etwas tun muss, von dem man genau weiß, dass es nicht richtig ist? Ich habe es die ganze Reise nicht kapiert, doch jetzt bin ich mir absolut sicher. Die ganze Reise war ein Fehler, sie zu Ende zu bringen ist auch ein Fehler, aber es gibt keinen anderen Ausweg. Außer vielleicht den Sprung aus dem Fenster. Ich spüre, dass ich so schwach, so gelähmt bin vor Angst, dass ich nicht einmal das schaffen würde.

Ich mag nicht länger so nah am Fenster sein und schalte den Fernseher wieder ein. Fremde Stimmen aus der Glotze sind besser als gar keine. Ich kann das Alleinsein einfach nicht mehr ertragen. Wenn ich wenigstens Nicky anrufen könnte, um mit ihr darüber zu sprechen. Oder Jenny. Dafür ist jedoch einfach nicht genug Geld da. Und es würde ja auch nichts daran ändern, dass ich versprochen habe, die Tasche an ihr Ziel zu bringen. Ich könnte nachgucken, was darin ist. Aber ich traue mich nicht. Wenn nicht einmal Jenny hineingesehen hat auf ihren vielen Reisen, dann sollte ich es wohl auch besser lassen.

Ich bin ein totales Nervenbündel, als die Sonne endlich untergeht. Schlafen, denke ich, traumlos schlafen. Doch nebenan schnarcht jemand so laut, dass an Schlaf nicht zu denken ist. Er schnarcht nicht nur laut, sondern auch unregelmäßig, was viel schlimmer ist. Immer, wenn ich mich gerade etwas entspannt habe, reißt es mich wieder heraus. Wenn Ordell mir jetzt eine Kontaktperson schicken würde, die diese furchtbare Tasche mitnimmt, würde ich sie gern auch ohne Honorar abgeben. Was sind sechstausend Mark gegen die Angst, die ich hier durchstehen muss? Schmerzensgeld. Höchstens.

Wenn doch alles nur ein böser Traum wäre, denke ich, als ich die Decke fest um meinen Körper schlinge. Es ist beinahe ein Gebet, so sehr wünsche ich es mir. Spätestens übermorgen werde ich zu Hause sein, versuche ich mich zu trösten. Es will mir nicht gelingen, daran zu glauben, dass diese Reise nach Hause führt. Aber wohin dann?

23

Ich träume, dass ich in meinem Bett in der Zelle liege, mich hin und her wälze, weil der Rücken schmerzt von den harten Knubbeln in der Matratze. Plötzlich spüre ich, wie sich jemand an meinem Bett zu schaffen macht. Dann fühlt sich die Decke auf meiner Brust schwer wie Blei an. Als ich die Augen öffne, noch ganz benommen, wird mir voller Entsetzen klar, dass ich gar nicht träume. Im Grau der Morgendämmerung sehe ich einen monströsen schwarzen Schatten, der neben meinem Bett steht und an meiner Decke zupft. Zum ersten Mal verfluche ich die Tatsache, dass ausgerechnet in dieser Zelle nachts die Neonleuchten gelöscht werden.

Mit einem Schrei fahre ich hoch und sehe, wie ein schwarzer Schatten etwas Unverständliches murmelt und sich dann in das Bett schräg unter meinem legt. Es dauert ein paar Sekunden, bis ich schalte. Das war Nino, die nicht ganz richtig im Kopf ist. Diese wahnsinnige Kuh ist tatsächlich mitten in der Nacht aufgestanden und hat einfach meine zweite Decke über die andere gebreitet, und das, obwohl wir hier zurzeit fast eingehen in der Juni-Hitze. Was für eine gruselige Aktion!

Ich streife die Decke ab und lege sie wieder ordentlich an meinem Fußende zusammen. Anschließend lege ich mich wieder hin und habe furchtbare Angst einzuschlafen. Wer weiß, was dieser Irren heute Nacht noch so einfällt? In den ganzen siebzehn Monaten, die ich jetzt im Gefängnis bin, habe ich noch nie solchen Respekt vor einer Mitgefangenen gehabt.

Ich habe aber auch vorher noch nie jemanden getroffen, der eine Frau mit Benzin übergossen und dann angesteckt hat, nur weil sie ihre Schulden nicht bezahlen wollte. Nino gehört nicht ins Gefängnis, sondern in die Irrenanstalt, denke ich. Ob die Frau überlebt hat? Keine Ahnung. Die Wahrheit der Täter ist sowieso meist eine andere als diejenige, die vor Gericht verhandelt wird. Meine ja letztlich auch. Wie hätte ich mir sonst vormachen können, dass es okay ist, eine Tasche mit unbekanntem Inhalt zu transportieren?

Ich werfe einen wachsamen Blick auf Nino, sehe ihren mächtigen Körper, der sich unter der Decke mit jedem Atemzug hebt und senkt, wie ein Berg bei einem Erdbeben. Sie schläft, Gott sei Dank. Wie viele Nächte werde ich mich noch vor ihr fürchten müssen?

Die Türkei interessiert sich eigentlich gar nicht mehr für mich, seit ich nach Istanbul verlegt worden bin. Die haben mich hier einfach auf Warteposition geparkt. Jetzt liegt es nur noch an den deutschen Behörden, wann ich hier rauskomme. Ich rechne nach: Heute haben wir Freitag, den 28. Juni, das heißt, ich bin jetzt seit beinahe drei Monaten hier. Die deutschen Behörden scheinen wirklich kein großes Interesse an meiner Überstellung zu haben. Manchmal bin ich ihnen dafür beinahe dankbar, weil ich mich immer noch fürchte vor meiner ungewissen Zukunft. Heute will ich jedoch einfach nur noch raus hier.

Als ich die Augen schließe, spüre ich plötzlich, wie etwas auf meine Füße plumpst, und bin sofort wieder wach. Voller Horror gucke ich hoch und blicke direkt in zwei schräge grüne Augen. Sie gehören zu der Katze, die es sich dort gemütlich gemacht hat, eine von den Streunern, die durch ein geöffnetes Fenster zwischen den Gitterstäben hindurchgeschlüpft sein muss. Sie ist gestreift und erinnert mich ein bisschen an unseren Familienkater Moritz. Erleichtert lasse ich mich zurück auf mein Kissen fallen. Das gleichmäßige Schnurren der Katze wiegt mich endlich in den ersehnten Schlaf.

Nach dem Frühstück gehen Mariana und ich gleich hinaus auf den Hof. Wir nehmen Joe mit, ein schwarzes Mädchen, das mit falschen Dollarnoten erwischt wurde. Sie sagt, dass sie nichts wusste davon, aber ich glaube ihr kein Wort. Dafür ist ihre Geschichte einfach zu wirr und jedes Mal anders. Ich habe sie bis heute nicht verstanden.

Joe ist erst ein paar Wochen da und Mariana hat sich sofort mit ihr angefreundet. Mariana steht total auf schwarze Leute. Sie findet die Art cool, wie die reden, wie sie sich bewegen. Sie ist einfach neugierig auf diese Kultur. Der Typ, in den Mariana so verknallt war und der ihr das Heroin untergejubelt hat, war auch Schwarzer. Joe ist ganz süß, aber sie geht mir ein bisschen auf die Nerven mit ihrer quirligen Art und dem unlogischen Gequatsche. Es ist wirklich Wahnsinn, wie sie die Fakten verdreht. Sie ist groß und schlank und trägt die krausen Haare ordentlich eingeflochten am Kopf, ihre Frisur ist ein richtiges Kunstwerk. Ich habe ihr schon gesagt, dass ich unbedingt auch mal eingeflochtene Zöpfe haben möchte, und zwar an dem Tag, an dem sie mich nach Deutschland bringen. »Klar, mache ich«, hat Joe sofort versprochen.

Wir haben Glück, dass unsere Zelle diese Woche vormittags ins Freie darf. Das wechselt immer wochenweise: eine Woche Hofgang vormittags, eine Woche nachmittags. In den Nachmittagswochen habe ich nichts dagegen, zum Hofreinigungsdienst eingeteilt zu werden. Dann bin ich zweimal an der frischen Luft. Auch wenn es eine Qual ist, mit diesem Reisigbesen zu kehren, der eigentlich bloß eine Art großer Handfeger mit kurzem Stiel ist. Da muss man immer so gebückt über den Hof huschen wie eine alte Hexe.

Mariana, Joe und ich drehen ein paar Runden. Es gibt keine Bank hier, keinen Platz zum Hinsetzen, also bleiben wir in Bewegung. Das ist schon in Ordnung, denn drinnen sitzen wir sowieso den ganzen Tag.

Außer uns dreien sind nur noch ein paar türkische Frauen unterwegs. Wir haben den Hof also beinahe für uns allein. Wir laufen direkt an der grauen Mauer entlang, die längsten möglichen Runden, weil einem sonst ganz schnell schwindelig wird im Kopf.

»Du hast es gut, dass du bald in Deutschland bist«, sagt Mariana und schickt einen sehnsüchtigen Blick in den wolkenlosen, blauen Himmel. »Außerdem dauert es auch nicht mehr so lange, bis ein Drittel deiner Strafe um ist und du freikommst. In Berlin gibt es bestimmt eine Menge netter Jungs, die man kennen lernen kann.«

Ich denke an Timmy und ob er es wohl geschafft hat, von den Drogen wegzukommen, und natürlich an Marco vom Blumenversand, mit dem es durchaus etwas hätte werden können, wenn diese dämliche Reise mich nicht hierher verschlagen hätte.

»Weißt du«, sage ich zu Mariana und bleibe stehen, »ich war in den Zeitungen, im Fernsehen. Alle wissen, dass ich hier im Gefängnis bin und warum. Also bei den alten Leuten kann ich mich nicht mehr blicken lassen.«

Wir schlendern weiter. Langsam zieht die endlose Mauer an mir vorbei, sie ist rau und rissig und mündet unten nahtlos in den gleichfarbigen grauen Betonboden. Was für ein Freiluft-Verlies.

»Na ja«, erwidert Mariana. »Richtige Freunde halten zu dir, sonst sind es keine Freunde. Abgesehen davon kannst du ja auch jemanden Neues kennen lernen.«

»Wie soll ein ganz normaler Junge mit meiner Vergangenheit klarkommen, wenn ich es selbst kaum schaffe?«, wende ich ein.

»Ein Typ, der dich liebt, hat damit keine Probleme«, sagt Mariana. »Es gibt zwar nicht viele richtig coole Typen, doch es gibt sie. Auch, wenn mein letzter ein echter Fehlgriff war.«

Ich atme tief durch und fühle, wie die angenehm warme, frische Morgenluft meine Lungen füllt. Kaum zu glauben, dass die erbarmungslose Sonne den Hof bis zum Mittag in einen unerträglich stickigen, staubigen Brutkasten verwandeln wird.

»Hasst du ihn dafür, dass er dir das Heroin untergeschoben hat?«, frage ich.

»Ja«, sagt Mariana, »und es wird jeden Tag schlimmer.«

Ich muss an Jenny denken, an meine furchtbare Wut auf sie, die sich in Trauer verwandelt hat, Trauer um unsere Freundschaft.

Wir laufen jetzt schneller, ich spüre, wie sich mein Puls beschleunigt, aber vielleicht kommt das auch von der Aufregung, die ich immer noch spüre, sobald ich an Jenny denke.

»Ich habe schon lange keinen Hass mehr auf Jenny«, sage ich nach einer Pause. »Ich frage mich nur noch, was ihr unsere Freundschaft wirklich bedeutet hat.«

Wenn wir zusammen gelacht haben, dann war das echt, denke ich. Und die Sorgen, die sie sich gemacht hat, als sie mir riet, wegen Timmy einen Aids-Test zu machen, die waren auch echt. Das sind gemeinsame Erlebnisse, die mich trösten und ein bisschen versöhnen.

»Träume sie dir nicht netter, als sie ist«, mahnt Mariana und deutet auf die hohen Mauern, die uns umschließen. »Sie hat dir das hier eingebrockt mit ihrer Lüge.«

»Ich glaube nicht, dass Jennys Freundschaft geheuchelt war, nur ein gemeines Spiel, um mich auf diese Reise zu locken«, sage ich. »Sie steckte einfach schon bis zum Hals in diesem Drogensumpf drin. Letztlich ist sie schlimmer dran als ich jetzt, weil sie da aus eigener Kraft niemals rauskommen wird.«

Joe, die sich die ganze Zeit gelangweilt hat, weil wir deutsch gesprochen haben, hockt sich plötzlich direkt vor der Mauer hin. »Guckt mal«, sagt sie auf Englisch. »Da ist ein Loch drin, durch das man die Freiheit sehen kann.«

»Und, wie sieht die aus?«, fragt Mariana.

»Braun«, meint Joe und kichert, »da draußen ist nichts als braune Erde.«

»Na, dann verpassen wir ja nichts«, sage ich und bin ein bisschen genervt, dass Joe unser wichtiges Gespräch unterbrochen hat.

Wir sind gerade wieder in der Nähe der türkischen Frauen angelangt, die mit einer Wärterin sprechen. Sie muss herausgekommen sein, ohne dass wir es bemerkt haben, weil wir so in unser Gespräch vertieft waren. Nun dreht sie sich zu mir um und geht auf mich zu. Sie sagt was von »Almanya« und »losfahren«.

»Wie? Jetzt?«, rufe ich völlig überrumpelt.

»Ja, ja, es geht los«, sagt die Wärterin. Dann redet sie noch was von »Packen« und »zwei Stunden«. Nun bin ich endgültig total verwirrt.

Die Gedanken überschlagen sich in meinem Kopf. Ich kann hier jetzt nicht weg. Mariana braucht mich. Warum müssen mich ständig Menschen aus einer Umgebung herausreißen, an die ich mich gerade gewöhnt habe? Selbst Ninos nächtliche Aktion erscheint mir plötzlich gar nicht mehr so schlimm.

Deutschland. Berlin. Da erwartet mich das Gericht der Menschen, die mich kennen. Wie werden meine Freunde mich aufnehmen? Wie wird es mit meinen Eltern sein, in der neuen Wohnung, in die sie gezogen sind, damit ich in einem anderen Umfeld noch einmal ganz von vorne anfangen kann? Bei den kurzen Treffen, die wir in der Türkei hatten, haben wir uns natürlich immer wahnsinnig gefreut. Doch in Deutschland werden wir vor denselben Problemen stehen, die ich vor meiner Abreise hatte, plus die neuen, die ich mir und meiner Familie eingebrockt habe. Ich fühle nicht die Freude, die ich jetzt spüren sollte, nur Angst.

»He, ist doch super«, sagt Mariana. »Was würde ich darum geben, jetzt nach Hause fliegen zu können.«

Ich kann ihr meine widersprüchlichen Gefühle nicht erklären, das erscheint mir viel zu kompliziert. Soll ich jetzt wirklich schon packen? Ist doch total peinlich, wenn es dann plötzlich heißt, dass es doch erst morgen losgeht. So etwas machen die ja gerne hier: eine Sache erst groß ankündigen und dann schleifen lassen. Mir kommt eine Idee.

»Ich muss zu Michaela«, dränge ich die Wärterin, »ich brauche sie als Übersetzerin.«

Eigentlich geht das jetzt gar nicht, denn die Zelle wird nur einmal pro Stunde aufgeschlossen, um nachzusehen, ob alles okay ist.

»Mann, hast du es gut«, sagt Michaela, die sie tatsächlich herbeigerufen haben. »Dein Flieger nach Berlin geht in zwei Stunden.«

Was? Ich habe es also doch richtig verstanden.

Es ist kurz nach zehn, keine Zeit mehr für dunkle Gedanken. Ich beginne sofort mit dem Packen, das schnell erledigt ist, weil ich viele meiner Sachen schon in Bilecik weggegeben habe. Zum Beispiel die silbergraue Hose, die mir Jenny geschenkt hat. Ich konnte sie einfach nicht mehr sehen, die Klamotten, mit denen ich verhaftet wurde.

Auch das schöne olivfarbene Trägertop, das ich damals anhatte, ist längst weg. Ich habe es einem Mädchen in Bilecik gegeben, im Tausch gegen ein blaues Stricktop, das auch ziemlich cool ist. Das ziehe ich jetzt an, dazu die schwarze Hose, die ich im Gericht anhatte. Nun fehlt nur noch die Zopffrisur, die Joe mir versprochen hat. Wir haben gerade mal eine Dreiviertelstunde Zeit, doch Joe ist ganz entspannt und meint, dass sie das locker schaffe.

Mit flinken Fingern zaubert sie lauter winzige Zöpfchen, die schon an der Kopfhaut eingeflochten werden. Ich gucke mich noch mal in dem Spiegel über unserer Steinspüle an und bin sehr zufrieden: Die Frisur sieht wirklich total geil aus.

Ich habe keine Zeit mehr, mich von Mariana richtig zu verabschieden. Kein gemeinsamer Tee mehr, keine Zigarette, die Wärter drängeln schon. »Mach schnell, mach schnell!« Ich sage hastig noch Joe und ein paar anderen »Tschüs«, dann hilft mir Mariana, die Sachen nach vorne in den Flur vor dem Wärterraum zu tragen, ein paar Tüten und einen riesigen Plastiksack.

Mariana umarmt mich ein letztes Mal. Da drängen die Wärter schon wieder. Keine Zeit für Tränen, keine Zeit zum Nachdenken. Vielleicht ist das gut so, sonst müsste ich jetzt furchtbar heulen. Wir gehen hinaus, an den anderen Gebäudekomplexen vorbei, wo mich die Wärterin an einen Kollegen übergibt. Ich drücke dem Mann gleich meinen schweren Bücherkarton in die Hand. Er nimmt ihn mir gerne ab, ist ja Männerehre, Frauen zu helfen, und das zählt in der Türkei noch mehr als in Deutschland.

Wir verlassen das Gelände, in dem die einzelnen Häuser mit den Zellen sind, und betreten den Armeebereich. Der Wärter lotst mich durch eine Tür, und plötzlich sind wir da, wo auch die Poststelle ist. Ich kann sehen, wie die ganzen Briefe sortiert und zusammengepackt werden. Zwei Leute in Zivil kommen auf mich zu und fragen freundlich, ob ich Englisch spreche.

»Weißt du, wer wir sind?«, fragt der Mann und es klingt sehr geheimnisvoll.

Natürlich weiß ich es nicht, woher denn? Fest steht, dass das keine deutschen Polizisten sind. Und eigentlich hätten die mich abholen müssen, so hatte es mir jedenfalls das Konsulat angekündigt.

Die Frau zeigt mir ihren Dienstausweis und erklärt mir, dass sie von der türkischen Interpol kämen und mich begleiten würden. Sie sieht nett aus und ihr Kollege auch.

Meine beiden Reisetaschen sind schon aus dem Depot gekommen; mein Handy ist ebenfalls da und sogar mein Geld. Ich packe die Taschen und die Beamten wühlen noch mal alles richtig durch. Schließlich helfen die Leute von Interpol vorsichtig mit, weil wir es eilig haben und die Gefängnisbeamten ein bisschen langsam sind.

»Na, hast du inzwischen einen Freund?«, höre ich eine Stimme. Es ist die Wärterin, die mich bei meiner Einlieferung gefragt hatte, ob Carmens Ring ein Ehering sei.

»Nicht schon wieder«, stöhne ich. »Ich kann Ihren Sohn

nicht heiraten, ich muss jetzt nach Deutschland«, scherze ich. Dabei bin ich überhaupt nicht in Späßchenlaune.

Die Beamten nehmen mich mit nach draußen, ohne Handschellen, einfach so, wie einen ganz normalen Menschen. Ich kriege langsam gute Laune. Vor dem Gefängnistor wartet ein Fahrer in einem weißen Auto, gleich daneben steht ein Mann mit einer Kamera um den Hals. Woher weiß der das?, frage ich mich. Ich habe selbst erst vor zwei Stunden erfahren, dass ich zurückfliege, und der steht garantiert schon länger hier. Der Fotograf rennt wie aufgezogen um mich herum und ich bin nur froh, dass es heller Tag ist, der mich vor lästigem Blitzlichtgewitter verschont.

Das Ganze dauert nur ein paar Minuten. Dann sitze ich auch schon im Fond zwischen meinen beiden netten Begleitern und wir fahren los. »Wir bringen dich jetzt zum Flughafen«, sagt die Frau.

Es ist komisch, plötzlich wieder in einem ganz normalen Auto zu sitzen, aus dem man hinausgucken kann. Ich will wissen, wie lange die Fahrt zum Flughafen dauere.

»Fünf Minuten«, sagt der Mann.

Ich schaue aus dem Fenster auf das quirlige Leben an der Straße und mein Gehirn kann die vielen Eindrücke gar nicht verarbeiten. Die Leute von Interpol fragen, wie ich so klargekommen sei im Gefängnis. Ich behaupte, gut, weil es ja irgendwie stimmt, obwohl es natürlich auch der Horror war. Die meisten können sich gar nicht vorstellen, dass es selbst in der fiesesten Umgebung Menschlichkeit gibt. Das Merkwürdigste daran ist nur, dass einem diese Menschlichkeit dann besonders viel bedeutet.

Das erkläre ich den Beamten jedoch nicht, weil es zu kompliziert ist für die kurze Tour. Nun fragen sie nach meiner Tat und sagen, dass sie mich im Fernsehen gesehen hätten. Freundliches Geplänkel eben. Wie ich die Türkei finde, wagen sie nicht zu fragen. Da ich jedoch weiß, dass es die Türken meist besonders interessiert, sage ich, dass mir Antalya gut gefallen habe, was tatsächlich stimmt. Das ist wirklich eine süße Stadt. Auch wenn es ein bisschen wimmelig ist mit den vielen Leuten in den winzigen Gassen und zur Hochsaison bestimmt richtig heftig: Antalya ist wirklich schön.

24

Heimflug – zweiter Versuch, denke ich, als wir am Flughafen ankommen. Nur weiß ich diesmal, dass nichts schief gehen kann. Ich muss mich um gar nichts kümmern. Nicht um mein Gepäck, nicht ums Einchecken, nicht ums Umsteigen. Das machen die Beamten, die mich begleiten. Fünfzehn Monate nachdem sie mich in Izmir mit der Tasche erwischt haben, darf ich endlich zurück nach Berlin. Ich bin furchtbar aufgeregt und vergesse beinahe, dass alles anders sein wird zu Hause, dass ich wieder eingesperrt sein werde – vielleicht sogar noch ganz schön lange.

Als ich mit den Leuten von Interpol aus dem Auto steige, hält ein Wagen direkt hinter uns. Nein, nicht schon wieder. Der Fotograf, der mir schon vor dem Gefängnis aufgelauert hat, ist uns gefolgt. Diesmal ist die Sicherheitsschleuse, durch die Flughafenbesucher gleich am Eingang durchmüssen, ein Segen. »Nein, Sie können hier nicht hinein«, wehrt ein Sicherheitsbeamter den Fotografen ab, während wir schnell in die Halle schlüpfen.

Ich habe kaum Zeit, die Geschäfte wahrzunehmen, an denen wir vorbeieilen, da sind wir auch schon auf der Flughafenwache. Ich stelle meine Taschen ab und lasse mich auf die Stoffcouch fallen, die in dem Büro steht. Ein großer, blonder Mann und eine dunkelblonde Frau mit lustigen Sommersprossen kommen herein und unterhalten sich mit den Polizisten auf Englisch. Dass sie Deutsche sind, merke ich erst, als sie eine der Beamtinnen hinter dem Schreibtisch auf Deutsch ansprechen. Dann kommen sie zu mir.

Sie stellen sich vor und sagen, dass sie mich über Frankfurt nach Berlin begleiten würden. Schade, dann kommen die beiden Netten von Interpol also nicht mit, denke ich mir und versuche mich mit meinen neuen Begleitern anzufreunden. Die beiden fragen, wie es mir gehe, und ich sage gut, weil das in diesem Moment tatsächlich zutrifft. Als ich aufs Klo muss, darf ich auf die ganz normale Flughafentoilette, wohin die Interpol-Beamtin mich begleitet. Es ist schon komisch, so ganz entspannt durch die Halle zu laufen, ohne Handschellen. Und weil die Beamtin in Zivil ist, fallen wir auch gar nicht auf unter den vielen Touristen, sie würde glatt als meine mütterliche Freundin durchgehen.

Die Beamtin wartet vor der Klotür. Als ich herauskomme, sehe ich, dass die Toilette einen merkwürdigen Nebenraum hat. Darin ist so ein langes Waschbecken, an dem sich zwei junge Türkinnen ausgiebig frisch machen. »Dieser Raum ist speziell für Moslems, damit sie sich vor dem Gebet reinwaschen können«, erklärt meine Begleiterin, als sie meinen fragenden Blick bemerkt. Danach bringt sie mich zurück auf die Wache.

Die beiden deutschen Polizisten verschwinden kurz zum Einchecken, dann geht es endlich los. Keine Kamera weit und breit, das heißt freier Weg zum Rollfeld, denke ich und bin erleichtert. Plötzlich fällt doch das Wort »Kamera«. Ich zucke zusammen, drehe mich um und sehe, dass da ein paar Japaner herumstehen. Na, die werden sich wohl kaum für mich interessieren.

Die deutsche Beamtin geht neben mir, auf der anderen Seite eine andere Polizistin und hinter mir laufen noch ein paar Beamte. Wir biegen um eine Ecke und mit einem Mal laufen wir direkt auf einen Pulk von Fotografen und Kamerateams zu. Ein Blitzlichtgewitter bricht los, der totale Horror.

Die Beamten ziehen das Tempo an, wir rennen fast.

»Nächste rechts, nächste rechts«, brüllt einer und wir biegen ab. Leider ist es der falsche Weg. Wir müssen wieder zurück und laufen den Fotografen genau entgegen.

»Jetzt ist es aber genug!«, brülle ich auf Türkisch, außer mir vor Wut, obwohl mich ja sonst nichts so leicht auf die Palme bringt. Allerdings scheint mich keiner zu hören. Die Typen ignorieren es einfach und machen weiter.

Als wir am Gate ankommen, von wo es ins Flugzeug geht, rennt plötzlich ein Kind durch das Piepding durch, diese Kabine für die Körperkontrolle, und das schrille Alarmsignal geht los. Sofort erstarre ich vor Schreck. Was ist da los? Ich glaube, mit Flughafenkontrollen werde ich wohl noch länger Probleme haben.

Während sich die Beamten neben mir unterhalten, tänzelt schon wieder ein Kameramann um mich herum. Ich bin froh, als wir endlich einsteigen. In Polizeibegleitung muss man nicht durch die Kabine hindurch, wir gehen einfach seitlich daran vorbei. Wir setzen uns in die stoffgepolsterten Schalensitze zum Warten.

»Duck dich mal«, sagt der Polizist plötzlich.

Da versucht mich dieser Kameramann doch tatsächlich durch die Glasscheibe zu filmen.

Die Leute gucken schon ganz komisch. Was die wohl denken? Egal, beschließe ich. Meine Tat ist so lange her, dass sich daran bestimmt keiner erinnern kann. Da wird zum Glück unser Flug aufgerufen. Wir steigen als Erste ein und gehen ganz nach hinten durch.

»Darf ich am Fenster sitzen? Und kann ich bitte eine rauchen?«, frage ich.

Das mit dem Fensterplatz geht in Ordnung, Rauchen ist leider verboten. Ich bin trotzdem total glücklich. Die Polizistin sitzt neben mir, ihr Kollege ganz außen. Erst jetzt dürfen die anderen Passagiere einsteigen. Ich schnalle mich an. Diesmal weiß ich ja, wie es geht.

Beim Start drückt mich die Fliehkraft in den Sitz, und dann

sehe ich Istanbul schon von oben. »Guck mal, die Moschee«, sage ich zu der Polizistin und sie ist auch ganz begeistert.

Kaum sind wir oben, verkriecht sie sich hinter ihrem Buch. Ich sehe ab und zu mal hinüber zu ihr, weil mir unwohl ist bei dem Gedanken, dass sie mich beobachten könnte. Tut sie jedoch nicht. Ich würde gerne schlafen, müde genug bin ich, aber ich kriege kein Auge zu.

Als wir Frankfurt erreichen, muss ich an Mama denken. Den Teddy, der jetzt immer noch in Ordells Wohnung ist, hat sie mir mal aus Frankfurt mitgebracht. Für mich ist Frankfurt das New York von Deutschland, nur kleiner. Von hier oben kann ich die Hochhäuser der Banken erkennen, ganz schön gewaltig sieht das aus.

Es ruckelt ordentlich, als wir aufsetzen. Deutscher Boden, fremder Boden. So richtig bin ich immer noch nicht angekommen in Deutschland. Das Erste, was ich von Frankfurt zu sehen bekomme, ist eine echt deutsche Zelle: weiße Kacheln, blitzblank geputzt, dazu eine Pritsche mit einer steinharten Plastikmatratze.

»Was, da soll ich rein?«, frage ich entsetzt. Nach der netten Behandlung vorher ist das ein richtiger Schock.

»Ist ja nur für kurze Zeit«, erklärt der Polizist.

Ich füge mich, was soll ich auch machen? Wenn ich jetzt laut werde, schicken die mich womöglich noch zurück. Die Metalltür fällt hinter mir ins Schloss. Da ist nicht einmal ein Gitterfenster drin, nur ein Spion, damit die mich von außen beobachten können. Traurig blättere ich in dem Bordjournal, das sie mir gegeben haben, damit ich mich nicht so langweile. Darin steht, wohin man in Urlaub fliegen kann und was es so an Sehenswürdigkeiten gibt. Voll der Hohn, wirklich. Urlaub ist doch das Letzte, woran ich jetzt denke.

Irgendwann geht die Tür auf. Zum Glück, denn ich muss dringend aufs Klo. Das müssen die Unmengen Sprite sein, die ich im Flugzeug getrunken habe.

Keine Ahnung, wie lange ich in dieser Zelle warten muss.

Vielleicht eine Stunde, so lang kommt es mir gar nicht vor. Aber der Dämpfer, den sie mir mit dem Einsperren verpasst haben, der sitzt. Ich kriege Angst, wie streng es sein wird in dem Gefängnis, in das sie mich bringen.

In der Türkei ist der Standard zwar schlecht, aber wenn man erst mal drin ist in einer Zelle, gibt es kaum noch Auflagen. Man muss irgendwie mit den anderen Gefangenen klarkommen, doch ansonsten kann man seinen Tag frei gestalten. Man kann sich jederzeit vom Schlafsaal in die Küche bewegen, auf den Hof gehen, wann man Lust hat, und für Extras gibt es immer einen Wärter, der sich beschwatzen lässt. So etwas wird es in Deutschland nicht geben, das weiß ich jetzt schon. Ich bin furchtbar erschöpft, aber Schlafen kommt nicht in Frage. Dafür ist die Neonleuchte an der Decke zu grell, die Pritsche zu hart.

Endlich geht es weiter. Und das, was jetzt abläuft, ist wirklich eine Entschädigung für die scheußliche Zelle: sozusagen First-Class-Verbrechertransfer zum Flieger. Wir steigen in ein Polizeiauto ein, fahren über das Rollfeld und halten direkt neben der Pilotentür an. Als ich die Gangway hochklettere, vergesse ich beinahe den Grund meiner Reise, so aufregend ist das, quasi als Stargast in ein leeres Flugzeug zu steigen.

Selbst die Stewardess, eine ältere Frau, die bestimmt schon viel erlebt hat, ist total verwirrt. »Wo kommen Sie denn her?«, fragt sie, als wir ganz selbstverständlich wieder in einer der hinteren Reihen Platz nehmen. Die kapiert überhaupt nicht, was hier Phase ist.

»Kleiner Sonderfall«, sagt der Polizist, der ja nicht als solcher zu erkennen ist, weil er Zivil trägt.

»Ach so«, meint die Stewardess nur und lächelt vorsichtshalber ganz professionell. So richtig verstanden hat sie immer noch nicht, was hier abgeht.

Als die anderen Passagiere hereinkommen, habe ich es mir längst auf meinem Fensterplatz gemütlich gemacht. Die Polizistin erklärt mir, dass ihre Kollegen in Berlin mich noch einmal verhören würden, vielleicht schon morgen. »Keine Sorge«, sagt sie, »als sie mein entsetztes Gesicht bemerkt, »an deiner Strafe kann das nichts mehr ändern.«

Nachdem der Pilot uns über Lautsprecher mitgeteilt hat, dass wir die Reiseflughöhe erreicht hätten, kippt sie ihren Sitz zurück und schläft ein bisschen.

Es ist schon Abend, als wir Berlin erreichen, aber noch hell. Ich muss an das Foto der Friedrichstraße denken, das ich im Gefängnis aus einer Zeitung ausgerissen und mir übers Bett gehängt hatte. Wie oft habe ich vor dem Einschlafen dieses Bild angeguckt und mich in meine Stadt geträumt.

Jetzt liegt sie mir zu Füßen. Mir ist plötzlich ganz feierlich zu Mute. »He, das ist ja Hohenschönhausen«, sage ich zu der Polizistin. An der Zingster Straße entdecke ich eine Straßenbahn und es ist, als wäre ich nie weg gewesen. »Da wohnt meine Brieffreundin!«, rufe ich.

Gemeinsam mit der Polizistin entdecke ich meine Stadt wieder. Wir sehen das Rote Rathaus, den Fernsehturm, den Dom. Und ich fühle mich glücklich und frei. Die letzten Monate schrumpfen zusammen wie ein Luftballon, der ein Loch hat. Fast so, als hätte ich sie gar nicht erlebt. Das Vergangene wird so irreal wie ein Traum, ein Alptraum. Abgehakt und weg.

In Gedanken bin ich bereits gelandet. Ich stelle mir vor, wie ich aussteige und hinausgehe. Ich habe ja Nicky schon mal aus Tegel abgeholt. Mit dem Flughafenbus zum Zoo und dann in die Bahn, alles kein Problem. Okay, ich müsste schwarzfahren, aber den Weg nach Hause, selbst in die neue Wohnung, den würde ich schon finden.

Die Landung reißt mich unsanft aus meinen Träumen. Ob Mama und Papa am Flughafen auf mich warten? Sicher nicht. Ich habe ja selbst so überraschend von meiner Heimreise erfahren, dass die Behörden es sicher nicht geschafft haben, sie zu informieren, so langsam, wie die arbeiten.

Erst müssen die anderen Passagiere aussteigen, danach höre ich über Funk, dass mein Alptraum noch nicht zu Ende ist. »Da können wir nicht raus. Da ist schon voll«, höre ich den Polizisten sagen. Voll mit Fotografen, was sonst? Warum wissen Journalisten eigentlich immer als Erste Bescheid? Die Angst kriecht wieder in mir hoch. Warum können sie mich nicht endlich in Ruhe lassen?

Wir tricksen die Kameras aus, indem wir einen Schleichweg nehmen. In dem langen Schlauch, der vom Flugzeug zum Gate führt, entfernen die Arbeiter für uns ein rot-weißes Absperrband, damit wir zur Seite hinauskönnen. Anschließend nehmen wir die Treppe, die von der Aussichtsplattform herunterführt. Vor dem Ausgang wartet schon ein Wagen. Davor steht eine Frau in Zivil, die den typischen Security-Knopf im Ohr hat. Nachdem ich eingestiegen bin, sagt einer der Beamten, dass die Kindersicherung aktiviert sei. Total albern, als ob ich jetzt einfach aussteigen und abhauen würde.

Als wir losfahren, ist es schon richtig schummerig. Ich kriege kaum etwas mit von der Fahrt, die nicht besonders lange dauert.

»Kennst du diesen Kirchturm?«, fragt die Fahrerin mich und deutet auf ein grünes Dach.

»Nie gesehen«, murmele ich.

»Der wird dir bald vertraut sein«, sagt die Frau. Und da weiß ich, dass wir gleich da sein müssen. Wir halten vor einem freundlichen, gelb getünchten Altbau, wie es viele gibt in Berlin. Das soll ein Gefängnis sein?

»Mist, da steht einer«, ruft die Fahrerin plötzlich. »Los, Andrea, duck dich.«

Ich schaffe es gerade noch, den Gurt zu lösen, und tauche ab. Als ich wieder hochkomme, sind wir schon auf dem Gefängnishof.

»Perfekt«, lobt die Fahrerin.

Da hat doch vor dem Tor tatsächlich noch ein Kameramann gelauert, aber kein Bild gekriegt. Die Polizisten halten die Daumen hoch und freuen sich, dass es so gut geklappt hat mit der Abschirmung.

Eine Wärterin bringt mich in die Zugangszelle, einen kahlen Raum mit bekritzelten Wänden und rotem Linoleum, das frisch gebohnert glänzt. Ich setze mich auf einen der beiden Stühle. Auf dem niedrigen Tisch steht ein Aschenbecher. »Könnte ich bitte meine Zigaretten haben, wenn meine Taschen kommen?«, frage ich noch, bevor die Tür ins Schloss fällt.

Ich stehe auf, gucke aus dem Fenster und staune. Da unten ist ein richtig schöner Innenhof, eingeschlossen von einem Häuserkarree. Ich sehe Bäume, Gras, einen Basketballplatz, ein Volleyballnetz – wow! Es gibt halbrunde Altbaufenster und eckige. Alles sieht so freundlich aus und ich kann mir gar nicht vorstellen, dass dahinter Zellen sind – trotz der Gitter an den Fenstern.

Da geht die Tür auf und eine blond gelockte Frau in einem weißen Kittel kommt herein. »Ich bin die Ärztin«, stellt sie sich vor. Sie setzt sich auf den zweiten Stuhl und zückt Zettel und Stift. Sie sieht total nett aus und hat ein sympathischen Grinsen auf dem Gesicht. Sie müsse überprüfen, ob ich Läuse habe, erklärt sie. Das gestaltet sich schwierig, wegen der Zöpfe, die Joe mir geflochten hat. »Die musst du nachher rausmachen und dann guckt meine Kollegin, die den Wochenenddienst hat, morgen noch mal nach«, sagt sie. Anschließend fragt sie, ob ich Alkohol tränke, ob ich Allergien hätte und so weiter.

Nachdem sie weg ist, holt mich eine Wärterin ab. Beamtin, nicht Wärterin, so heiße das korrekt in Deutschland, erklärt sie mir. »Wir sind hier ja nicht im Zoo, sondern in einer Justizvollzugsanstalt.« Die Frau nimmt mich mit in eine Kammer, wo ich Klamotten bekommen soll, während meine untersucht werden. Wir gehen über einen langen Flur, auf dem Boden liegt das gleiche Linoleum wie in der Zelle, bloß in Blau. Die Kammer liegt hinter einem Tresen mit Scheibe davor, gleich daneben ist so eine Klappe, eine Bonanzatür, wie in einer Bar. Die Beamtin geht hindurch und auch ich mache einen Schritt

270

hinein. Da heißt es auch schon: »Nein, da darfst du nicht rein. Warte hier!« Woher soll ich das denn wissen?

Sie fragen nach meiner Kleider- und meiner Schuhgröße. Ganz einfach ist das: zweimal 38, bitte. Muss ich jetzt etwa zum ersten Mal Haftklamotten anziehen? Ich muss. Die Beamtin begleitet mich zur Toilette, die Tür geht gleich vom Vorraum der Kammer ab. Dort muss ich mich ausziehen. Als ich nur noch im Schlüpfer dastehe, fühle ich mich ziemlich unwohl.

»Den auch?«, frage ich.

»Ja«, lautet die Antwort.

Ich habe Glück, jemand ruft nach der Beamtin und sie geht kurz hinaus. Bevor sie wiederkommt, schaffe ich es gerade noch, den hässlichen weißen Schlüpfer anzuziehen, den sie mir gegeben haben. Einen BH gibt es nicht. Ich schlüpfe in das gelbe Schlabber-T-Shirt, eine dunkelblaue Jogginghose mit Steg im Karottenschnitt und die dunkelblauen Badelatschen. Richtig daneben, dieser Aufzug. Das Einzige, was mir ganz gut gefällt, ist die blaue Trainingsjacke, die ist echt cool. Meine Sachen werden in einer Plastikwanne weggetragen, dafür erhalte ich eine neue. Darin sind Decken, Bettwäsche, Handtücher, Waschlappen, Putzlappen und ein Zahnputzbecher.

Ein Beamter, der sich als Sebastian vorstellt, hilft mir, die Wanne in meine Zelle zu tragen. Die Beamtin kommt auch mit. Wir gehen eine enge Treppe hoch, die aussieht wie in einem ganz normalen Mietshaus, bis in den dritten Stock. Kein einziger Häftling ist hier unterwegs. Kein Wunder, es ist ja auch schon nach 21.30 Uhr, also längst nach Einschluss. Wer danach ein Problem hat, muss klingeln.

Meine Zelle trägt die Nummer 7. Ich höre Radiomusik von nebenan und dann bin ich auch schon drin und staune. Der Raum ist leer und kahl, aber nicht schlecht eingerichtet. Derselbe rote Fußboden wie in der Zugangszelle, ein schöner großer Schrank aus hellem Holz, ein passendes Bett, Tisch, Stühle, ein Schreibtisch mit einem Regal darüber.

»Das hier ist das Bad«, sagt der Beamte und macht eine Tür auf.

Ich blicke in ein Minibad mit Dusche, schön hellblau gefliest. Ein Bad mit Extratür, allein für mich ... Wahnsinn!

Auf dem Tisch steht schon die Kaltverpflegung für heute Abend und morgen früh. Ein paar Scheiben Schwarzbrot, etwas Weißbrot, Wurst, Käse, Heringsfilet. Gleich daneben, ordentlich gestapelt, ein großer flacher Teller, ein tiefer, ein blauweiß kariertes Frühstücksbrett und Besteck. Ein super Service, wenn man bedenkt, dass man das in der Türkei alles selbst kaufen musste.

»Möchtest du Tee?«, fragt die Beamtin.

»Ja, gerne«, antworte ich, »und Zigaretten, ich brauche unbedingt meine Zigaretten.«

Ein paar Minuten später sind die beiden wieder da. Mit einer großen Thermoskanne, einem Plastikbecher und fünf Zigaretten.

»Das ist ja total nett«, sage ich, »von wem sind die denn?« Schließlich will ich die Zigaretten zurückgeben, sobald ich meine wiederhabe.

»Die sind geschenkt«, sagen die Wärter freundlich. Sie erklären mir noch die Klingel, die sich neben der Leselampe am Bett befindet, ein metallgerahmtes Quadrat mit einem runden Knopf in der Mitte, auf dem eine rote Glocke aufgedruckt ist.

»Nur für absolute Notfälle, okay?«, sagt der Beamte.

Dann bin ich allein. Der Schlüssel dreht sich von außen im Schloss. Die können mich jetzt nicht mal von außen beobachten, weil die blaue Metalltür weder Gitterfenster noch Spion hat.

Ich mache das, was ich immer tue, wenn ich eine neue Zelle beziehe. Ich richte mich erst mal ein, so gut es geht. Ich beziehe mein Bett mit dem blauweiß karierten Bettbezug, bevor ich mich über die Kaltverpflegung hermache. Ich esse die Wurst pur, ohne Brot. Richtig leckere deutsche Salami,

Scheibenwurst, so was habe ich ja ewig nicht mehr gegessen. Das mit dem Tee ist ein bisschen kompliziert. In der Thermoskanne ist nämlich nur heißes Wasser und in dem Plastikbecher ein paar Teekrümel. Ich habe keine Ahnung, wie viel ich davon brauche, und habe prompt den ganzen Mund voll mit den ekligen Krümeln.

Ich bin noch ewig wach und tigere durch die Zelle. Von meinem Fenster aus, das natürlich Gitter hat, kann ich den schönen Hof sehen. Dann entdecke ich den Radiowecker und zappe mich von »Energy« zu »BB-Radio«. Mal gucken, was man derzeit so hört. Zum Duschen habe ich keine Lust, also krieche ich in das Oma-Nachthemd aus der Kleiderkammer, so ein dünnes, langes, das vom vielen Waschen feine Knötchen auf dem Stoff hat, mit Knöpfen. Es fühlt sich fremd an auf meiner Haut, unangenehm fremd.

Als ich endlich im Bett liege, spüre ich die saubere Bettwäsche. Frisch riecht sie, aber eben auch fremd. Ich lösche das Licht und das Zimmer verschwindet in einer unheimlichen Schwärze. Es ist ewig her, dass ich im Stockdunkeln eingeschlafen bin. Selbst wenn die Neonlampen abends in meiner Zelle in Istanbul ausgeschaltet wurden, war da immer noch etwas Licht, das vom Flur durch das Gitter in der Zellentür hereinfiel.

Plötzlich fühle ich mich hilflos und winzig, einsam gefangen in einem gruseligen schwarzen Loch. Dazu kommt die Stille. Kein gleichmäßiges Atmen anderer Häftlinge, kein Schnarchen, kein Husten. Was hat mich der ewige Lärm immer genervt. Jetzt würde ich etwas darum geben, wenn ich wenigstens in einer Doppelzelle sein dürfte. Wachsam stellen sich meine Ohren auf Empfang. Was war das gerade für ein Geräusch? Ich erstarre vor Schreck, liege stocksteif da und lausche konzentriert. Nichts. Ich drehe mich um und richte meinen Blick auf das angekippte Fenster. Da ist es wieder, so ein merkwürdiges Rascheln, das langsam anschwillt und dann plötzlich verstummt. Bin ich etwa doch nicht allein? Es dauert ein paar Minuten, bis ich begreife, dass dieses Geräusch von den Blättern der Bäume auf dem Hof kommt, durch die der Wind sachte streicht. Ich wälze mich noch ewig hin und her und kriege kein Auge zu. Als ich endlich in traumlosen Schlaf falle, ist es schon fast drei Uhr morgens.

25

Ein dumpfes Wummern reißt mich aus dem Schlaf. Die Beamten wollen sich wohl überzeugen, dass ich noch lebe, denke ich, während ich mir müde die Augen reibe. Ich höre, wie sich der Schlüssel im Schloss dreht. Kurz darauf steckt tatsächlich eine Beamtin den Kopf zur Tür herein. Schlaftrunken, wie ich bin, braucht mein Gehirn ein paar Sekunden, um sie als solche zu erkennen, weil sie keine Uniform trägt wie die Wärterinnen in der Türkei, sondern Pulli und Jeans, wie alle Beamten hier.

»Guten Morgen«, sagt sie, »alles klar bei dir?«

»Ja«, erwidere ich, während mein Blick langsam durch die Zelle wandert, die mir im Morgenlicht beinahe vorkommt wie ein Jugendherbergszimmer, verglichen mit den türkischen Zellen, in denen ich war.

»Wie spät ist es denn?«, frage ich.

»Genau 6.15 Uhr«, sagt die Wärterin. »Du kannst jetzt weiterschlafen, wenn du willst.« Dann zieht sie die Tür zu und schließt mich wieder ein.

Ich liege im Bett, staune weiter über den freundlichen, lichtdurchfluteten Raum und lausche dem Morgenkonzert der Vögel, das durch mein geöffnetes Fenster dringt. Schön klingt das, nach Natur, nach Freiheit. Was für ein herrlicher Morgen. Ich beschließe aufzustehen, weil all die neuen Eindrücke viel zu aufregend sind, als dass ich noch einmal einschlafen könnte.

Ich erinnere mich daran, dass die Dienst habende Ärztin heute meine Haare auf Läuse kontrollieren will, also löse ich meine Zöpfe und muss ein bisschen lachen über den Kamm, den sie mir gegeben haben. Den kann ich glatt vergessen bei meinen dicken Haaren. Dafür habe ich eine unglaubliche Lockenpracht.

Nach einer Weile bringt mich eine neue Wärterin zur Ärztin. Die findet natürlich keine Läuse, doch sie hat noch anderes vor. Sie fragt mich, ob ich Narben hätte – wohl eine indirekte Frage nach Misshandlungen.

Ich zeige ihr die Narbe am Fuß, die ich habe, seit ich mit nassen Füßen von der Etagenbettleiter in Izmir abgerutscht bin. Jetzt noch Messen und Wiegen: 53,1 Kilo zeigt die Waage an. Ich weiß sofort, dass sie falsch geht. Als ich mit Jenny losgefahren bin, habe ich so um die fünfzig Kilo gewogen. Und seitdem habe ich garantiert mehr als drei Kilo zugenommen.

Nach dem Arztbesuch geht es zurück in meine Hütte, so nennen die Häftlinge hier ihre Zellen. Linda, die nette Beamtin, hat es mir auf dem Rückweg erzählt. Nun setzt sie sich auf mein Fensterbrett. Sie ist eine mütterliche Frau, so Ende dreißig, mit kurzen, rotblonden Haaren. Ich mag sie sofort.

Linda erklärt mir, wie der Gefängnisalltag hier in Lichtenberg funktioniere. Um 6.15 Uhr ist Aufstehen, jedoch nur für die Häftlinge, die arbeiten, entweder als Hausmädchen auf der Station, in der Gärtnerei oder anderswo. Um 11.30 Uhr ist Mittagspause. Die Nachmittagsschicht geht von 12.15 bis 15.30 Uhr. Danach ist offizieller Aufschluss, das heißt Freizeit, man darf bis 20 Uhr auf den Hof. Nach 21.30 Uhr müssen alle in ihren Zellen sein.

Aber das gilt alles für mich noch nicht. Für Neuzugänge ist erst mal dreiundzwanzig Stunden Einschluss. Das bedeutet, dass ich nur für eine Stunde auf den Hof darf. Allerdings will ich auch gar nicht, weil das Wetter schlecht und mir sowieso alles noch viel zu neu ist. Linda ist ganz froh darüber, da sie mich hätte begleiten müssen und auch überhaupt keine Lust hat. Sie erklärt mir noch, dass sich die Station, auf der ich bin, Jugendbereich nenne. Die meisten hier seien einundzwanzig Jahre und jünger. Ich habe gar keine große Lust, die anderen Häftlinge kennen zu lernen. Nicht schon wieder neue Bindungen eingehen, aus denen ich dann wieder herausgerissen werde, sobald sie beginnen, mir etwas zu bedeuten.

Gegen Mittag kommt Linda wieder, sie holt meinen tiefen Teller und füllt Nudeleintopf hinein. Die Suppe schmeckt ganz gut, doch ich bin immer noch zu aufgeregt, um richtig zu essen. Linda sagt, dass ich tatsächlich schon heute zum Verhör ins Polizeipräsidium müsse.

Sie bringt mich nach dem Essen auf den Hof, wo die Garagen sind. Dort steht tatsächlich schon ein kleiner Polizist und streckt mir die Hand entgegen. »Wir werden noch viel miteinander reden«, begrüßt er mich.

»Alles klar«, sage ich, obwohl mir immer noch gar nichts so richtig klar ist.

Wir fahren ins Polizeipräsidium am Tempelhofer Damm, ein schicker Neubau mit viel Glas und hellen Fluren. Die Polizisten nehmen mich mit in ihr Büro, wo ich fürstlich bewirtet werde. Auf einem Tisch gleich rechts neben der Tür des beinahe quadratischen Raumes stehen Unmengen von Kuchen, Kaffee, Cappuccino, Tee, Saft und Schokolade. Die müssen hier gerade eine Party gehabt haben, denke ich, weil ich mir nicht vorstellen kann, dass sie diese ganzen Köstlichkeiten extra für mich aufgefahren haben.

»Bedien dich«, fordert mich der Polizist auf und macht ein verschmitztes Gesicht. »Wir haben noch eine Überraschung für dich. Deine Eltern sind schon auf dem Weg hierher«, sagt er. »Aber häng das bitte im Gefängnis nicht an die große Glocke, okay?«

Das verstehe ich sofort. Extrawürste waren schließlich noch nie mein Ding.

Und dann sind sie da. Mama, Papa und das Schönste: Meine kleine Schwester Ariane ist auch dabei. Mann, ist die groß geworden. Aber zappelig wie immer. Aufgeregt hüpft sie von einem Fuß auf den anderen, und ehe ich's mich versehe, hängt sie an meinem Hals. Mir steigen Tränen in die Augen. Eineinhalb Jahre habe ich Ari nicht gesehen. Sie ist jetzt beinahe neun Jahre alt, richtig lang und dünn ist sie geworden. Als wir uns wieder loslassen, zeigt sie stolz auf die Medaille, die sie um den Hals trägt. Wieder richtig abgesahnt beim Judo. Klar sage ich ihr, dass ich total stolz auf sie sei.

Ich umarme Mama und Papa. Und dann sind wir alle ein bisschen hilflos, was wir anfangen sollen mit der geschenkten Zeit, die wir plötzlich gemeinsam haben. Die Unterhaltung ist noch nicht so richtig locker, eher höflich und stockend. So, als wolle keiner von uns etwas Falsches sagen und damit den Moment verderben.

»Wir wollten dich ja eigentlich schon am Flughafen begrüßen«, sagt Mama, aber sie haben dich ja durch einen anderen Ausgang rausgebracht. Vielleicht war das besser so, am Gate standen nämlich jede Menge Fotografen.«

»Das habe ich im Flugzeug über Funk gehört«, sage ich.

Wir sitzen im Halbkreis um die beiden Schreibtische herum, die in der Mitte des Raumes stehen. Ich, meine Familie und die beiden Polizisten, die ich beinahe vergesse, weil sie die ganze Zeit lächeln und schweigen.

»Wie ist denn die neue Wohnung?«, frage ich dann.

»Super!«, ruft Ari begeistert. »Alles ist ganz neu gemacht und mein Zimmer ist direkt neben deinem.«

»Ich bin mir sicher, dass dir die neue Wohnung gefallen wird«, sagt Mama. »Sie liegt total zentral und das Beste ist, dass du dich in der Nachbarschaft frei bewegen kannst, sobald du Ausgang bekommst, weil dich dort niemand kennt.«

Mann, sind meine Eltern cool, denke ich, sie genießen mit mir die pure Wiedersehensfreude, ohne ein böses Wort, ohne die Vorwürfe, die ich bei unserem ersten längeren Treffen insgeheim erwartet habe. Ich versuche mir vorzustellen, wie das sein wird, wieder alleine in der Stadt unterwegs zu sein, und

merke mit Erschrecken, dass der Gedanke mir Furcht ein-
flößt.

»Lasst mich erst mal in Ruhe hier ankommen«, sage ich
also vorsichtig, weil ich Mama und Papa nicht verletzen will.
Danach erzähle ich von meiner neuen Zelle, dass sie okay sei,
aber dass ich mich erst an das Alleinsein gewöhnen müsse.

Die Polizisten schenken uns eine halbe Stunde Gemein-
samkeit. Es ist schön, doch länger, das spüren wir alle, wäre
für den Anfang einfach zu viel gewesen. Mama und Papa versprechen, mich am Montag im Gefängnis zu besuchen. Wahnsinn! Vorher habe ich sie monatelang nicht gesehen und jetzt
kommen sie schon übermorgen wieder. Die Polizisten reden
noch ein bisschen mit mir. Sie erklären, dass ich ihnen die
ganze Jenny-Geschichte mit allen Details, an die ich mich erinnere, erzählen müsse, damit sie die Bosse der Bande fangen
können. Es wird noch ziemlich spät an diesem Samstag.

Zurück in der Zelle, beschließe ich, erst einmal alles gründlich
zu putzen. Es sieht zwar sauber aus, doch sicher ist sicher.
Saubermachen gehört für mich irgendwie dazu, wenn man in eine neue Zelle einzieht. Das kenne ich aus der Türkei. Erst wenn
man einmal selbst geputzt hat, ist man richtig eingezogen. Es
tut gut, etwas zu tun, was quasi von selbst funktioniert, weil es
Routine ist, etwas Vertrautes in einer fremden Umgebung.

Bevor ich ins Bett gehe, gönne ich mir noch eine ausgie-
bige Dusche. In Badelatschen, weil die grünen Flecken, die
ich unten auf den Kacheln am Rand der Duschecke entdeckt
habe, selbst durch hartnäckiges Schrubben nicht verschwunden sind. Ich drehe die Hähne auf, bis das Wasser in einem
warmen Strahl auf meinen Körper prasselt. Es ist ungewohnt,
nach den monatelangen Eimerduschen – und einfach herrlich.
An diesem Abend bin ich so müde, dass mir die Augen zufal-
len, bevor ich mich in der Dunkelheit gruseln kann.

Am Montag zeigt mir Linda die Küche, einen großen hellen
Raum mit vielen Fenstern, die auf den Hof hinausgehen, und

Schränken mit gebürsteten Aluminiumfronten. Es ist der erste Tag, an dem ich mich auf meiner Station tagsüber frei bewegen kann.

»Mann, sieht das hier schick aus«, entfährt es mir.

Linda lächelt. »Unser Gefängnis ist ja auch noch nicht so alt«, sagt sie, »das ist der ganz normale aktuelle Standard, nichts Besonderes.«

In der Mitte des Raumes stehen zwei zu einem Quadrat zusammengeschobene Esstische, an dem ein paar Mädchen sitzen, essen und quatschen. Ich spüre ihre neugierigen Blicke und fühle mich unbehaglich. Neun neue Gesichter, neun neue Menschen, mit denen ich mich arrangieren muss. Ich fühle mich total überfordert.

»Du kannst dich ruhig dazusetzen und mitessen«, schlägt die Beamtin vor. »Natürlich nur, wenn du magst. Es ist auch okay, wenn du deinen Teller mit in die Zelle nimmst.«

Ich zögere einen Moment, weil die Aussicht, der Neugier zu entkommen, verlockend ist. Aber dann bleibe ich doch, weil ich die anderen sowieso irgendwann kennen lernen muss. Linda zeigt mir den Schrank, in dem die Teller stehen und die Töpfe, aus denen das Mädchen, das Küchendienst hat, auffüllt. Sie trägt eine weiße Latzhose, das ist die Arbeitskleidung für Hausmädchen, also alle Gefangenen, die hier gegen ein kleines Entgelt sauber machen, aufräumen und das angelieferte Essen holen und verteilen.

Ich halte dem Mädchen meinen Teller hin. Es gibt Bratwurst mit Erbsen und Möhren, dazu Kartoffeln. Ohne groß nachzudenken, gehe ich auf den Tisch zu und setze mich auf einen freien Stuhl.

»Ich bin Andrea«, sage ich in die Runde und registriere, dass hier einige jünger sind als ich. Die Mädchen sagen ihre Namen, die ich sofort wieder vergesse, weil es einfach zu viele sind. Da geht es auch schon los mit den Fragen, vor denen ich mich gefürchtet habe.

»Du bist doch die aus der Türkei, oder?«, will die kleine

Dunkelhaarige wissen, die mir gegenübersitzt. Ich nicke. »Das war bestimmt schlimm dort im Gefängnis«, sagt sie.

»Geht so«, murmele ich, weil ich keine Lust habe, in dieser fremden Runde meine ganze Geschichte zu erklären.

»Was gab es denn da zu essen?«, erkundigt sich jetzt meine Sitznachbarin.

»Auf jeden Fall keine Kartoffeln«, antworte ich, während ich mir eine volle Gabel in den Mund schiebe. Köstlich. »Die sind wirklich lecker, wenn man ewig keine gegessen hat«, sage ich, als ich wieder sprechen kann.

Die Mädchen versuchen weiter, mich auszufragen, aber ich speise sie freundlich mit knappen Antworten ab, bis sie sich auf andere Gesprächsthemen verlegen. Meine Sitznachbarin ist schon fertig und beginnt einen Brief zu lesen, den sie sich mitgebracht hat.

»Wie kommt man hier eigentlich an seine Post?«, stelle ich jetzt auch mal eine Frage.

»Die kann man sich morgens im Beamtenraum abholen.«

Nach dem Essen hole ich mir erst mal ein Buch aus dem Aufenthaltsraum, durch den ich hindurchmuss, um zu meiner Zelle zu gelangen. Er ist ein bisschen kleiner als die Küche. Ein braunes, durchgesessenes Sofa steht darin, ein grau gemusterter Sessel und ein Fernseher auf einem kleinen Tisch an der Wand. Direkt daneben ist das Regal, in dem die Bücher sind, die man sich ohne Formalitäten einfach nehmen darf. Ich entscheide mich für einen Krimi, so einen roten kleinen Band mit gerade mal hundert Seiten. Auf mehr kann ich mich im Moment sowieso nicht konzentrieren.

Ich bin schon fast wieder in meiner Zelle angelangt, als ich Linda treffe.

»Wenn du Lust hast, zeige ich dir jetzt den Hof«, sagt sie. »Das Wetter heute ist viel zu schön, um sich in der Zelle zu verkriechen.«

Ich willige ein. Hof oder Zelle, eigentlich ist mir das völlig egal, weil ich immer noch damit kämpfe, all die neuen Eindrücke zu verarbeiten. Draußen bin ich dann doch froh, dass ich mitgegangen bin. Es gibt keinen Wachturm, ich blicke auf das Karree aus weiß getünchten, freundlichen Hauswänden. Wenn die Gitter vor den Fenstern nicht wären, könnte man glatt vergessen, dass sich Zellen dahinter verbergen. Endlich wieder Gras, Bäume, Natur. Ich kriege richtig Lust, in der Gefängnisgärtnerei zu arbeiten, von der Linda mir erzählt. Im Sand buddeln, Pflanzen anfassen, da ist plötzlich so eine Sehnsucht nach dem ganzen grauen Beton der letzten Monate. Ja, arbeiten, das könnte mir gut tun. Dann muss ich nicht so viel nachdenken und gewöhne mich dabei ganz nebenbei ein.

Mama und Papa warten schon auf mich, als Linda mich um 16 Uhr ins Sprechzentrum bringt, einen freundlichen Raum mit schönen quadratischen Holztischen, die auf frisch gewienertem rotem Linoleum stehen.

Als meine Eltern mich sehen, springen sie von ihren Stühlen auf, um mich zu umarmen.

»Ich kann es immer noch nicht fassen, dass du wieder hier bist und wir uns ab sofort regelmäßig sehen«, sagt Mama und strahlt.

»Ich auch nicht«, gebe ich zurück. Dass ich mich hier fremder fühle als in der Türkei, obwohl das Gefängnis wesentlich besser ausgestattet ist, behalte ich für mich, weil ich meine Eltern nicht traurig machen will.

»Du wirst dich schneller eingewöhnen, als du dir jetzt vorstellen kannst«, sagt Papa optimistisch. »Wir haben sogar schon eine Schule gefunden, an der du deine Ausbildung fortsetzen kannst.«

Ich kriege einen Schreck. Ich hatte meine Ausbildung ja nicht nur wegen der Reise abgebrochen, sondern weil ich keinen Spaß daran hatte und weil sie mir so schwer fiel. Aber ich spüre, dass das jetzt nicht der richtige Zeitpunkt ist, das zu sagen.

»Das Gefängnis würde dir sogar extra Ausgänge genehmigen, damit du den Unterricht besuchen kannst«, wirft Mama ein.

»Aha«, sage ich nur.

Papa, der mein Zögern bemerkt hat, setzt eilig nach, dass ich mich ja nicht sofort entscheiden müsse, weil die Schule erst am 23. September beginne.

»Na, bis dahin ist ja noch etwas Zeit«, sage ich und hoffe, dass meine Eltern mir die Erleichterung nicht zu sehr ansehen. »Ich habe schon Lust, etwas für mich zu tun, weil ich genug Tage vergeudet habe in der Türkei«, erkläre ich dann. »Als Erstes werde ich versuchen, hier drinnen etwas zu arbeiten.«

Mama und Papa halten das für eine gute Idee.

Später auf der Station frage ich gleich eine Wärterin, was ich tun müsse, um in der Gärtnerei anzufangen.

»Das kann ich dir nicht empfehlen«, sagt die Beamtin. »Bei schlechtem Wetter macht das überhaupt keinen Spaß und der Chef ist ein furchtbar muffeliger Typ.«

Also nicht in die Gärtnerei. Was dann?

»Du musst sowieso vorab mit einem Vormelder beantragen, dass du überhaupt arbeiten willst«, erklärt mir die Beamtin nun. Vormelder heißen diese Zettel, mit denen man alles Mögliche beantragen kann: Arbeit, Besuchszeiten, Gesprächstermine, Schulbesuche und so weiter. Die Frau hilft mir, einen Antrag auszufüllen. Ich trage meinen Namen ein, meine Station und mein Anliegen.

»Was soll ich da hinschreiben?«, frage ich. Wir entscheiden uns für: »Ich suche Arbeit.«

Abends setze ich mich zu ein paar Leuten von meiner Station vor die Glotze. Es läuft »Gute Zeiten, schlechte Zeiten«. Automatisch mache ich es so wie in der Türkei beim Fernsehen. Ich gucke angestrengt hin und versuche zu verstehen, was die da reden. Ich bin total darauf konzentriert, mir die Dialoge zu übersetzen, bis es plötzlich klick macht in meinem Kopf und ich kapiere, dass die ja Deutsch sprechen und ich mich entspannen kann. »GZSZ« habe ich früher mal eine Zeit lang regelmäßig geguckt, jedoch irgendwann die Lust verloren. Jetzt ist es ganz schön, einfach unter Menschen zu sitzen, etwas Gemeinsames zu tun, ohne sich unterhalten zu müssen. Herrlich! Nach einer Weile stelle ich fest, dass ich mich überhaupt nicht mehr auskenne bei der Serie. Immer wieder muss ich fragen, wer da wer ist von den Charakteren. Die Mädchen erklären es mir jedoch geduldig.

Wenn alles andere auch so gut klappt, muss ich mir ja keine Sorgen machen, denke ich und fange an, den Abend ein bisschen zu genießen.

26

Am nächsten Tag bin ich nicht mehr arbeitslos. Sie brauchen jemanden, der vormittags im Besucherraum sauber macht.

»Übernehme ich gerne«, sage ich sofort. Es ist schön, nach dem Frühstück gleich etwas zu tun zu haben. Und der Mann, der für mich zuständig ist, mein Chef sozusagen, ist total nett. Ich darf sogar Musik hören beim Putzen, mit dem Walkman, den sie mir endlich zurückgegeben haben. Okay, es sind immer noch dieselben Kassetten: Ärzte, Orange Blue, Scorpions, Phil Collins und Radiomix, aber die Arbeit geht so viel flotter von der Hand.

Staubsaugen, schrubben und immer wieder nachwischen – ich mache es richtig gründlich, bis ich mich beinahe spiegeln kann in dem roten Linoleum. Auf dem Holzschrank, der an der Wand steht, ist ein geschwungenes Bauernregal angekettet. Es ist eine Häftlingsarbeit aus der Tischlerei.

Ich überlege, dass es ein schönes Geburtstagsgeschenk für Mama wäre. Mal sehen, ob mein Geld dafür reicht, aber bis zum Oktober ist ja noch ein bisschen Zeit. Für das Putzen gibt es rund vierzig Euro im Monat auf mein Gefängniskonto. Das ist nicht gerade viel für die Arbeit, doch ehrlich gesagt würde ich sie auch umsonst machen. Ich bin beinahe ein bisschen traurig, dass ich an meinem ersten Arbeitstag nicht fertig putzen kann, weil mich die Polizisten schon wieder abholen, zum nächsten Verhör.

Sie bringen mich wieder in das Büro, das ich schon von meinem letzten Besuch kenne. Aus dem Radiorekorder, der neben der Kaffeemaschine auf dem kleinen Tisch steht, kommt leise Musik. Die Polizisten geben sich wirklich Mühe, die Befragung so angenehm wie möglich zu gestalten. Sie haben sogar Müllermilch-Schoko für mich eingekauft, weil ich ihnen beim letzten Mal gesagt habe, dass ich die so gerne möge.

Ich muss die ganze Geschichte der Reise noch einmal von vorne erzählen, was anstrengend ist, weil ich mich an viele Dinge nicht mehr so genau erinnern kann. Irgendwann steht der kleine Polizist auf und kramt in einer der Kisten, die unter dem Kaffeetisch stehen.

»Was ist denn da drin?«, will ich wissen.

»Das sind die Unterlagen, die wir bei den Hausdurchsuchungen gefunden haben, bei deinen Eltern und bei Verena, dem Mädchen, bei dem Jenny zuletzt gewohnt hat«, erklärt der Polizist. Nun breitet er Jennys halbes Privatleben vor mir aus, unter anderem die peinlichen sexy Fotos, die auf ihrer Reise mit Steffi aufgenommen wurden und die ich schon ganz vergessen hatte.

»Kennst du diesen Mann?«, fragt der Polizist und hält mir ein Bild hin, auf dem Jenny in Hündchenstellung mit einem halb nackten Typen auf einem Bett posiert. Sie hat nur einen Tanga an und eine gedimmte Lampe hüllt den Raum in schummriges Licht. Ich muss schlucken, weil es mir plötzlich furchtbar unangenehm ist, solche Bilder mit wildfremden Menschen anzugucken.

»Nein, den habe ich nie gesehen«, sage ich nach einer Pause, weil ich mir wirklich sicher bin. »Den müssen Jenny und Steffi irgendwo unterwegs aufgegabelt haben.«

Der Polizist spürt, wie schlecht es mir plötzlich geht. »Okay, machen wir Pause«, sagt er und packt die Fotos weg.

»Wissen Sie«, sage ich, »die intensive Auseinandersetzung mit der Reise schlägt mir noch immer schwer auf die Psyche.

Aber ich spüre, dass es mir langfristig besser geht, je mehr Zusammenhänge ich begreife.«

Der Polizist lächelt und sagt, dass er das gut verstehen könne.

»Wissen Sie, was mit Jenny ist? Haben Sie ein Lebenszeichen von ihr?«, frage ich dann.

»Keine Ahnung«, erwidert der Polizist und schüttelt bedauernd den Kopf. Es sei nicht auszuschließen, dass die Bande Jenny aus dem Weg geräumt habe, auch wenn es nur äußerst selten vorkomme, dass Drogenbanden aufgeflogene Kuriere ermorden.

Sie muss tot sein, schießt es mir durch den Kopf, es geht gar nicht anders, sonst hätte die Polizei nach dieser langen Zeit sicher eine Spur von ihr. Dennoch mag ich nicht noch einmal nachfragen, weil ich Angst vor weiteren schockierenden Antworten habe.

Der Polizist und sein Kollege zeigen mir eine Reihe von Fotos, auf denen schwarze Männer zu sehen sind, und fragen, ob einer von ihnen Ordell sein könne. Ich gebe mir wirklich Mühe, entdecke ihn aber nicht.

»Gut, machen wir Schluss für heute«, sagt der größere Polizist nach einer Weile zu meiner Erleichterung.

Auf dem Rückweg laden mich die Beamten zu McDonald's ein, weil ich so einen Jeeper auf Hamburger habe. Sie tragen Zivil, deshalb fallen wir nicht auf unter den Besuchern. Es ist sogar ein schönes Gefühl, von Polizisten begleitet zu werden, beschützt irgendwie. Der Burger schmeckt köstlich und mir ist völlig egal, dass die nette Behandlung sicher nur Taktik ist, um mich zum Reden zu bringen. Ich will ja sowieso reden.

Ich falle total erschöpft ins Bett an diesem Abend, erschöpft und gleichzeitig aufgewühlt. Jenny ist tot, denke ich. Ich spüre es. Es muss der Horror für sie gewesen sein, nach meiner Verhaftung. Eine merkwürdige Mischung aus Mitleid und Erleichterung macht sich in mir breit. Mitleid, weil Jenny den

Tod nicht verdient hat, weil sie ebenso wie ich ein Opfer war, auch wenn sie tiefer drinsteckte im Sumpf der Bande. Und Erleichterung, weil das Kapitel Jenny jetzt endgültig abgeschlossen ist. Es wird keine Aussprache geben, keine Antworten auf meine Fragen. Das ist der Schlussstrich und gleichzeitig der Start in mein neues Leben.

Ich weiß jetzt, dass ich mich schneller wieder einleben werde in Deutschland, als ich gedacht hatte, selbst wenn mein neues Zuhause ebenfalls ein Gefängnis ist. Das liegt daran, dass ich mich endlich wieder richtig verständigen kann, ohne mühsam zu rätseln und zu übersetzen. Die anderen Mädchen sind bislang ja auch total nett und hilfsbereit. Es war richtig, mich für die Überstellung zu entscheiden, denke ich. Es tut mir gut. Mama hatte Recht.

Trotzdem dauert es noch ein paar Tage, bis ich in der Lage bin, mich für neue Freundschaften zu öffnen. Es ist ein Abend Anfang Juli und ich will eigentlich nur mal kurz in die Küche, um mir einen Tee zu machen. Als ich durch den Aufenthaltsraum, also unser Wohnzimmer laufe, sehe ich, dass ein Mädchen ganz alleine dasitzt und fernsieht. Ich gucke auf den Bildschirm und bleibe kurz stehen, weil ich finde, dass das spannend aussieht, was da läuft.

»Setz dich doch«, sagt sie freundlich. Sie ist groß und kräftig und hat ihre mittellangen Haare mit kleinen Spangen nach hinten gesteckt.

»Nee«, sage ich und fühle mich etwas überrumpelt, weil ich gerade gar nicht auf Kommunikation eingestellt bin. »Ich bin eigentlich auf dem Weg in die Küche.«

Kaum habe ich den Satz beendet, ärgere ich mich auch schon drüber, weil ich merke, dass ich total Lust habe, zu bleiben. »Ach, scheiß auf den Tee«, setze ich nach, »ich glaube, ich bleibe doch hier«, und lasse mich neben das Mädchen auf das Sofa fallen.

Wir kommen ins Labern und vergessen den Film, der eben

noch so spannend aussah. Ich erfahre, dass das Mädchen Gabi heißt und seit dem 17. November 2000 hier ist.

»Gefährliche Körperverletzung«, erzählt sie. Gabi war in der rechten Szene, so richtig tief drin, und hat ein Mädchen krankenhausreif geprügelt. Ich mustere sie und kann mir die andere Gabi, die total ausrastet und in Rage zuschlägt, überhaupt nicht vorstellen. Die rechte Szene ist ja wirklich das Allerletzte für mich. Ist schon wirklich komisch, dass man unvermittelt mit so einer gemeinsam auf dem Sofa sitzt und sich durchaus wohl fühlt. Aber ich weiß mittlerweile, dass jeder im Gefängnis seine Geschichte hat, wie ich die meine habe, und dass jeder eine Chance verdient. Außerdem sieht Gabi gar nicht aus wie eine Rechte-Szene-Tussi.

Als hätte sie meine Gedanken erraten, meint sie: »Keine Sorge, ich habe diese Meinung nicht mehr. Ich habe mich hier viel mit dem Thema beschäftigt, mit Hitler und so. Die Leute aus meiner alten Clique sind für mich einfach nur noch eine Hand voll Idioten.«

Echt klasse, denke ich. Ich mag Gabi, weil sie so offen über ihre Tat reden kann, weil sie bereut und weil sie das Gefängnis nicht als lästige Strafe sieht, sondern als Chance. Außerdem spüre ich, auch wenn unsere Lebensläufe kaum unterschiedlicher sein könnten, dass wir da etwas gemeinsam haben. Ja, es war schlimm, ins Gefängnis zu kommen, doch ich habe eine Menge gelernt. Klar hätte ich auf diese Erfahrung gerne verzichtet, aber umsonst ist sie nicht. Gabi könnte meine Freundin werden, denke ich. Und zum ersten Mal, seit ich wieder in Berlin bin, erzähle ich auch ein bisschen von mir.

Unsere Freundschaft braucht Zeit zum Wachsen. Sie hat noch keine selbstverständliche Vertrautheit, kennt keine Verabredungen. Unsere Treffen sind zufällig und doch vorbestimmt, denn auf der Station läuft man sich natürlich regelmäßig über den Weg. Meist quatschen wir uns dann fest. Und wenn das

Wetter schön ist, fragt irgendwann eine von uns: »Hast du nicht auch Lust, rauszugehen?« Dann nehmen wir eine Decke mit hinunter und sitzen auf dem Rasen. Es ist schon Juli, am 6. ist Gabi achtzehn geworden und ich habe selten einen Sommer so intensiv gespürt wie diesen. Die Luft duftet nach Blumen und Rasen, die Sonne streichelt meine Haut und ich erwische mich immer wieder dabei, wie meine Finger über den Rand der Decke schleichen und über das Gras streichen. Wir quatschen und dösen, stundenlang. Zum ersten Mal habe ich das Gefühl, wieder zu Hause angekommen zu sein.

Eines Spätnachmittags habe ich mal wieder einen Termin bei Herrn Peters, dem Sozialarbeiter unserer Station. Auf dem Weg in sein Büro, das am Ende des langen Ganges liegt, an dem auch das Büro der Vollzugsbeamten ist, kommt mir ein zierliches Mädchen entgegen, dem es offensichtlich sehr schlecht geht. Wie in Zeitlupe setzt sie unbeholfen Fuß vor Fuß. Sie hält den Kopf gesenkt, so dass ihr die etwas über schulterlangen dunkelblonden Haare ins Gesicht fallen. Als ich an ihr vorübergehe, treffen sich unsere Blicke für eine Sekunde. Ich erschrecke, weil ihrer so in sich gekehrt und ausdruckslos ist, dass ich den Eindruck habe, sie nehme mich gar nicht wahr. Eine von den Junkies, denke ich voller Mitleid. Wir haben einige Mädchen hier, die heroinabhängig waren und jetzt Methadon bekommen, um langsam den Ausstieg aus der Sucht zu schaffen. Sie muss neu hier sein. Ich habe sie noch nie gesehen. Im Schnitt sind wir achtzehn Mädchen, wenn man die Jugend-U-Haft-Station dazurechnet, die ebenfalls auf unserem Gang und von unserer Station nur durch eine Glastür getrennt ist, die fast immer offen steht.

Ich bin immer noch völlig in Gedanken, als Herr Peters mein Klopfen mit einem fröhlichen »Herein« beantwortet.

Er sitzt bester Laune an seinem Schreibtisch, der direkt am Fenster steht. Herr Peters ist ein großer Mann, der trotz seiner grauen Haare jung wirkt, vielleicht weil er es

wirklich versteht, sich in die Probleme seiner Häftlinge ein-
zufühlen.

Ich mag ihn sehr, weil ich nach Gesprächen mit ihm immer
das Gefühl habe, dass es mir besser gehe.

»Ich habe gute Nachrichten für Sie, Frau Rohloff«, begrüßt
mich Herr Peters und legt die Akten beiseite, die er gerade
studiert hat.

Gespannt setze ich mich auf den mit schwarzem Stoff bezogenen Stuhl, der an der Seite seines Schreibtisches steht,
so dass wir fast nebeneinander sitzen. Mir gefällt das, weil es
viel persönlicher ist, als wenn man sich gegenübersitzt und
die volle Tischbreite Distanz zwischen sich hat.

»Wenn Sie wollen, können Sie einen Antrag stellen, dass
Ihre Strafe nach einem Drittel zur Bewährung ausgesetzt
wird«, sagt Herr Peters jetzt. Das sei eine Sonderregelung im
Jugendstrafrecht, die zwar nur sehr selten praktiziert werde,
aber bei einer sehr positiven Entwicklung des Häftlings durchaus möglich sei.

Mein Gehirn rechnet plötzlich auf Hochtouren. »Dann
könnte ich ja schon zum 21. Februar frei sein!«, rufe ich und
bin total platt.

»Stimmt genau«, sagt Herr Peters und ich sehe, wie er sich
freut über mein ungläubiges Staunen.

Plötzlich fällt mir ein, dass ich auch eine gute Nachricht
habe für ihn.

»Ich habe mich entschlossen, dass ich die Schule besuchen
will, die meine Eltern für mich ausgesucht haben«, verkünde
ich. »Das ist zwar nicht meine Traumausbildung, doch mir ist
klar geworden, dass ich dringend etwas für meine Zukunft tun
muss. Ich bin jetzt endlich so weit, dass ich mir das zutraue.«

»Klingt nach einer vernünftigen Idee«, meint Herr Peters.
Dann rät er mir, zunächst einen Antrag auf die Verlegung in
den offenen Vollzug zu stellen, weil ich mich unter den dor-
tigen lockereren Haftbedingungen besser langsam auf die

Freiheit vorbereiten könne. Schließlich sei noch eine Menge Zeit bis Februar und ich hätte so die Chance, meine positive Entwicklung weiter zu bestätigen.

Mann, geht das jetzt alles schnell, denke ich, als ich nach dem Gespräch wieder auf den Gang trete. Mir ist ganz schwindelig von den vielen Anträgen, von denen Herr Peters geredet hat, weil ich noch nicht ganz begriffen habe, wie das alles funktionieren soll. Aber er hat ja versprochen, mir dabei zu helfen.

Ich kann jetzt unmöglich mit den vielen neuen Plänen im Kopf in meiner Zelle sitzen und mich verrückt machen. Also unternehme ich einen Abstecher in den Aufenthaltsraum, um vor dem Fernseher ein wenig abzuschalten.

Sofort erkenne ich das zarte blonde Mädchen, das mir auf dem Weg zu Herrn Peters auf dem Gang begegnet ist. Sie sitzt mit angezogenen Knien in dem grau gemusterten Sessel, ganz allein, und sieht noch immer ziemlich elend aus. Als ich mich auf das Sofa fallen lasse, sieht sie mich an.

»Du bist doch die aus der Türkei«, sagt sie leise. »Ich habe dich vorhin gesehen und gerätselt, woher ich dich kenne.«

»Sicher aus der Zeitung«, sage ich und fühle mich etwas unbehaglich, weil das der Beweis ist, dass sich Fremde tatsächlich noch immer an mein Gesicht erinnern.

Sie erzählt, dass sie Katharina heiße und hier sei, da sie beim Klauen erwischt wurde. Damit wollte sie ihre Heroinsucht finanzieren, weil sie es nicht mehr ertragen konnte, auf den Strich zu gehen. »Ich bin jetzt auf Methadon«, sagt sie, »aber seit meine Dosis langsam reduziert wird, geht es mir richtig mies. Ich werde total depressiv.« Das Streicheln der Sommersonne auf der Haut, das Vogelgezwitscher am Morgen, einfach alle Dinge, die normale Menschen genießen, seien für sie unerträglich. »Alles, was meine Gefühle weckt, tut mir weh«, erklärt sie mir. »Das Heroin war wie Medizin für mich, es betäubt alle Gefühle, doch wenigstens nimmt es den Schmerz.«

»Wie lange hast du Heroin genommen?«, frage ich.

»Sechs Jahre«, sagt Katharina, »ich war vierzehn beim ersten Mal.«

Ich würde sie gern noch fragen, warum sie angefangen hat mit dem Heroin, aber in diesem Moment kommen zwei Mädchen in den Aufenthaltsraum und setzen sich zu mir aufs Sofa. Katharina und ich schweigen jetzt und starren in die Glotze, obwohl keine von uns in der Lage ist, irgendwas von dem aufzunehmen, was da gerade läuft.

Als ich später in meinem Bett liege, sehe ich Katharinas bleiches Gesicht noch immer deutlich vor mir. Sie ist erst zwanzig, wie ich, aber total kaputt. Heroin gibt es überall, denke ich. Und die sechs Kilo, die die Bande in meiner Tasche versteckt hatte, hätten an Katharinas Schicksal nichts geändert. Dennoch bin ich verdammt froh, dass sie ihr Ziel nicht erreicht haben.

27

Na, komm schon«, sagt Linda, meine Lieblingsbeamtin, als sie bemerkt, wie sich mein Schritt verlangsamt, je näher wir dem blauen Schild kommen, auf dem in großen weißen Buchstaben »Magdalenenstraße« steht. Das ist der Name der U-Bahn-Station, zu der eine kleine Straße direkt vom Gefängnis führt. Eigentlich ist es ein herrlicher Tag, um draußen zu sein, dieser Dienstag, der 10. September. Die Sonne scheint, nur ein paar Wölkchen zeigen sich am Himmel und die Luft ist angenehm mild, obwohl es erst 9.30 Uhr ist. Ich habe zum ersten Mal Ausgang, begleiteten Ausgang, damit ich der Freiheit nicht schutzlos ausgeliefert bin. Unser Ziel ist meine neue Schule, in der ich mich heute anmelden muss.

Ich bin dankbar dafür, dass Linda bei mir ist, dass ich diesen Weg nicht alleine gehen muss. Ich habe Angst, eine undefinierbare Scheißangst, die sich wie Blei in meinen Beinen anfühlt, mich bremst, als ob eine unsichtbare Kraft mit aller Macht verhindern wollte, dass ich wieder eintauche in das Alltagsleben meiner Stadt.

Auf den paar Metern vom Gefängnistor bis zur U-Bahn-Station sind wir niemandem begegnet. Aber das wird sich garantiert gleich ändern in der Bahn. Ich erwische mich, wie ich nervös an einer Locke meines Ponys spiele. Schön kringelig ist der geworden vom Einflechten, denke ich, da stehen die Chancen doch gar nicht so schlecht, dass mich niemand erkennt. Auf allen Fotos, die in der Zeitung waren, trage ich die Haare offen und glatt. Deshalb habe ich mir auch heute extra einen Pferdeschwanz gemacht. Andrea inkognito, denke ich und schicke ein Stoßgebet zum Himmel, dass es funktioniert.

Langsam gehen wir die steinerne Treppe hinunter, die in den U-Bahn-Schacht führt.

Ich höre das vertraute Quietschen einer abfahrenden Bahn, die uns einen Stoß verbrauchter Luft entgegenschickt, den Duft einer Gesellschaft in Bewegung. Ich atme tief durch und denke an Nicky, an unsere Bahnfahrten durch die Stadt, kreuz und quer ohne Ziel, unsere aufregenden Reisen durch Berlin. Mann, war das schön.

Linda und ich sind jetzt vor dem Fahrkartenautomaten angekommen, ein neues Modell, das ich nicht kenne, ein riesiger komplizierter Computer.

Geduldig erklärt mir die Beamtin, wie man den Koloss dazu bewegt, eine Tageskarte auszuspucken. »Keine Sorge«, sagt sie, als sie sieht, wie verwirrt ich bin. »Ich bin ja noch bei den nächsten beiden Ausgängen dabei. Bis dahin ist das ein Kinderspiel für dich.«

Wenig später sitzen wir endlich im Zug, es ist einer von denen, wo sich die Fahrgäste auf zwei langen Bänken gegenübersitzen, die längs unter den Fenstern angebracht sind. Weil niemand mich anglotzt, entspanne ich mich allmählich und genieße die Fahrt. Als wir an der Schule ankommen, hat sich meine Aufregung beinahe gelegt.

Der Direktor ist nett und betont, ich solle meinen Klassenkameraden besser nicht sagen, dass ich im Gefängnis bin. »Von mir erfahren sie jedenfalls nichts«, sagt er und lächelt beruhigend. Dann muss ich noch einen Englischtest machen, vor dem ich mich nicht fürchte, weil ich ja in der Türkei viel Englisch gesprochen habe. »Nicht vorsagen«, sagt der Direktor noch zu Linda und grinst, weil ich ja nicht allein sein darf in dem leeren Klassenzimmer.

»Na, dann bis zum 23. September«, meint der Direktor zum Abschied, weil es dann richtig losgeht mit der Schule.

Als wir in die Bahn steigen, die uns zurück zum Gefängnis bringen soll, bin ich glücklich und gleichzeitig total erschöpft.

»Du hast heute einen großen Schritt geschafft«, lobt Linda, als wir wieder am Gefängnis ankommen. Trotzdem bin ich froh, als das eiserne Tor hinter uns zuschwenkt.

»Mehr Freiheit hätte ich heute nicht verkraften können«, sage ich zu der Beamtin, die wissend nickt.

Abends rufe ich Mama an, von dem Telefon im Gang, für das jeder Häftling eine Fünf-Euro-Telefonkarte pro Woche bekommt.

»Ich freue mich schon so, wenn du endlich Wochenendurlaub kriegst und dein neues Zuhause sehen kannst«, sagt sie. »In deinem Zimmer steht zurzeit zwar noch eine Menge Kram drin, weil wir nicht wussten, wie du es haben willst. Aber du wirst es dir schon selbst gemütlich machen.«

»Klar«, sage ich und beteure noch, dass ich mich ebenfalls freue, was ja stimmt. Auch, wenn ich noch so meine Bedenken habe, ob es funktionieren wird, wieder Kind zu sein in meiner Familie, und das auch noch in einem Zuhause, das ich nicht kenne.

Als ich langsam den Gang zu meiner Zelle zurücklaufe, fühle ich mich heimatlos, entwurzelt, verwirrt. Zuhause, das bedeutet Vertrautheit, Räume, in denen man sich fallen lassen kann, in denen man frei ist von Angst, von schlechtem Gewissen und Selbstzweifeln. Später in meinem Bett bin ich ziemlich nah dran an diesem Gefühl.

Seit ich meine Bettwäsche selbst wasche, duftet sie endlich wieder nach frischem Weichspüler und ist so kuschelig wie ewig nicht mehr. Ich erwische mich manchmal dabei, dass ich »Zuhause« sage und das Gefängnis meine. Das tut mir Leid für Mama und Papa, die so dafür gekämpft haben, dass wir endlich wieder zusammen sein können. Trotzdem kann mein Zimmer in der neuen Wohnung nicht mein Zuhause sein, sondern nur ein neuer Raum, in dem ich ein paar meiner Sachen verteile und von dem ich noch nicht weiß, ob ich jemals richtig in ihm ankommen werde.

Ich glaube, das schlechte Gewissen, das ich immer noch gegenüber meinen Eltern habe, ist daran schuld, und die Erwartungen, die sie jetzt an mich haben müssen. Es ist nicht so, dass Mama und Papa irgendeinen Druck machen würden. Im Gegenteil, sie sind sogar besonders lieb, beinahe schon vorsichtig im Umgang mit mir. Es ist, als würden wir umeinander herumtänzeln, ohne uns wirklich nahe zu kommen. Ich kann sie ja verstehen, mir geht es ähnlich. Nur, dass sie eben die Guten sind und ich die Böse. So fühle ich mich jedenfalls. Warum kann nicht endlich einmal einer sauer auf mich und meine Tat sein? Vielleicht liegt es einfach daran, dass wir uns jetzt zwar regelmäßig sehen, aber eben immer nur für kurze Zeit.

Am 21. September ist es so weit. Ich habe ein ganzes Wochenende Urlaub, darf von Samstag, 11 Uhr, bis Sonntag, 11 Uhr, meine Familie besuchen – mein erster Ausgang ohne Begleitung.

Ich bin so aufgeregt an diesem Samstagmorgen, dass ich schon wach bin, als eine Beamtin um 6.15 Uhr meine Zelle aufschließt. Nach dem Frühstück setze ich mich an meinen Schreibtisch und liste auf einem Zettel auf, was ich alles mit nach draußen nehme, das ist in diesem Fall alles, was ich anhabe. Ich schreibe: 1 Rollkragenpulli (rot), 1 Cordhose (braun), 1 T-Shirt (weiß), 1 BH (blau), 1 Höschen (hellblau), 1 Paar Socken (weiß), Turnschuhe (schwarz-weiß), 4 Ohrringe (silbern), 1 Haargummi (bunt), 1 Steppweste (dunkelblau), 2 Armbänder (bunt). Ich nehme auch ein Päckchen Tabak mit, den muss ich jedoch nicht auf den Zettel schreiben, weil man Tabak nicht wieder mit in die Zelle nehmen darf. Der Rest kommt bei der Rückkehr in ein Schließfach gegenüber der Pförtnerloge, wo ich ihn dann beim nächsten Ausgang wieder mitnehmen kann.

Kurz vor neun gehe ich mit meiner Liste in den Beamtenraum zu Linda, die kontrolliert, ob ich alles richtig gemacht
habe. Ihr Schlüsselbund klappert, als sie immer wieder Glas-
türen vor uns auf- und hinter uns zuschließen muss.

»Frau Rohloff hat jetzt Ausgang«, sagt Linda zu den Pfört-
nern, denen ich meine Liste gebe, damit sie bei meiner Rückkehr kontrollieren können, dass nichts dazugekommen ist.

Einer der Pförtner händigt mir meinen Freigängerausweis
aus, der meinen Personalausweis ersetzt, solange ich inhaf-
tiert bin, und den Schlüssel für das Schließfach, wo meine
graue Umhängetasche drin ist mit meinem Kalender.

Endlich schwenkt die eiserne Gefängnistür automatisch
nach innen auf. Ich sehe Papa neben unserem Auto stehen
und mein Herz hüpft. Dann entdecke ich Cora, die aufgeregt
auf dem Rücksitz auf und ab springt. Papa holt sie heraus und
sie stürmt sofort auf mich zu, rennt um mich herum, nimmt
ein paar Schritte Abstand, kommt wieder an und beschnup-
pert mich total begeistert. Ich hocke mich hin und umarme
sie, streichele sie. Langsam fahre ich mit den Händen durch
ihr weiches Fell, drücke mein Gesicht hinein und bin einfach
glücklich. Wie lange habe ich diesen Moment ersehnt – und er
ist tatsächlich genau so, wie ich ihn mir vorgestellt habe. Die
Begegnung mit Cora ist, als wäre ich nur einen Tag weg gewesen, herrlich vertraut, herrlich unbelastet. Cora freut sich,
ich freue mich, es gibt keine Schuldgefühle, keine Erwartungen. Als ich wieder hochgucke, merke ich, dass Papa Fotos
macht von unserem Wiedersehen.

»Diese Fotografen«, sage ich und drohe Papa zum Spaß mit
dem Zeigefinger. »Die lassen mich doch einfach nicht in
Ruhe.«

Da lacht er und steckt die Kamera in die Jackentasche.
»Der Schnappschuss, den ich haben wollte, ist im Kasten.«

Papa und ich haben ein Höllenprogramm vor uns. Als Erstes fahren wir zu Mama und Ari, die mit einem Jugendverein
auf einer Wochenendfreizeit in Heiligensee sind. Der Verein

hatte sich bei meinen Eltern gemeldet, als ich in der Türkei im Gefängnis saß, und seine Hilfe angeboten, zum Beispiel für Gnadengesuche, die meine Haftzeit in Deutschland verkürzen könnten. Seitdem engagiert sich Mama dort als Betreuerin und Ari gefällt es da wohl auch, weil sie ja sonst quasi ein Einzelkind ist. Ich habe ein bisschen Angst vor dem Treffen mit den anderen Kindern. Sie haben mir Briefe ins türkische Gefängnis geschrieben und ich befürchte, dass sie mich jetzt mit Fragen bombardieren werden. Ich sehe mich schon vor einem Teller Suppe sitzen, zwanzig Augenpaare auf mich gerichtet, so nach dem Motto: »So, jetzt erzähl uns mal was!«

Ich bin keine große Rednerin, ich kann mich nicht einfach vor eine Gruppe stellen und drauflosquatschen. Kinder sind nicht höflich, sie fragen total direkt. Ich habe Angst vor dieser ungewollt brutalen Neugier. In einem kleinen Kreis über meine Erlebnisse zu reden, ist schwer genug, aber das tut wenigstens gut. Hier fühle ich mich nackt und ausgeliefert. Sie werden wissen wollen, was es zu essen gab im Gefängnis, als ob leckeres oder ekliges Essen einen Unterschied machen würde, was das Gefühl des Eingesperrtseins betrifft.

Doch es kommt ganz anders. Ich muss nur kurz Hallo sagen, dann schiebt Ari ihre kleine Hand in meine und zeigt mir das Grundstück. Als Papa und ich uns verabschieden, drückt Mama mich noch einmal ganz fest. »Schade, dass ich nicht dabei sein kann, wenn du dein neues Zimmer siehst«, sagt sie. Und dann: »Übrigens, im Kühlschrank stehen ein paar Schokopuddings mit Sahne, die magst du doch bestimmt immer noch.«

Es ist schön, mit Papa im Auto zu sitzen, durch die Stadt zu fahren und zu schweigen. Nicht, weil uns unbehaglich zu Mute wäre. Es ist ein vertrautes, einiges Schweigen. Wir genießen das Zusammensein, das leichter ist ohne Worte, einfach so, als innigen Moment.

Nun fahren wir erst mal zu meiner großen Schwester Dani

und ihrem Freund Mirko, die zwar immer noch in Altglienicke wohnen, aber in eine größere Wohnung umgezogen sind.

Dani macht die Tür auf und umarmt mich zur Begrüßung. Das ist total normal und trotzdem unglaublich fremd. Dani hat sich unheimlich verändert, seit sie ein Baby hat, und kommt mir plötzlich noch älter vor. Nicht, weil sie sich optisch verändert hätte, aber sie benimmt sich anders, als ich sie in Erinnerung habe, mütterlich eben. Es ist das erste Mal, dass ich Danis neue Familienwohnung sehe, und ich bin total baff, wie ordentlich alles ist. In dem geputzten Wohnzimmer sitzt Mirko mit meiner kleinen Nichte auf dem Sofa, die so zerbrechlich aussieht, dass ich nicht einmal zu fragen wage, ob ich sie auf den Arm nehmen dürfe. Meine Oma ist auch da. Wie jung sie aussieht. So etwas fällt einem erst auf, wenn man lange weg war.

»Andrea!«, ruft sie, als sie mich sieht. »Ich bin so froh, dass du wieder da bist.« Bevor ich etwas sagen kann, nimmt sie mich fest in den Arm. Tränen laufen, bei ihr und dann auch bei mir. Minutenlang stehen wir so da, wenigstens kommt es mir so vor. Oma will mich gar nicht wieder loslassen.

Ich genieße die stumme Wiedersehensfreude voll und ganz. Das ist das Schöne an Familie: Wir verstehen uns ohne Worte und alle spüren, wie sehr mich das jetzt überfordern würde. Stattdessen erzählen Mirko und Dani, wie sie die Wohnung renoviert hätten und wie froh sie seien, dass es der kleinen Marlene jetzt besser geht. Das Baby hat am Anfang nicht regelmäßig geatmet. Noch immer hat sie kleine Elektroden auf der Brust, die ihren Zustand kontrollieren.

Ich erinnere mich an Danis und Mirkos alte Wohnung, wo ich früher öfter mal abends zum Videogucken war. Wenn viel Besuch da war, lagen manchmal Chipstüten überall herum, die Aschenbecher quollen über – und irgendwann, wenn Dani einen Rappel gekriegt hat, hat sie mal aufgeräumt. Ich kann kaum glauben, dass das hier wirklich dieselbe Dani ist, die früher manchmal tagelang schmutzige Cornflakesschüsseln in ihrem Zimmer herumstehen hatte. Es ist schön, sie wiederzusehen. Dennoch spüre ich ganz deutlich, wie das Leben weitergegangen ist, während ich im Gefängnis saß, wie ich irgendwie stehen geblieben bin in meiner Entwicklung, an dem Tag, an dem ich verhaftet wurde. Das stimmt natürlich nicht ganz. Meine Gedanken haben sich durchaus verändert und ich habe auch dazugelernt. Doch in meinem sozialen Leben, in meinen Freundschaften, in meinen Interessen hat sich eben nicht so viel verändert wie bei meiner Schwester. Ich freue mich darüber, wie glücklich sie ist mit ihrer kleinen Familie. Gleichzeitig weiß ich, dass so ein geregeltes Leben für mich noch lange nicht in Frage kommt. Trotzdem beneide ich Dani irgendwie darum, dass sie ihren Weg gefunden hat. Wo meiner hinführen wird, weiß ich noch nicht. Was brauche ich zum Glücklichsein? Das weiß ich jetzt noch weniger als vor der Reise. Ich spüre, dass es hart werden wird, das herauszufinden. Denn eines ist sicher: Um verlockende Abkürzungen werde ich ab jetzt einen Bogen machen.

28

Hoffentlich begegnet mir keiner, den ich von früher kenne, denke ich, während ich die leere Straße entlanglaufe. Ich bin mit meiner Freundin Ariane verabredet und ganz froh, nach dem Besuch bei Dani ein wenig frische Luft zu schnappen. Ari und ich wollen uns auf dem Feld treffen, das zwischen dem Plattenbauwohngebiet und der Einfamilienhaussiedlung liegt, in der sie wohnt. Sie will ihren neuen Freund Jens mitbringen, von dem sie mir in ihren Briefen berichtet hat, und Dana, die mit uns auf dem Gymnasium zusammen in einer Klasse war.

Nach wenigen Schritten bleibt Cora stehen und schnuppert herum, und zwar genau vor dem Haus, in dem wir früher gewohnt haben, vor der Reise. Mein Blick wandert hoch zur vierten Etage. Ich sehe das Fenster, hinter dem mein Zimmer war. Es ist nackt, ohne Gardinen. Bald werden hier wieder Leute wohnen, die nichts davon ahnen, dass ich hier aufgewachsen bin. Mama hat erzählt, dass unsere Wohnung bereits neu vermietet sei. Da ist dieses zwiespältige Gefühl wieder: vertraut und trotzdem fremd. Es ist gut, dass da keine Gardinen hängen, denke ich. So sieht es wenigstens nicht mehr aus wie mein Zimmer und ich muss nicht traurig sein.

Cora und ich lassen die Plattenbauten hinter uns und laufen über die Wiese, auf der früher immer ein kleiner Zirkus sein Lager aufgeschlagen hat. Ich werfe ein Stöckchen für Cora, und als sie losschießt, fühle ich mich zum ersten Mal, seit ich wieder in Deutschland bin, richtig frei. Das Gefängnis, meine Zelle, die Schuldgefühle, das alles ist plötzlich ganz weit weg.

Nach den letzten Häuserreihen kann ich den Acker sehen und ganz hinten am anderen Ende drei kleine Gestalten, die mir aufgeregt zuwinken. Automatisch beschleunige ich meinen Schritt. Und dann höre ich Arianes Stimme, die Cora ruft. Meine Schäferhündin schießt los und ich renne hinterher.

Ich bin ganz außer Atem, als ich ankomme, weil ich so viel Sport gar nicht mehr gewöhnt bin, und falle erst Ariane um den Hals, danach Dana.

»Das ist mein Freund Jens«, sagt Ariane und zeigt auf den dunkelhaarigen Typen, der mir die Hand entgegenstreckt.

»Ich habe schon viel von dir gehört«, meine ich und grinse ihn an.

»Ich von dir auch«, grinst er zurück.

Wir lachen alle. Jens hat auch einen Hund dabei, was Cora ziemlich gut gefällt. Die Tiere toben über das Feld, das schon seit Jahren brachliegt und sich längst in eine wilde Wiese verwandelt hat. Wir vier laufen hinterher, kreuz und quer, und versuchen die vergangenen Monate im Zeitraffer aufzuholen. Als ich losfuhr in die Türkei, war Ariane noch in der Ausbildung im Bezirksamt und Dana dabei, ihr Abi zu machen. Lange bevor ich Jenny kennen lernte, habe ich auch mit Ariane einmal davon geträumt, gemeinsam in eine Wohnung zu ziehen.

Aber solche Träume gibt es eben nur, wenn keine Männer im Spiel sind. Nicky wird bald mit ihrem Freund zusammenziehen und bei Ariane wird es sicher auch nicht mehr lange dauern.

»He, ich habe einen Job«, erzählt Dana. »Ich fange als Sportkauffrau in einem Fitnesscenter an.«

»Cool«, sage ich und es ist ein bisschen komisch, weil alle so viel gemacht haben in den eineinhalb Jahren und ich in zwei Tagen mit der alten Schule anfangen werde. Ich fühle mich immer noch wie achtzehn, während meine Freundinnen sich benehmen wie zwanzig. Halb so wild, tröste ich mich dann, ich habe mich ja immer von allen am jüngsten gefühlt, das ist schon okay.

Ariane hat sich gemeinsam mit Jens den Film angesehen, den das ZDF über mich gedreht hat, und nun macht er sich einen Spaß daraus. »He, du bist ja gar nicht doof wie Stulle«, sagt er.

»Ich war doof wie Stulle«, das hatte ich dem Kamerateam auf die Frage geantwortet, wie mir das habe passieren können mit der Tasche. »Tja«, sage ich, »ich habe auch eine Menge gelernt seitdem.«

Ariane will wissen, wer mir die Haare gemacht habe für die Filmaufnahmen. »Die Frisur sah total schau aus, ehrlich.«

Ich sage, dass Cippo mir geholfen habe.

»Wer ist Cippo?«, fragt Dana natürlich prompt.

»Die war in meiner Zelle in Bilecik«, sage ich. Eine Antwort sorgt für zehn neue Fragen, ich kenne das ja schon.

Zum Glück hat Dana auch keine Lust, weiter in der Vergangenheit zu bohren. Stattdessen zieht sie feierlich eine 0,5-Liter-Flasche Wodka-Lemon aus der Tasche. »Wir müssen jetzt darauf anstoßen, dass du wieder da bist, Andrea.«

Ich finde das total süß von ihr, kriege jedoch gleichzeitig einen Riesenschreck. »Aber ich darf doch keinen Alkohol trinken. Wenn ich morgen wieder ins Gefängnis muss, kontrollieren sie vielleicht meinen Urin.«

Dana meint, dass der Alkohol bis morgen bestimmt nicht mehr nachzuweisen sei. Aber ich habe trotzdem Angst.

Da zieht Jens sein Handy aus der Tasche und tippt eine Nummer ein. »Ich rufe schnell meine Mutter an. Die ist Krankenschwester und weiß bestimmt, ob das in Ordnung ist, wenn du jetzt was trinkst.«

Gebannt hören wir drei ihm beim Telefonieren zu.

»Okay«, sagt Jens dann, »Mama sagt, das ist alles überhaupt kein Problem. Wichtig ist nur, dass du danach viel Wasser trinkst. So lässt sich morgen garantiert kein Alkohol mehr nachweisen.«

Es wird schon dunkel und wir beschließen, die Flasche bei Ari zu Hause zu köpfen. Jens verabschiedet sich, weil er noch eine Verabredung hat.

Ariane, Dana und ich machen es uns im Wohnzimmer gemütlich. Dana dreht den Schraubverschluss der Flasche ab und reicht sie mir. »Hier, du musst den Anfang machen.«

Ich nehme einen großen Schluck und spüre den Alkohol sofort. Die Flüssigkeit brennt schon in der Speiseröhre und macht sich warm im Magen breit. Mir wird leicht und schwindelig und beinahe etwas schlecht. Ich reiche die Flasche an Dana weiter. »Auf dich, Andrea«, sagt sie und hebt die Flasche zum Zuprosten, bevor sie trinkt.

»Willkommen zu Hause«, sagt Ariane und nimmt ebenfalls einen Schluck.

Ich spüle den bitteren Geschmack mit dem Eistee herunter, der auf dem Tisch steht, trinke in großen Schlucken, bis ich das Gefühl habe, dass nichts mehr hineingeht, weil ich sonst platzen würde.

Bald darauf muss Dana los, weil sie noch in die Stadt will, ausgehen.

»Siehst du, es hat sich nichts verändert. Alles ist noch genauso wie früher«, sagt Ariane und strahlt.

Mir geht es anders, doch das sage ich nicht, weil ich weiß, dass sie es nicht verstehen würde. Natürlich genieße ich unser Zusammensein. Aber das, was ich erlebt habe im Gefängnis, steht zwischen uns. Ich kann noch so viel erklären, Ariane wird es nicht begreifen können. Für sie bin ich immer noch die Andrea von damals.

Als ich beiläufig erwähne, dass ich mein Geschirr jetzt immer sofort abwasche, zieht sie die Augenbrauen hoch, lacht und sagt: »Du und abwaschen? Das kann ich mir gar nicht vorstellen.«

Ich antworte nur: »Ja, wir hatten eine Menge Arbeit in der Zelle in der Türkei. Wir mussten das alles selber machen. Ordnung ist mir wichtig geworden dabei.«

Da guckt sie mich erstaunt an und ich merke ihrem Blick an, dass sie das einfach nicht glauben kann. Ich erkläre und erkläre, aber wir kommen da einfach nicht weiter. Also quatschen wir lieber über alte Zeiten.

»Weißt du noch, wie wir hier Horrorvideos geguckt haben?«, fragt Ariane. Ich erinnere mich noch gut an »The Crow« und »Es«. Mann, haben wir uns immer gegruselt danach.

Es wird ein richtig lustiger Abend, so schön, dass ich zwischendurch vergesse, dass ich ja morgen zurück ins Gefängnis muss.

Als Papa mich kurz nach elf abholt, habe ich ungefähr die Hälfte der Wodka-Lemon-Flasche getrunken – 0,25 Liter sind das, also eigentlich gar nicht so wahnsinnig viel, aber mir ist ganz schön duselig. Es ist schon fast Mitternacht, als Papa und ich endlich in der neuen Wohnung ankommen. Wären wir gemeinsam umgezogen von dem Plattenbaugebiet in Altglienicke in dieses nagelneue Stadthaus in Prenzlauer Berg, ich wäre begeistert gewesen: eine Riesenauswahl an coolen Cafés und Läden, nur ein paar Straßenbahnstationen bis zum Alex. Der schicke Fahrstuhl, der uns in den dritten Stock bringt, riecht nagelneu.

»Mamas Firma verwaltet das Haus«, erklärt Papa im Fahrstuhl. »So sind wir an die Wohnung gekommen.« Die Fahrstuhltür fährt auf und schon stehen wir vor der weißen Tür mit dem Schild »Rohloff«. »Du wirst staunen«, sagt Papa und ich spüre, wie stolz er ist auf die neue Wohnung. Er schließt auf und schon stehe ich in einem großzügigen Flur. Papa zieht die Schuhe aus. Das hatte ich ganz vergessen, dass wir zu Hause immer die Schuhe ausziehen. Im Gefängnis laufe ich damit meist bis vors Bett. Ich beschließe, dass ich das jetzt nicht kann, meine Schuhe auszuziehen. Ich behalte sie einfach an und Papa sagt nichts.

»Das ist ja ein schöner Holzfußboden«, sage ich, weil ich etwas Nettes sagen will über die neue Wohnung.

»Ist Laminat«, erklärt Papa, »sieht aber fast genauso aus wie echtes Holz.« Er macht die erste Tür auf, die links vom Flur abgeht. »Hier ist Mamas und mein Schlafzimmer.« Man sieht, dass der Umzug noch nicht so lange her ist, die unausgepackten Kisten stapeln sich überall.

»Es wurde wohl Zeit, dass ich nach Hause komme, damit hier endlich Ordnung gemacht wird«, flachse ich.

Papa lacht. »Na, dann mal los.«

Das nächste Zimmer ist Aris. »Hier sieht's ja aus wie früher«, staune ich. »Man kann das Bett vor lauter Kuscheltieren kaum sehen.«

Und dann kommt mein Zimmer oder besser der Raum, der meiner werden soll. Das Einzige, was ich sofort wiedererkenne, ist mein Bett mit einer neuen blauen Überdecke darüber und der schwarze Schrank mit Spiegeltür. Ansonsten stehen eine Menge Sachen herum, die mir nicht gehören: ein Regal, ein Fernseher und eine Ballonlampe.

»Hier muss aber noch einiges weg«, sage ich zu Papa.

»Kein Problem«, meint er, »sag uns einfach, was. Bis jetzt war das hier ja eher ein Abstellraum.«

»Damit ist jetzt Schluss«, entgegne ich streng und muss ein bisschen kichern.

Papa muss auch lachen und wünscht mir viel Spaß beim Umräumen. »Muss ja nicht unbedingt heute sein«, meint er noch mit einem Blick auf die Uhr. »Es war ein langer Tag, ich glaube, wir sollten jetzt ins Bett gehen.« Er nimmt mich noch mal in den Arm. »Gute Nacht, Andrea, schön, dass du wieder da bist.«

Dann bin ich allein in meinem Zimmer. Und total verwirrt. Natürlich haben wir uns früher nie so Gute Nacht gesagt. Alles ist neu, alles ist anders und trotzdem irgendwie schön. Zu Hause angekommen bin ich trotzdem noch nicht. Ich fühle mich wie ein sehr willkommener Gast, der über Nacht bleibt.

Ich bin total erschöpft, doch ich weiß, dass ich kein Auge zukriegen würde, wenn ich mich jetzt hinlege. Ich muss erst mal eine rauchen, denke ich. Also gehe ich noch mal aus dem Zimmer und suche einen Aschenbecher. Zum Glück steht einer auf der Ablage neben der Spüle. Ich hatte schon etwas Sorge, dass ich ewig suchen müsste, weil ich ja keine Ahnung habe, wo was ist in der neuen Küche. Wieder zurück mache ich eine Kassette an, »Tuesday« von Reamonn, setze mich aufs Bett und rauche. Wenn ich nicht schlafen kann, dann kann ich ja gleich mit dem Aufräumen anfangen.

Als Erstes räume ich das Regal gegenüber dem Bett aus, sortiere die ganzen Aktenordner nach Größe und Thema. Die meisten sind von Mama und Papa, nur wenige von mir. Ins unterste Fach kommen meine Videos, hauptsächlich Filme, die ich aus dem Fernsehen aufgenommen habe. Anschließend nehme ich mir das Regal neben der Balkontür vor. Eigentlich müsste auch dringend mal staubgewischt werden, aber so viel Kraft habe ich nicht mehr. Es ist schon nach 3 Uhr, als ich endlich ins Bett krieche.

Ich wache immer wieder auf in dieser Nacht, weil alles so fremd ist. Sogar die Bettwäsche. Sie ist dunkelblau mit Sonne, Mond und Sternen darauf. Onkel Hans hat sie geschickt, ein pensionierter Lehrer, der in der Zeitung über meinen Fall gelesen hat und mir und meiner Familie seitdem Briefe und Päckchen sendet. Nicht einmal die Bettwäsche riecht nach Zuhause. Eher neutral, weil Mama sie schon vor längerer Zeit aufgezogen hat in der Hoffnung, dass ich bald nach Hause käme.

Ich bin froh, als es endlich hell ist und ich aufstehen kann. Während ich mich anziehe, klopft es an der Tür: Papa. Ich mache auf und sofort kommt Cora ins Zimmer geschossen. Ich knuddele sie und genieße, dass ihr Fell nach frischer Luft riecht. Papa hat schon eine Runde gedreht mit ihr.

»Na, gut geschlafen?«, fragt er fröhlich, während er die Kaffeemaschine anstellt.

»Wenig«, antworte ich und setze mich an den Küchentisch, den er längst gedeckt hat.

»War ja auch ein aufregender Tag gestern«, meint er verständnisvoll.

Ich ziehe mir einen Toast aus dem Toaster und schmiere
dick Nutella drauf, das gleich verläuft, weil das Brot noch so
warm ist. Während wir essen, höre ich das beruhigende Blubbern der Kaffeemaschine, die langsam einen vertrauten Duft
verbreitet, und genieße, dass sich wenigstens solche gemütlichen Kleinigkeiten nicht verändert haben in der Zeit meiner
Abwesenheit.

Andere Gewohnheiten dagegen schon. »Ich nehme lieber
Pfefferminztee«, sage ich. Ich habe nie viel Kaffee getrunken,
aber seit ich im Gefängnis bin, mag ich gar keinen mehr. Viele
Häftlinge beschäftigen sich den ganzen Tag mit Kaffeetrin-
ken. Obwohl ich den Duft mag, wird mir von mehr als einer
Tasse einfach schlecht. Pfefferminztee, das ist jetzt Luxus für
mich, weil es den im Gefängnis nicht gab. Lecker, frisch,
durstlöschend – einfach das perfekte Getränk für den ganzen
Tag. Nach dem Toast erinnere ich mich an die Schokopuddings, die Mama erwähnt hat, und hole mir einen aus dem
Kühlschrank. Während ich löffele, schicke ich ihr in Gedanken
einen dicken Kuss und es ist irgendwie ein bisschen so, als
säße sie jetzt doch mit am Frühstückstisch mit Papa und
mir.

Die Menschen sind wichtig, nicht die Räume, denke ich. Es
ist egal, dass es mein Zimmer nicht mehr gibt. Viel wichtiger
ist, dass ich wieder mit Papa zusammen frühstücken kann.
Und das nächste Mal auch wieder mit Mama und Ari. Meine
Familie. Natürlich habe ich sie immer geliebt, aber wie viel
mir meine Familie bedeutet, das weiß ich erst jetzt.

Es ist schwer, Abschied zu nehmen, als mein Hafturlaub um ist
und ich wieder ins Gefängnis muss. Doch es ist auch gut, dass
es so ist. Meine Zelle in Lichtenberg ist ein neutraler Raum,
in dem ich all die neuen Eindrücke, Erlebnisse und Gefühle
verarbeiten kann. Urlaub vom Wiedereingewöhnen quasi.

»Und«, fragt Papa, als er den Wagen vor dem Gefängnistor stoppt, »meinst du, dass du dich an dein neues Zimmer gewöhnen kannst?«

Was soll ich jetzt sagen? Ich will ihn auf keinen Fall enttäuschen. Abwarten und umräumen. »Ich denke schon«, sage ich nach einer kleinen Pause. »Mein Zuhause ist da, wo meine Familie ist.« Das ist jetzt keine Notlüge, das ist die Wahrheit.

Nachdem das eiserne Gefängnistor wieder hinter mir zugeschwenkt ist, weiß ich, dass mein Alptraum bald vorbei sein wird. Es ist dieses Gefühl, das man beim Aufwachen hat, wenn die Schrecken der Nacht noch lebendig sind, aber langsam anfangen zu verblassen. Ich werde den Horror des Erlebten nie vergessen, doch irgendwann wird er hoffentlich nicht mehr wehtun. Zurück wird die Erinnerung bleiben, an eine schwarze Geschichte in meinem Leben, die mir immer unwirklicher vorkommt, beinahe so, als hätte nicht ich, sondern eine andere Andrea sie erlebt.

Plötzlich bin ich voller Zuversicht. Ja, diesmal werde ich es schaffen, den Schritt in mein eigenes Leben. Nicht schnell und voreilig, sondern ganz langsam und vorsichtig. Aus meiner Geschichte habe ich gelernt, dass jede Entscheidung warten kann, auch wenn andere noch so drängen, sofern man sich nicht hundertprozentig sicher ist. Stehen bleiben, akzeptieren, mit der Situation klarkommen und dann erst handeln – so gehe ich jetzt Probleme an. Was heute unlösbar erscheint, ist vielleicht schon morgen ganz einfach oder übermorgen. Man muss nur die Geduld aufbringen, zu warten. Ich sehe meine eineinhalb Jahre im türkischen Gefängnis nicht mehr als verlorene Zeit, nur als aufgeschobene.

Deshalb werde ich am 10. Januar 2003 auch nicht zwanzig Jahre alt, wie es in meinem Pass steht, sondern noch einmal achtzehn, denke ich. Alles auf null, das Unternehmen Erwachsenwerden startet von vorn. Ich habe einen großen Fehler gemacht, ich habe meine Strafe akzeptiert, ich bin bereit,

Verantwortung zu übernehmen für mein Leben, und ich habe begriffen, was für eine schwere Aufgabe das ist. Deshalb werde ich meine Eltern brauchen bei den ersten Schritten in der Freiheit.

»Ich bin stolz auf dich, wie du das alles bewältigst«, hat Mama mir gesagt.

Das hat mich total überrascht. So weit bin ich für mich noch nicht, dass ich stolz auf mich sein könnte. Aber ich denke schon, dass jeder eine zweite Chance verdient. Und ich hoffe, dass auch die Gesellschaft sie mir zugesteht – wenn ich irgendwann Arbeit suche, als Vorbestrafte, dass ich dann ganz einfach wieder Andrea Rohloff sein darf und nicht das Mädchen, das mit sechs Kilo Heroin in der Türkei erwischt wurde.

Epilog

Jenny lebt. Kurz vor Weihnachten ist sie in Holland verhaftet worden. Zusammen mit Ordell, mit dem sie sich versteckt hat. Mama hatte es in der Zeitung gelesen und mich am Freitag, dem 20. Dezember 2002, gegen 9.30 Uhr auf dem Handy angerufen, als ich mit der U-Bahn vom Gefängnis in die Schule unterwegs war.

»Sie haben Jenny gestern in Amsterdam geschnappt«, berichtet Mama und ihre Stimme klingt seltsam tonlos. »Andrea«, sagt sie dann, weil ich nicht antworte, nicht antworten kann.

Mir wird schwindelig, wie kurz vor einem Ohnmachtsanfall, meine Knie knicken ein, ich muss mich hinsetzen, gleich neben der Tür, wo ich die ganze Zeit gestanden habe, weil kein Sitzplatz mehr frei war. »Das ist nicht wahr«, sage ich, »das kann nicht sein.«

Zwei südländisch aussehende Typen, die an der gegenüberliegenden Tür stehen, starren mich an. Bis zu diesem Moment habe ich geglaubt, dass Jenny tot sei, dass sie nie mehr auftauchen werde – Schluss, Ende, aus. Die anderen Passagiere verschwimmen hinter dem Schleier der Tränen, die mir über das Gesicht strömen.

Plötzlich ist alles wieder da: die Trauer um unsere Freundschaft, die Jenny missbraucht hat, die Verzweiflung über mein verpfuschtes Leben, die mich während meiner Haftzeit in der Türkei begleitet hat. Und dann ist da noch die Erleichterung:

Ja, ich freue mich darüber, dass Jenny noch lebt, dass die Organisation sie doch nicht umgebracht hat. Widersprüchliche Gefühle überrollen mich so wirr und intensiv, dass ich keinen klaren Gedanken mehr fassen kann.

»Melde dich in der Schule ab«, höre ich Mamas Stimme. »Ich sage Papa Bescheid, dass er dich in einer halben Stunde abholt.«

Als ich mich so weit beruhigt habe, dass ich wieder aufstehen kann, wirft mir ein älterer Herr einen merkwürdigen Blick zu. »Warum heult die denn so?«, höre ich ihn leise vor sich hin murmeln. Selbst wenn er mich direkt gefragt hätte – genau hätte ich es ihm in diesem Moment nicht erklären können.

Nachdem der erste Schock verdaut ist, bin ich einfach nur noch froh. Es ist gut und gerecht, dass Jenny jetzt ebenfalls ihre Strafe bekommt. Denn das ist auch für sie eine Chance, ihr Leben noch einmal neu, noch einmal richtig anzufangen – selbst wenn sicher einige Zeit vergehen wird, bis sie das begreift. Das hat nichts mit Schadenfreude zu tun, im Gegenteil. Ich spüre schon lange keinen Hass mehr auf Jenny. Die Wut hatte sich ja schon lange vor ihrer Verhaftung in Mitleid verwandelt. Sie hat mich betrogen, weil auch sie ein Opfer der Organisation war.

Irgendwann würde ich sie gerne einmal in den Arm nehmen und mit ihr über alles reden. Ich habe endlich gelernt, bei wichtigen Fragen hartnäckig zu bleiben, mich nicht abspeisen zu lassen, und ich bin gespannt, ob sie endlich Antworten für mich hat.

Bis dahin wird sicher noch viel Zeit vergehen, aber das kann uns beiden nicht schaden.

Nachbemerkung

Wie unschuldig kann jemand sein, der eine Tasche mit offensichtlich kriminellem Inhalt transportiert und dafür sechstausend Mark in Aussicht gestellt bekommt? Müssen da nicht sofort alle Alarmglocken klingeln, muss nicht selbst einer Achtzehnjährigen klar sein, dass es sich bei dieser Fracht nur um Drogen handeln kann?

Diese Frage habe ich während der Arbeit an diesem Buch immer wieder gehört, von Kollegen, von Freunden, von Menschen, die mir begegnet sind. Tatsache ist: Mir ging es genauso, als ich von Andreas Schicksal in der Zeitung las. Wie kann man auf einen so alten Hut hereinfallen? So dumm, so naiv darf doch einfach heute niemand mehr sein. Dass dieser Fall anscheinend das Gegenteil bewies, hat mich neugierig gemacht. Schließlich ist es die Aufgabe eines guten Reporters, sich von Vorurteilen frei zu machen, selbst zu recherchieren und sich so der wahren Geschichte zu nähern.

Da ein Gespräch mit Andrea im türkischen Gefängnis nicht möglich war, habe ich für eine Reportage zunächst ihre Eltern besucht. In mittlerweile mehr als fünfzehn Reporterjahren habe ich schon in unzähligen Wohnzimmern auf dem Sofa gesessen und mit Eltern über ihre Sprösslinge gesprochen, die aus verschiedensten Gründen ins kriminelle Milieu abgerutscht waren. Jede Familie hat ihre eigene Geschichte, ihre eigenen Entschuldigungen, ein zum Selbstschutz konstruiertes Gerüst der Rechtfertigung.

Bei den Rohloffs war es anders. Ich habe eine Familie kennen gelernt, wie man sie jeder Achtzehnjährigen nur wünschen kann: eine jung gebliebene Mutter, die erfolgreich ist im Job und trotzdem viel Liebe, Zeit und Verständnis aufbringt für die Bedürfnisse und Wünsche ihrer Kinder; einen Vater, der trotz der Jobmisere im Osten beruflich wieder erfolgreich auf die Füße gekommen ist und selbst in schwierigen Situationen, wie sie die Pubertät nun einmal mit sich bringt, Ruhe und Besonnenheit bewahrt; eine große Schwester, die sich die familiären Aufgaben der Kinder, durch die sie lernen sollten, irgendwann Verantwortung für ihr eigenes Leben zu übernehmen, mit Andrea teilte; eine kleine Schwester, die ihre große Andrea über alles liebt; dazu ein Hund, zwei Katzen, Meerschweinchen und eine Tür, die immer offen steht für alle Verwandten, Freunde und Bekannten der Familie – und es sind viele, die gerne kommen.

Ich habe viele Stunden bei den Rohloffs verbracht – während Andrea in der Türkei im Gefängnis saß und auch später, als ich mit ihr ihre Geschichte in Tonbandprotokollen aufgearbeitet habe.

In diesen Gesprächen haben die Eltern ein Bild gezeichnet von dem Charakter ihrer Tochter. Neugierig sei sie, aber eben auch sehr gutgläubig, hilfsbereit und denen gegenüber, die sie ihre Freunde nennt, unbedingt loyal. Als Jenny das erste Mal in Andreas Leben auftauchte, haben die Rohloffs, wie gute Eltern es eben spüren, bald gemerkt, dass dieser Einfluss ihrer Tochter nicht gut tut. Das haben sie ihr gesagt, die Freundschaft jedoch nicht verboten, weil sie wussten, dass Verbote gerade in diesem Alter im schlimmsten Fall das Gegenteil bewirken, nämlich dass die nicht gern gesehene Freundin noch interessanter wird.

Erwachsen werden ist ein schmerzhafter Prozess, und so optimal die familiären Verhältnisse auch sein mögen, irgendwann will ein junger Mensch sich abnabeln, anders sein als die Eltern, will ein eigenes Leben. Jenny hat Andrea einen

Weg angeboten, der einfacher schien als der vom Elternhaus vorgezeichnete. Briefe, die Andrea an Freundinnen schrieb, bevor sie Jenny traf, und selbst die, die sie aus dem Gefängnis nach Berlin schickte, bestätigen das Bild, das ihre Eltern schilderten. Sie lassen einen Blick zu in die Seele eines Mädchens, das sich die Realität schön und einfach träumt, das spontan und impulsiv handelt, weil es das Abenteuer fasziniert, und das sich hinterher über die Konsequenzen wundert, ein Mädchen, das eine Freundin nie verraten würde – und das seine Familie, bei allen kleinen Pubertätsquerelen, über alles liebt.

Die Freundschaft zu der zwei Jahre älteren Jenny, die Andreas Humor traf wie eine Gleichaltrige, wurde für sie so wichtig wie anderen Mädchen in ihrem Alter die erste große Liebe, ein Verhältnis mit Abhängigkeitscharakter, das Jenny, die ja schon Erfahrung hatte im Kurier-Anwerben, systematisch aufgebaut hat. Das berichten Freundinnen von Andrea, die genau wie die Eltern immer weniger an sie herankamen, weil Jenny Schritt für Schritt Andreas Außenkontakte kappte und schließlich vor der großen Reise zu ihrer einzigen wichtigen Bezugsperson wurde.

Deshalb ist es letztlich unerheblich, ob Andrea nicht doch irgendwann geahnt hat, welche tödliche Fracht sie transportieren sollte. Schon lang bevor sie mit Jenny nach Holland abreiste, war sie der vermeintlichen Freundin bereits so hörig, dass es für sie kein Zurück mehr gab. Von Anfang an stand für Andrea der Traum von einem gemeinsamen Leben mit Jenny in Amsterdam im Zentrum der fatalen Reise, nicht die Verlockung des leicht verdienten Geldes.

Als ich Andrea das erste Mal sah, bei einem Gefängnisbesuch im August 2002 im anatolischen Bilecik, traf ich eine Neunzehnjährige, die wirkte wie vierzehn, ein Mädchen, das sich vielleicht gerade dank seiner Naivität mit den Zuständen in der Zelle und den Mithäftlingen erstaunlich gut arrangiert hatte, das nicht nörgelte über die Zustände und das sich sogar seine Fröhlichkeit bewahrt hatte. So etwas ist nur einem Menschen möglich, der die ganze Konsequenz seines Handelns nicht erfasst, weil ihm die Reife dafür fehlt. Vielleicht war das Andreas Glück in dieser Situation, an der andere, erwachsenere Persönlichkeiten sicher zerbrochen wären.

Es hat fast ein Jahr gedauert, bis ich Andrea wieder besuchen konnte, diesmal in Deutschland, in der Justizvollzugsanstalt für Frauen in Berlin-Lichtenberg, kurz nach ihrer Überstellung aus der Türkei, für die ihre Eltern so hartnäckig gekämpft hatten. Die Andrea, die ich dort traf, war gezeichnet von den Strapazen der türkischen Haft, von der Auseinandersetzung mit ihrer Schuld den Eltern und der Gesellschaft gegenüber. Aus dem quirligen, naiven Teenager war eine eingeschüchterte, wortkarge junge Frau geworden, die einiges begriffen, aber noch immer vieles, das ihr widerfahren war, nicht verstanden hatte. Wie sollte sie auch? In den Briefen, die ihr die Eltern ins Gefängnis schickten, bei den kurzen Besuchen hatte sich die Familie auf die nötigsten Informationen beschränken müssen, auf die Vorbereitung juristischer Schritte, um Andrea aus der Türkei herauszuholen, auf die Versorgung der Tochter mit den nötigsten Dingen während der Haftzeit.

Natürlich wollten sie Andrea nicht zusätzlich damit belasten, wie stark ihr Gefängnisaufenthalt den Alltag der Familie in Berlin dominierte, mit welchen Schwierigkeiten sie im Umgang mit den deutschen und türkischen Justizbehörden kämpften.

So kam es, dass Andrea es ihren Eltern sogar etwas übel nahm, dass die Familie so eng mit den Medien zusammengearbeitet hatte. Ein Schritt, zu dem Andreas Anwalt, Ülcü Caner, dringend geraten hatte. Andrea wusste zwar, dass die Artikel über sie dafür sorgen sollten, dass ihr Fall nicht in Vergessenheit geriet, aber sie ahnte nicht, dass sie auch ein Schutz sein sollten vor Vergewaltigung und Gewalt, die in türkischen Gefängnissen durchaus vorkommen. Das aber war eine große und berechtigte Sorge der Eltern, die sie ihrer Tochter verschwiegen, um ihr nicht unnötig Angst zu machen.

Erst während der monatelangen Arbeit an diesem Buch hat sie langsam begonnen, die wahren Hintergründe ihrer Freundschaft zu Jenny zu begreifen, ein schmerzhafter Prozess, der sicher noch lange nicht abgeschlossen sein wird.

Andrea hat ihre Strafe akzeptiert, allein weil ihr ausgeprägter Gerechtigkeitssinn nichts anderes zulassen würde. In den intensiven Gesprächen mit ihrem Anwalt vor ihrer Verurteilung hat sie begriffen, dass Nichtwissen nicht mit Unschuld gleichgesetzt werden darf. Dennoch ist Andrea für mehr Straftaten verurteilt worden, als die Justiz ihr nachweisen konnte, nämlich auch dafür, dass sie als Mitglied einer Bande wissentlich Heroin geschmuggelt habe.

In der Türkei gilt zwar wie in Deutschland das Prinzip der richterlichen Überzeugung. Trotzdem bewerten deutsche Juristen diesen Fall anders und gehen davon aus, dass der Richterspruch hierzulande deutlich milder ausgefallen wäre, weil man auf eine Verurteilung wegen Bandenhandels verzichtet hätte. Einmal ausgesprochen, musste das türkische Urteil von der deutschen Justiz unverändert übernommen werden, so lautet die Bedingung, an die eine Überstellung geknüpft ist.

Es bleibt die Frage, wie es zu verantworten ist, dass ein Mensch, der sich – aus welchen Gründen auch immer – auf kriminelle Kurierdienste eingelassen hat, nachträglich ausgerechnet dank seiner Tat besondere Beachtung findet. Mit diesem Buch will Andrea nicht nur andere Jugendliche vor ihrem Schicksal bewahren, es ist für sie zugleich die Gelegenheit zur Aufarbeitung ihrer Schuld, ein Dienst an der Gesellschaft, deren Regeln sie gebrochen hat. Es ist also nicht fragwürdiger Ruhm, den Andrea mit der Veröffentlichung ihrer Geschichte sucht, sondern ein möglichst großes Publikum, das zum Nachdenken angeregt werden soll. Andrea hat einen neuen Traum:

Sie wünscht sich, dass ihr Buch in Schulen gelesen und im Unterricht besprochen wird.

Ein anderer Wunsch ist am 20. März 2003 bereits in Erfüllung gegangen. Die Jugendrichterin hat Andreas Entwicklung so positiv bewertet, dass ihre Strafe nach der im deutschen Jugendstrafrecht nur in sehr günstigen Fällen praktizierten Ein-Drittel-Regelung zur Bewährung ausgesetzt wurde.

Anne Nürnberger
im März 2003

Die erschütternde Lebensgeschichte einer Haremstochter

Mit 42 Jahren lässt sich die Deutsche Lisa Hofmayer auf das Abenteuer ihres Lebens ein: Sie wird die 33. Frau eines reichen Afrikaners. In ihrer neuen Großfamilie findet Lisa ungeahnten Lebensmut. Glücklich wächst ihre kleine Tochter Choga in der Obhut ihrer zahlreichen Mütter auf. Doch mit 16 Jahren wird ihr Leben zum Alptraum: Ihr Vater zwingt sie, einen 30 Jahre älteren Mann zu heiraten. Um Chogas Widerstand zu brechen, vergewaltigt er seine junge Frau brutal. Nur mit Hilfe ihrer Mutter gelingt Choga die Flucht...

Choga Regina Egbeme

Hinter goldenen Gittern

Ich wurde im Harem geboren

Originalausgabe

ULLSTEIN TASCHENBUCH